CHOCOLAT
MENIER
CHOCOLAT MENIER
BOITES
PETITES TABLETTES
5c
10c
CHOCOLAT
MENIER
EVITER
LES CONTREFAÇONS
CHOCOLAT
MENIER
EVITER
LES CONTREFAÇONS
La PUBLICITÉ du
JOURNAL
est la plus efficace
EN RAISON DE SON
GRAND TIRAGE
et de sa
CLIENTÈLE CHOISIE
PALAIS GLACE
BENEDICTINE
LE JOURNAL
HUIT PAGES - EN VENTE ICI
J.G Ed Reg
CW00433895

histoires de boîtes

tins stories

laurent vernay • freddy ghozland

préface de
frank riboud
pierre tchernia

Shirine Éditions

À toute ma famille, ces quelques racines. (L.V.)

Conception graphique et mise en page : Petits Papiers, Toulouse.

Photogravure : Graphocoop, Agen.

ISBN :2-913267-00-9

Imprimeries Ménard, Toulouse.

J'ai pris grand plaisir à découvrir *Histoires de boîtes.* Il est vrai qu'aujourd'hui où tout semble éphémère, changeant, en mouvement, il est bon de retrouver les racines des choses. Chaque boîte nous raconte une histoire, celle des usages d'une époque, les secrets qu'elle recèle, ou tout simplement nous séduit par son originalité ou sa valeur artistique. Étant moi-même plutôt un homme de marketing et de publicité, mon regard sur les boîtes se porte plus sur la créativité, l'inventivité, l'innovation. Mais je crois que chacun saura, au fil des pages, y trouver sa propre lecture tellement cet ouvrage est riche, surprenant, passionnant. Il faut le lire et le relire, prendre son temps et le garder auprès de soi comme un ouvrage de référence.

Frank RIBOUD
Président Directeur Général du Groupe DANONE

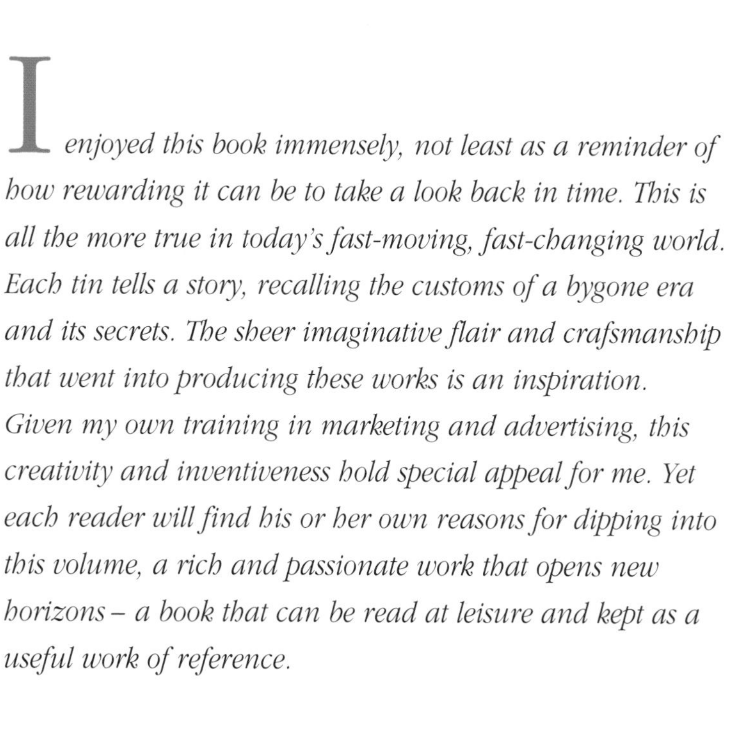

I enjoyed this book immensely, not least as a reminder of how rewarding it can be to take a look back in time. This is all the more true in today's fast-moving, fast-changing world. Each tin tells a story, recalling the customs of a bygone era and its secrets. The sheer imaginative flair and crafsmanship that went into producing these works is an inspiration. Given my own training in marketing and advertising, this creativity and inventiveness hold special appeal for me. Yet each reader will find his or her own reasons for dipping into this volume, a rich and passionate work that opens new horizons – a book that can be read at leisure and kept as a useful work of reference.

Frank RIBOUD
CEO, Danone group

avant-propos
foreword

Les auteurs de ce livre sont entraînés par une passion : les boîtes. Pas les boîtes de chaussures en carton ou les boîtes en plastique pour garder au frigidaire un restant de bœuf mode, non, les belles boîtes en fer blanc illustrées, coloriées, portant fièrement leur devise *Eleska C.S.Ki* ou *Amieux toujours à mieux*.
Le conditionnement, comme on dit, a perdu de son charme. Il est utile, il n'est plus beau. La matière qui enveloppe nos biscuits et nos bonbons est une sorte de "cellulocartonoplastique", alors que les boîtes qu'évoque ce livre sont noblement métalliques, durables, hermétiques ou quasi. Quand on avait fini une boîte, on la gardait. Elle devenait boîte à bonbons, à bons points, à bouts de ficelles et continuait à assurer, par son existence même, le talent des dessinateurs et la réclame des Bêtises de Cambrai (*Afchain seul inventeur* !) ou des pastilles de Vichy-État, dont le nom est, bien sûr, plus ancien que l'épisode de 1940-1944.
Il n'y avait pas, il y a cent ans, d'agences de pub et de sondages d'opinion pour décider de la forme du paquet et du logo, et le fabricant se fiait à son idée. Selon l'air du temps et les clients qu'il souhaitait atteindre, son produit devenait patriotique, historique ou géographique : le drapeau tricolore, Louis XIV ou la Côte d'Azur poussaient à la vente. On y mêlait aussi beaucoup de petits enfants comme l'écolier du Petit-Beurre LU ou la fillette du chocolat Menier (dont j'ai toujours supposé qu'ils se marièrent dans les années vingt pour mettre au monde Bébé Cadum).
D'où viennent-elles ces boîtes ? De précieuses collections. Conservées par des amateurs que l'on ne remerciera jamais assez : ils avaient le goût des objets familiers comme d'autres ont celui des estampes ou des monnaies. Ils ont rassemblé ces témoignages de l'art populaire et, du même coup, ils ont protégé des témoins de la sensibilité et de la technique du temps passé.
Ils les ont rassemblées aussi parce qu'elles étaient des souvenirs de leur enfance ou de l'enfance de leurs parents. À l'âge des cavernes, il devait y avoir déjà un homme préhistorique qui collectionnait les massues de son père et de ses grands-parents et qui les gardait jalousement en murmurant : « Ah, en ce temps-là, ils savaient tailler le bois ! » La Nostalgie venait de naître.

Pierre Tchernia

The authors of this book are lead by a common passion: tins. Not cardboard shoe tins or plastic boxes for keeping things in the fridge, no, beautiful tins, with plenty of drawings and different colours, proudly displaying their motto "Eleska C.S.KI" *or* "Amieux toujours à mieux".
Packaging or, as we say, conditioning, has lost all its charm. It is useful but it is no longer beautiful. Our biscuits and sweets are now wrapped in a kind of "cello-cardboard-plastic", where as the tins we speak about in this book which are made from metal, are long-lasting and airtight, or almost. When we had finished a tin, we kept it. It became a sweet box or an odds and ends box and therefore it continued to show off the designers talents and advertise! For example, a Bêtises de Cambrai (by Afchain!) box, or the Vichy-État pastilles, which is a name that is far older than the 1940-1941 episode!
One hundred years ago there were not any advertising agencies or opinion polls to decide on the shape of the packaging and the logo. The manufacturer decided. Depending on current events and target customers, his product could be either patriotic, historical or geographical: the tricolour, Louis XIV or the Côte d'Azur sold well.
Children were also a popular theme, like the school boy on the Petit-Beurre LU or the little girl for Menier chocolate (I always thought these two would marry in the twenties and produce a Cadum baby!).
Where do all these tins come from? From precious collections. They have been carefully kept by tin lovers who we will never be able to thank enough. They adore family objects like others adore engravings or coins. They collected these testimonies of popular art, and in doing so, they have preserved evidence of the sensitivity and techniques of past times.
They collected these items because they were souvenirs of their childhood and of their parents childhood. In the Stone Age, a prehistoric man was most likely already collecting his father's and grandfather's bludgeons. And sometimes, taking these objets in his hands he probably murmured something like: "Ah, in those times, they knew how to carve wood!" Nostalgia was born!

Pierre Tchernia

Ce livre ne prétend être qu'une longue promenade à la découverte de ce qu'on ne voit plus à force de les avoir toujours sous les yeux : les boîtes. Les grandes, les petites, les ternes, les bariolées, les boîtes à image, en somme toutes celles qui concourent à l'approvisionnement, au rangement, à l'ornement, répondant fréquemment à toutes ces fonctions à la fois.
Nombreux sont ceux qui ne s'intéressent qu'aux marbres, ivoires, cristaux ou argenterie, bref aux objets aristocratiques, dédaignant les objets prolétaires parce qu'ils ne sont pas aussi précieux, aussi rares. Ils ont tort. Car les boîtes ont été, au fil des années, les auxiliaires de la vie familiale, de la vie pratique, en disant long sur les usages et le folklore de temps révolus.
Qu'il nous soit permis, pour un bref moment, de suivre dans le clair-obscur de leur raisonnement les praticiens de l'analyse qui, tel Jean Baudrillard, ont perçu la riche ambiguïté des objets domestiques : avoir une fonction strictement pratique mais en même temps devenir, abstraits de leur usage, des objets en soi, de beaux objets, bref objets de collection.
On trouve dans les boîtes le cheminement des modes, des préjugés, des novations de la vie courante. Les objets de tous les jours ont ainsi gagné leurs lettres de noblesse. Elles matérialisent de longues traditions. Elles sont boîtes de conserve – oui, de conserve dans tous les sens du mot, y compris du plus fâcheux calembour –, qu'elles soient silencieuses ou peu à peu bavardes par leurs riches légendes, leurs illustrations, leurs dictons qui ont parfois des accès de gaieté dignes de Guignol.
À n'en pas douter les aficionados de l'objet unique ne voient pas le lien qui unit la brocante au musée. Ils ne perçoivent pas que des objets de cuisine, de cave, de forge ou d'atelier, se sont peu à peu adjugés les espaces communs d'habitation et pas seulement les placards et débarras, comme une promesse de témoignage des civilisations du passé.
Les boîtes sont des fonds de souvenir pour archéologues de notre temps, alors même qu'elles ont perdu leurs vertus utilitaires sur les longs chemins de la modernisation. Aussi la boîte a-t-elle ses muséologues parce qu'elle est porteuse d'informations sur ce qu'elle recèle, de l'épicerie aux épices, du garage à l'atelier, avec ses pionniers et ses inventeurs.
Tout questionnement sur la primauté du contenu sur le contenant ne saurait retenir l'attention car la réponse se trouve dans leur caractère inséparable.
Les boîtes ont tant de souvenirs effacés et de nostalgie à faire resurgir. Leur décoration même évoque nos attachements d'antan en allant souvent du non-dit au hurlé du slogan – ce qui est un pléonasme car ce terme gaélique veut dire cri de guerre. Les boîtes sont de fait devenues l'un des meilleurs supports des marques, vecteurs de publicité, la plus subtile comme la plus naïve. Les fabricants et leurs concepteurs de boîtes nous l'ont confié. Regardons bien. Tendons l'oreille. ●

This book is a rambling discovery of what one fails to see because too long in front of our eyes: Tins, large or small, lustreless or many coloured, or decorated with pictures. In short all those which concur to procurement of supply, storage, decoration, information and, more often than not, to all those needs together. Many are those who solely take interest in marbles, alabasters, ivory, cristals, silver plate, in short aristocratic things but disdain proletarian ones, as they are not so precious and rare. They are wrong. Tins, years after years, are the servants and the assistants of family life, of practical life and tell us a great deal on the customs and folklore of near and ancient times.
Let us try to follow in their clear and obscure meanderings the practioners of analysis who perceived as Jean Baudrillard puts it: the rich ambiguousness of domestic articles: they have strickly practical use but in the same time they are objects in their own right, beautiful items, collector's items.
Tins make us realize the slow process of fashions, prejudices and innovations of daily life. Ordinary things – and tins are their colour bearer – in this way have won their letters patent of nobility. They embody long traditions. To preserve in every sense of the word – not excepting the most feasible pun – is the catchwork for these boxes, whether they are silent or start talking to us through their rich legends, their illustrations or old tags, sometimes as merry as Punch.
No doubt the aficionados of unique items do not see the link between flee markets and the museums. They do not realize that kitchens range, cellar equipment, iron work, tools have slowly taken possession not only of cupboards and storage rooms but of living quarters promising to be witnessed of past civilizations rather than the raw material of future refuse dumps.
For the archeologists of comptempary times tins are treasure troves of memories, even though some have lost their practical usefulness on the long road to modernization. Therefore they have become their own museologists on what they have conveyed from spices to grocery, from garage to mills. All questionning on the primacy of content over containers does not deserve much attention as the answer is the inseparability of both.
Tins have many faded memories and nostalgia to rise up to. Their very decoration conjures up what were our childish attachments of past time with a range from the unfold to roaring slogans. Tins have become one of the best basis of trade marks, conveying the most subtle as well as the most naive publicity. Indeed box makers and designers have told us so! Let us look and listen carefully. ●

les boîtes lithographiées

« Gardons-nous de l'idée que le quotidien est sans histoire, que tout depuis toujours y aurait été semblable à ce que nous en connaissons aujourd'hui. » J.L. Flandrin [34].

histoire de la boîte

le fer blanc

la fabrication

la décoration

la réclame

boîtes et environnement

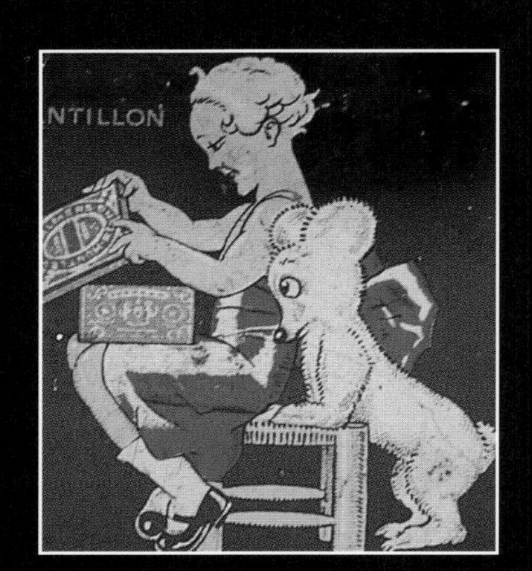

decorated tins

"Bear in mind that life has allways had its share of ups and downs and that is the way it has been...." J.L. Flandrin [34]

HISTOIRE DE LA BOÎTE
story of the metal box

L'histoire des boîtes lithographiées est la résultante de plusieurs histoires qui se complètent, se combinent ou plutôt, comme le veut sans hasard le vocabulaire, s'emboîtent, le tout étant plus riche que les parties.

La cote des boîtes (FF, euros, $) est codée de [* 1] valeur minimale à [* 9] valeur maximale. Voir page 218.

Tins price is indexed from [1] lowest value to [* 9] highest value. See page 218. Estimated price is given in french franc, euro and dollar.*

Il s'agit de l'histoire de l'usage de la boîte réceptacle, sans se préoccuper de sa matière et de sa fonction, l'histoire plus spécifique de celles qui furent fabriquées en fer blanc, avec l'évolution des méthodes et techniques de fabrication et de décoration. C'est également l'histoire de ses lignées d'artistes artisans recherchant et donnant le plaisir de l'objet. C'est en même temps l'histoire d'entrepreneurs, de ceux qui ont senti que l'histoire de l'alimentation allait être – et le sera – celle de la distribution et de la publicité.
Les boîtes résument cette riche complexité.
De toute éternité. Car bien avant que la pomme soit la tentation d'Ève, c'est une boîte qui fut la tentation de la ravissante Pandore qui voulut l'ouvrir sans deviner que Zeus y avait inséré tous les maux pour punir le vol du feu.

QUELQUES MOTS D'HISTOIRE [9]

Prés de 3 000 ans avant J.-C., les pharaons se faisaient déjà fabriquer des boîtes à cosmétiques en bois, recouvertes d'or. Les Romains utilisaient des cistes, boîtes recouvertes de feuilles de bronze ou de cuivre pour ranger leurs bijoux et produits de beauté. À la Renaissance italienne, les Florentins devinrent les maîtres dans la fabrication des boîtes tant ils faisaient appel aux talents conjugués des plus grands graveurs, sculpteurs et marqueteurs. Au XVe siècle, les fabriques de Limoges produisaient des boîtes en émail, alors qu'à Venise elles étaient en cristal de roche. Au XVIe siècle, les ateliers allemands de Nuremberg perfectionnent les techniques de l'émaillage. Au siècle suivant, qui fut la grande époque du négoce maritime avec l'Orient, les Hollandais et les Portugais donnent un décor exotique à leurs boîtes.
À partir du XVIIIe, la production de boîtes offre un panorama très varié de formes, de matériaux et de techniques... La société aime s'afficher et ainsi elle montre les aspects extérieurs de son art de vivre [9]. C'est le temps des tabatières, des boîtes à pilules, des boîtes à thé ou à billets doux. C'est la vogue des porcelaines allemandes dont celles de Meissen est immense. C'est également l'apparition de la technique des mosaïques miniatures.
Au XIXe, les cigarettes et le cigare amènent de nouvelles formes de boîtes comme l'étui. L'accroissement des classes moyennes donne lieu à la création de boîtes moins onéreuses en bois et en papier. Ce siècle est celui de l'emballage en carton et des débuts du fer blanc. Ces deux matériaux permettent à la réclame de présenter, par le dessin et le slogan, les sociétés manufacturières et leurs produits.
Dans la première moitié de notre siècle, l'aspect pratique et économique qui est le propre des boîtes en fer blanc, universalise leur emploi. Leurs décors seront influencés jusqu'en 1914 par l'art nouveau (fig. 2), puis à partir de 1920 par l'art décoratif (fig. 4).
Après la Deuxième Guerre mondiale, c'est la fin du rapport privilégié que l'on pouvait entretenir avec les boîtes, du fait de leur production industrielle : alors qu'elles avaient acquis le statut de compagnons fidèles et irremplaçables [9] elles deviennent des produits jetables. N'oublions pas toutefois que la stratégie des fabricants tend à ce que l'acheteur les conserve pour y mettre café, sucre ou pâtes (fig. 3). Ainsi ont-elles régné sur les étagères des cuisines de nos grands-parents, entourant d'un regard silencieux mais bienveillant, plusieurs générations d'enfants... Les nôtres, aussi peut-être ?

story of the metal box
HISTOIRE DE LA BOÎTE

The history of offset litho printed tins is the result of the coming together or combining of several stories, and like boxes which can neatly fit into each other, these different chapters make up a very rich entity.

This is the history of the use of the receptacle box, without taking into consideration what it was made of or its initial function, but more specifically, of thos made from tin, with the develop-ment of manufacturing and decorating methods. It is also the story of the families of those craftsmen-artists who sought after and gave pleasure to those objects. It is also the story of some entrepreneurs, those who felt at that early stage, that the story of food would be, - and they were right-that of distribution and advertising too.

The boxes themselves sum up this rich complexity. And this ...from time immemorial ! Because a long time prior to the apple being Eve's temptation, the box was the temptation for the ravishing Pandora, who wanted to open it without knowing that Zeus had put evil things inside to punish the theft of fire.

SOME HISTORICAL FACTS [9]

About 3000 years BC. the Pharaons were already having boxes made for cosmetics. These boxes were made from wood and covered in gold. The Romans used cists, boxes covered in bronze or copper leaves, for jewellery and beauty products. During the Italian Renaissance, the Florentines became masters in the art of box making as they regrouped the best engravers, sculptors and marquetry workers. In the XVth century enamel boxes were being made in Limoges, while in Venice, they made boxes in rock crystal. In the XVIth century, German workshops in Nuermburg were worked on improving enamelling techniques. During the following century, which was marked by intense sea trade with the East, the Dutch and the Portuguese began decorating their boxes in an exotic fashion.

From the XVIIIth century onwards, there was a whole range of different shaped boxes, made from different materials and techniques... Society, at that time, enjoyed flaunting and so showed the exterior aspects of their art of living [9]. This was the era of tobacco boxes, pill boxes, tea caddies or boxes for putting your love letters in. German porcelaine was in vogue, that of Meissen was particularly famous. This was also the time when miniature mosaiques began to appear.

In the XIXth century, cigarettes and cigars brought new shapes to boxes, like cases. The growth of middle classes, who also wished to have their boxes, meant that cheaper boxes have to be made from wood and paper. This was the century of cardboard packaging and the beginning of tin. These two materials enabled the manufacturing firms and their products to be advertised thanks to a drawing or a slogan.

In the first half of this century, thanks to the practical and economical aspects of tin boxes, they became universal. Until 1914 the designs were very much influenced by Art Nouveau (fig. 2), and from 1920 onwards, by decorative art (fig. 4).

After the Second World War, tins were made industrially and so the priveleged relationship we could have with them changed. They had been known as loyal and irreplaceable companions [9] and they became throw-away items. We must not forget though, that these new box manufacturers' strategy was to get the customer to keep the tin to store coffee, sugar or pasta (fig. 3). And so they reigned on our grand-parents' kitchen shelves, quietly watching over several generations of children... Ours too perhaps ? ●

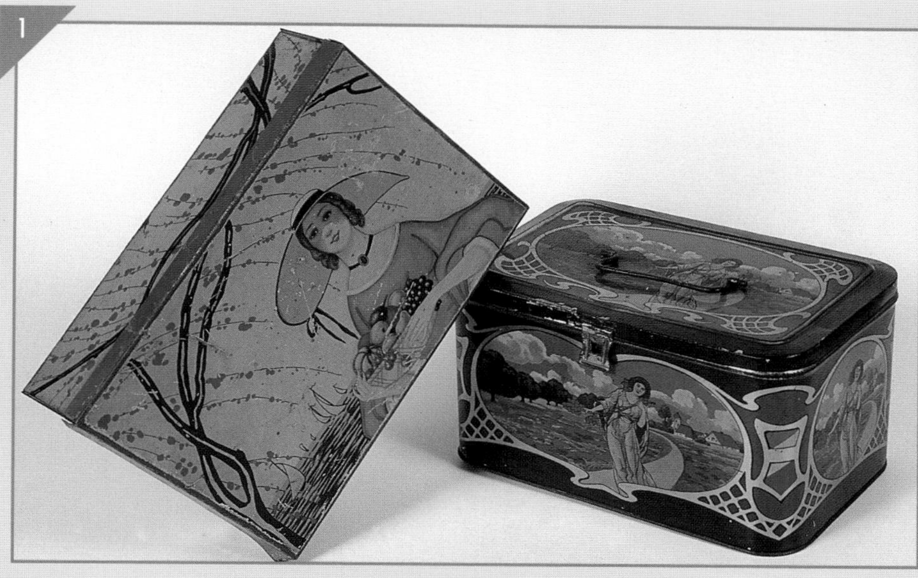

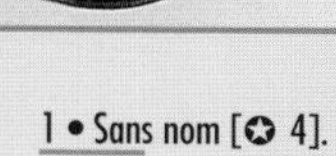

1 • Sans nom [✪ 4].

2 • Express,
livre en relief [✪ 5].

3 • Sans nom [✪ 2].

4 • Exposition
universelle, 1935
[✪ 3].

5 • Billiemaz & Borgel
[✪ 3].

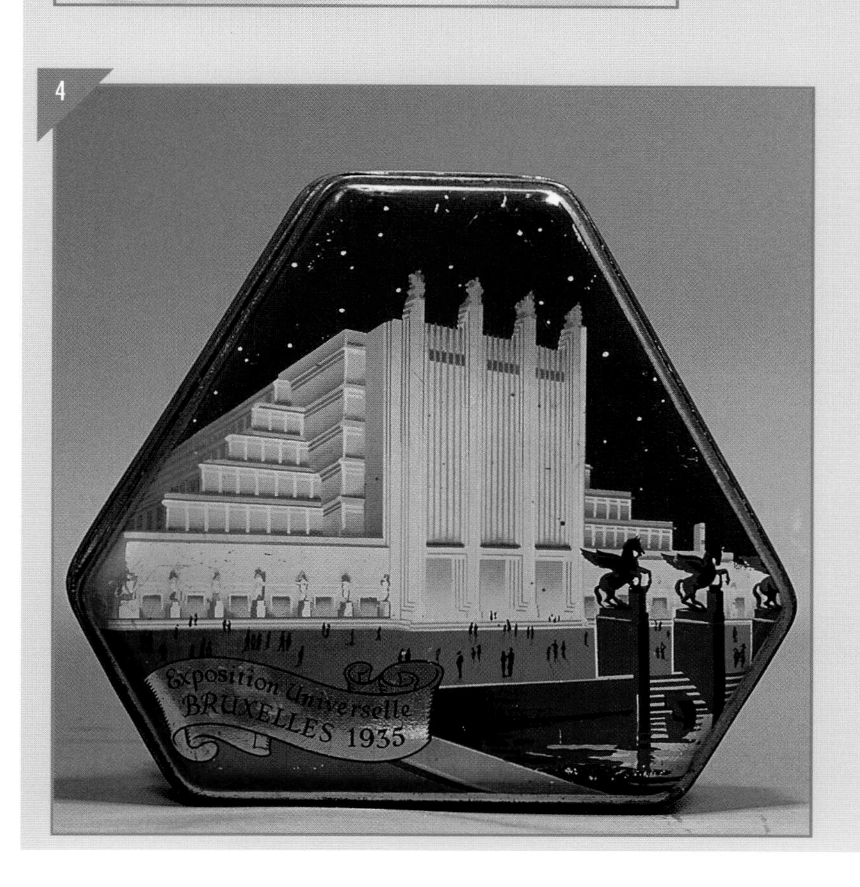

LE FER BLANC
tin

Le fer blanc, mince feuille d'acier recouverte d'étain, est le matériau de base avec lequel les maîtres de forge fabriquaient les boîtes. Ce sont les métallurgistes de Bohème et de Saxe qui mirent au point, dans le plus grand secret, la fabrication du fer blanc. De leur côté, les Gallois et les Anglais firent l'impossible pour y arriver tant et si bien qu'à compter du XVIIIe, ils deviennent les fournisseurs quasi exclusifs de la France.
Colbert avait bien fait construire des fabriques, vers 1650, mais elles ne résistèrent pas à la concurrence experte des Britanniques.

LE FER BLANC, UN PRODUIT EMBALLANT [114]

En 1795, Nicolas Appert ouvre la voie au développement mondial de la conserve en mettant au point une méthode de conservation des aliments dans des bocaux en verre (fig. 26), par stérilisation à chaud et à l'abri de l'air. Ses résultats sont publiés en 1810, année où un autre Français, Pierre Durand, dépose à Londres un brevet par lequel il parvient à conserver des aliments dans un récipient en fer blanc. En 1812, les Anglais Donkin et Hall rachètent le brevet de Durand et mettent sur le marché la première boîte de conserve. Ainsi en deux ans, les Anglais prennent une avance considérable sur les Français dans l'application pratique de leurs découvertes. Grâce aux commandes de la marine anglaise, la production se développera et à partir de 1830, l'usage de la conserve entrera dans les mœurs Outre-Manche.
Aux États-Unis, l'industrie fait ses premiers pas en 1819. Les pionniers Dagget & Kensett, pour les crustacés, et Charles Underwood, pour les fruits et légumes, adoptent la boîte métallique à compter de 1837.

PRODUCTION DE FER BLANC (en milliers de tonnes)

	Angleterre	États-Unis	Allemagne	Autres	France
1900	500	300	30	67 (dont la France)	
1913	822	830	82	45	37
1930	814	1 763	245	93	104

Cependant, les Allemands développent des conserveries de légumes, en particulier à Brunswick et à Lübeck. En France, seuls les conserveurs de sardines mettent à profit l'appertisation. Pour vendre ses boîtes de sardines, la maison nantaise Colin y soude, en 1824, des plaquettes d'information en laiton sur la nature de ses produits [120].
L'année précédente, une forge avait ouvert ses portes à Basse-Indre, sur la Loire, là même où sera installé en 1857, le premier four Martin Siemens. À cette époque, Louis Pasteur découvre que ce sont les bactéries qui sont à l'origine de la dégradation des aliments et justifie ainsi scientifiquement la découverte d'Appert. En 1864, la fabrication du fer blanc débute aux Forges d'Hennebont dans le Morbihan, ainsi qu'à la Forge de Montataire dans l'Oise et à celle de Gueugnon.
Malgré cela, la production française de fer blanc reste faible (voir tableau), alors que l'Angleterre ne sera dépassée par les États-Unis, qu'à l'horizon de la Première Guerre mondiale.
Si les USA ont si bien réussi à développer leur production, c'est dû pour partie à l'édification de barrières douanières (McKinley Tariff Act en 1891), permettant à leurs entreprises naissantes de se développer. C'est d'ailleurs ce qu'avaient fait les Anglais en 1706, pour se protéger des importations allemandes. De plus, pour amortir leurs coûts d'automatisation et élargir leur marché, les firmes américaines ont su, avant les Européens, se regrouper : en 1898, 38 firmes forment l'American Tinplate Co, qu'ils transforment en 1901, en American Can Company regroupant 60 entreprises et 121 usines. En 1904, c'est la créa-

tion de leur principal concurrent, la Continental Can Company.

Quant au fer blanc, il sert principalement, à l'origine, à la confection d'articles ménagers pour l'armée et les ordres religieux qui ne pouvaient s'offrir des ustensiles en étain. Le fer blanc deviendra la principale matière première des produits d'emballage, de façon quasi monopolistique au XIXe avec le carton, avant de devoir partager son marché, après la Deuxième Guerre mondiale, avec le plastique, le verre et l'aluminium. ●

Sollac

Le fer a probablement, plus que tout autre métal, accompagné les progrès de l'homme dans son développement... depuis l'Âge du fer, précisément. La sidérurgie moderne est née vers le milieu du XIXe siècle, lorsque des avancées technologiques ont permis la production de l'acier par affinage de la fonte. La fonte, le fer et l'acier, qui ne sont qu'un seul et même matériau, dans lequel seul varie, à la base, le pourcentage de carbone, voient leur production plus que décupler en quelques dizaines d'années. De grands chantiers naissent qui sont autant de gros consommateurs d'un métal qui allie résistance et souplesse : la statue de la Liberté en 1886, le viaduc de Garabit, la tour Eiffel en 1890, sans compter, bien sûr, des inventions comme celle du vélocipède ou de l'automobile ! La société Sollac, premier producteur d'acier en France, est issue d'une série de regroupements d'entreprises sidérurgiques dont nous ne donnerons ici que les grandes lignes : les sociétés Denain-Anzin et Forges et Acieries du Nord-Est constituent Usinor (Union sidérurgique du nord de la France) en 1948. Neuf sidérurgistes fondent une coopérative Sollac – Société lorraine de laminage en continu – et exploitent à Sérémange, un laminoir à chaud d'une capacité annuelle de 830 000 tonnes. De la fin de la guerre aux années soixante-dix, se créent puis fusionnent des entreprises qui auront pour nom De Wendel, Lorraine-Escaut, Sidelor, Sacilor... Sollac crée Solmer pour exploiter, en 1970, la toute nouvelle usine de Fos-sur-Mer... En 1981, l'État français prend la contrôle, par conversion de créances, d'Usinor et de Sacilor, dont il détiendra 99,9 % du capital en 1986... capital qu'il cédera, en 1987, à une société qu'il détient à 100 %, Usinor-Sacilor. En 1990, Usinor absorbe Sollac. Et le groupe, qui prend le nom d'Usinor, est définitivement privatisé le 17 juillet 1995. Aujourd'hui, Usinor est divisée en trois filiales, relevant chacune d'un domaine de compétence spécifique : Sollac, qui est la première société européenne de fabrication d'aciers plats au carbone, et qui possède également l'activité la plus importante du groupe (49,4 % du CA). Ugine, la division spécialiste des aciers inoxydables et des alliages, et Aster, qui gère l'activité aciers spéciaux du groupe. Les productions d'aciers plats de Sollac sont présentes dans l'automobile, dont elle est le premier fournisseur européen, dans le bâtiment, l'électroménager, et dans l'emballage. Sur ce dernier marché, Sollac est numéro 2 mondial, numéro 1 européen, avec une production pour l'Europe, de 250 000 tonnes d'acier pour boîtes-boisson (3,8 milliards de boîtes !), prés de 500 000 tonnes dans l'emballage alimentaire, et des positions importantes dans les aciers pour cosmétiques, aérosols, peintures et produits chimiques. Dans un souci de respect de l'environnement, Sollac prévoit une certification ISO 14001 pour ses sites en 1998. ●

6 • E. Gourlaquen [✪ 2].

7 • Margot Savarin [✪ 2].

8 • Tôle. Simplex.

tin
LE FER BLANC

Tin, a very thin sheet of steel, covered in pewter, is the basic material with which the smithy made the boxes. Metal workers from Bohème and Saxe first discovered tin and kept it very secret. The Welsh and the English were also trying very hard, so hard, that by the XVIIIth century, they became the almost unique suppliers for France.
Colbert had built factories, around 1650, but nothing could resist the expert British competition.

TIN, AN ATTRACTIVE WRAPPING [114]

In 1795 Nicolas Appert opens the way to worldwide development in tinned foods. He discovered a way to preserve food in airtight glass jars (fig. 26) by heating them to sterilize them. His results were published in 1810, the year in which another French man, Pierre Durand, registered a patent in London for preserving food in tin containers. In 1812, Donkin and Hall, English men, bought Durand's patent and sold the first tin. Within two years the English had made considerable progress compared to the French, concerning the practical application of their discoveries. Thanks to all the orders placed by the English Navy, production developed, and from 1830, the use of tinned foods became an everyday habit in Great Britain.
In the USA the industry began to develop in 1819. From 1837 onwards tins were being used by Dagget and Kensett who were the pioneers in canning shell fish and Charles Underwood in fruit and vegetables.
However it was the Germans who developed vegetable canning factories mainly in Brunswick and Lubeck. In France only the sardine canning industry took advantage of these innovations. In 1824 the Colin firm in Nantes welded brass plaques onto their tins of sardines giving the customer further information about the product [120].
The year before, an ironworks had opened in Basse Indre, on the Loire, on the very spot where Martin Siemens installed his first oven in 1857. At this time, Louis Pasteur discovered that bacteria was the cause of decay in food and so scientifically justified the discovery of Appert. In 1864 tin manufacturing began at the Forges d'Hennebont, in Morbihan, and at the Forge de Montataire, in Oise and at Gueugnon.
Despite that, tin production in France remained low, while that of Great Britain was second only to the USA at the time of the First World War.
If the United States succeeded so well in developing their production, it is due partly to the introduction of trade barriers (McKinley Tariff Act, 1891) which enabled young firms to develop. This is, of course, what the English did to protect themselves from German imports in 1706. On top of this, to pay for automation costs and increase their market, the Americans understood before the Europeans, that it was necessary to group together. In 1898, 38 firms joined together and became tha American Tinplate Co., which in 1901 became the American Can Company regrouping 60 companies and 21 factories. In 1904, their main competitor arrived on the market, the Continental Can Company.
As for tin, it was first used principally for making army utensils and it was also used by the religious orders who could not afford pewter. Throughout the XIXth century tin was the principal raw material for packaging products and along with cardboard, monopolized the market. After the Second World War, however, it was obliged to share, as plastic, glass and aluminium arrived on the market. ●

9 • Lustucru.
En haut [✪ 6].
En bas, carton [✪ 2]

10 • Tôle. Simplex.

Sollac

Iron, more than any other metal, has probably accompanied man's progress since precisely the very beginning the Iron Age.
The iron and steel industry today, probably originated around the middle of the 19th century, when technological process enabled steel to be produced from wrought iron.
Wrought iron, iron and steel which are really one of the same material and in which only the percentage of carbon varies, saw their production increase tenfold in the space of ten years. There were big sites to be done and they needed metal which allied resistance and flexibility: the Statue of Liberty in 1886, the Viaduc de Garabit, the Eiffel tower in 1890, without of course considering all the inventions like the bike and car!
Sollac, leading manufacturer of steel in France, is the result of a series of coming together of iron and steel companies. We will only give the outline here: Denain-Anzin and Forge et Aciéries du Nord-Est which make up Usinor (Union Sidérurgique du Nord de la France) in 1948. Nine iron and steel workers founded a cooperative Sollac – Société Lorraine de Laminage en Continu – and in Serenange used a flatting mill with an annual capacity of 830 000 tons.
From the end of the war to the seventies, several companies appeared and then merged to become De Wendel, Lorraine-Escaut, Sidelor, Sacilor. Sollac created Solmer and in 1970 began work in the brand new factory at Fos-sur-Mer.
In 1981 the French state takes control of Usinor and Sacilor by converting the debts of Usinor and of Sacilor of which they held 99.9 of the capital in 1986. A capital which in 1987 they gave to a company which they own 100%, Usinor/Sacilor. In 1990 Usinor absorbed Sollac. And the group which took the name Usinor was privatised on the 17th July 1995.
Today Usinor is divided into three subsidiaries each with their own speciality: Sollac is the leading European firm for manufacturing flat carbon steels which is also the main activity of the group, with 49.4% of the turnover. Ugine specialist in stainless steel and alloys, and Aster, manages the special metal activities of the group. Sollac's production is present not only in the automobile industry, of which they are Europe's main supplier, but also in the domains building household appliances and packaging. On this market Sollac is number 2 worldwide, number 1 in Europe producing 250 000 tons of steel for drink tins (3.8 billion cans!) with nearly 500 000 tons of packaging for food and a prime position as well in the steel for cosmetics, sprays, paints and chemical products. Sollac is planning to obtain the ISO 14001 for its different sites in 1998 as a mark of respect for the environment. ●

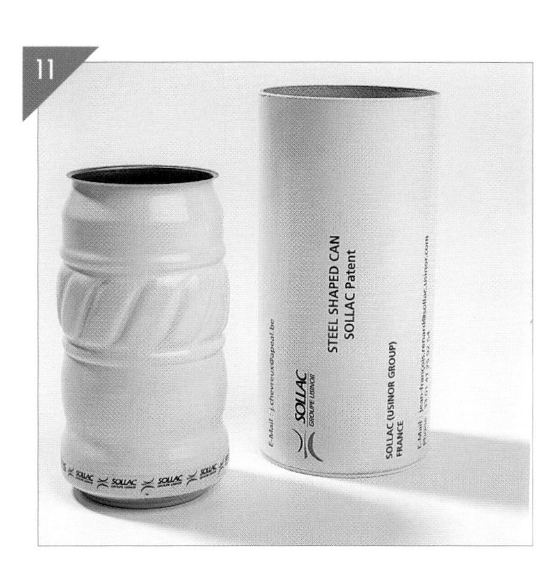

Quand la boîte-boisson prend forme : Sollac a déposé un brevet permettant de décliner, à la demande des fabricants de boissons, une infinité de formes leur permettant de se différencier, afin d'être mieux identifiés par le consommateur.

When the drink can takes shape: Sollac took out a patent enabling on the request of drink makers to decline to make different shapes that would enable them to be distinguished and therefore better recognised by the consumer.

LA FABRICATION
manufacturing

L'annuaire Didot-Bottin de l'année 1906, recense en France sous la rubrique boîtes de couleur, boîtes pour conserves alimentaires et boîtes métalliques, 57 fabricants dont 32 à Paris et 15 en province. N'y sont pas incluses, les rubriques boîtes à cirage et à échantillons. Dans ces données, les maisons à succursales multiples ne sont comptabilisés qu'une seule fois.
Sachant qu'il fallait payer pour être référencé et que toutes les sociétés ne le jugeaient pas nécessaire, on peut penser que l'industrie de la fabrication de boîtes métalliques était peu concentrée. L'histoire de six de ces entreprises est racontée ici.

The 1906 Didot-Bottin directory, filed in its section on coloured boxes, boxes for food preserves and metal boxes in France, 57 manufacturers, 32 of which were in Paris and 15 in the provinces. Shoe polish boxes and boxes for samples were not included. In this information, companies with several branches were only counted once.
Companies had to pay to be in the directory and since many did not find it necessary, one can conclude that the tin box manufacturing industry was held in many hands. Here is the story of six of these companies.

REGARD SUR LES FABRICANTS DE BOÎTES MÉTALLIQUES

A GLANCE AT THE METAL BOX MANUFACTURERS

13

Albert Béthune (1890-1986), fils d'une famille d'industriels de Bouchain, développe la fabrique de boîtes métalliques familiale l'amenant, avec l'aide de George Delebarre en 1925, à concevoir ses propres machines de fabrication. Leurs principaux clients étaient des entreprises du nord de la France et bien des confiseurs célèbres comme Geslot-Voreux, Afchain ou La Vosgienne s'approvisionnèrent chez eux. En utilisant la lithographie sur pierre, ils parviennent dés 1926 à imprimer des boîtes en couleur. Ils compteront alors jusqu'à 120 employés.

D'Albert Béthune à Multibox

Peu avant la guerre, période durant laquelle ils arrêteront la production, ils font venir d'Italie une Marinoni qui permettait d'imprimer à plat à partir de feuilles en zinc.

En 1949, Henri Béthune, fils d'Albert, et directeur commercial de l'entreprise, succède à son père. C'est l'époque ou l'atelier sort des séries de 300 à 500 000 boîtes. De 1957 à 1975, M. Moroge poursuit la modernisation, en remplaçant notamment le gazogène à charbon par le gaz de Hollande. En 1976 la société BMA reprend Béthune mais elle est elle-même rachetée en 1980 et ses actifs sont alors dispersés les uns après les autres. En 1989, la famille Biron sauve l'entreprise qui emploie aujourd'hui treize personnes. La maison s'est fait une spécialité de la fabrication de petites séries de 500 à 300 000 boîtes, souplesse appréciée par sa clientèle. Si l'on excepte quelques rares boîtes signées H. Béthune, la tradition de la maison fut de ne jamais signer sa production. ●

From Albert Béthune to Multibox

Albert Béthune (1890-1986) one of a family of industrials from Bouchain developed the family metal box factory and with the help of Georges Delebarre in 1925 made his own manufacturing machines. Their main clients were companies in the North of France and many famous sweet makers like: Geslot-Voreux, Afchain or La Vosgienne, bought their boxes from them. Using the direct lithography method in 1926 they succeeded in printing coloured boxes. At this time there were about 120 people in the firm. Shortly before the war they stopped production and imported a Marinoni from Italy which enabled them to print from zinc sheets. In 1949, Henri Béthune, Albert's son, Sales Manager of the company took over from his father. At this time the factory was producing a series of 300 to 500 000 boxes. From 1957 to 1975, Mr Moroge continued the modernisation process notably replacing the coal with gas from Holland. In 1976 BMA bought Béthune and was itself bought in 1980 and its assets were disposed of bit by bit. In 1989 the Biron family saved the firm which today employs 13 people. This firm had a speciality and that was the manufacturing of small series, 500 to 300 000 boxes. This factor was greatly appreciated by its customers. Except for some rare boxes signed H. Béthune traditionally this firm never signed its production. ●

14

15

Ci-contre : Industrie sardinière. Préparation des boîtes.

16

17

16 • Catalogue de représentant. Couverture en fer blanc, 1954

17 • La Ménagère [✪ 5].

La croisade internationale de Massilly

C'est une longue et belle histoire de développement que celle qui fit s'inscrire le nom de Massilly sur les atlas mondiaux par suite des initiatives d'une même famille, les Bindschedler, qui sût être à l'écoute des besoins et des goûts changeants du temps.

L'histoire trouve son commencement en 1898 lorsque le jeune Robert Bindschedler quitte sa Suisse natale pour la Grande-Bretagne, alors industriellement la plus avancée d'Europe. Le fabricant de fer blanc Tin Savoy Co embauche Robert après qu'il eut exercé plusieurs métiers et l'envoie, vers 1900, à Paris comme agent pour la France et la Suisse. Il s'arrange avec Jules Joseph Carnaud pour que ce dernier lui cède son commerce de fer blanc.

Ingénieux, Robert installe en même temps du matériel dans des imprimeries à Paris, Rouen et Marseille. Lors de l'un de ses déplacements, il fait halte à Cluny. En parlant avec l'aubergiste, il apprend qu'un vieux moulin ayant appartenu à la prestigieuse abbaye est à vendre à Massilly et l'achète en 1911. Quatre ans plus tard, par suite de la grande guerre, l'étain, matière première stratégique, auparavant principalement importée de Malaisie, vint à se raréfier. Pour pouvoir en récupérer à partir des déchets de fer blanc par électrolyse, il fallait de l'électricité qu'il obtient en installant une batterie de turbines sur la Grosne. Petit à petit dans les années vingt, Massilly se lance dans la transformation du fer blanc pour fabriquer des articles ménagers tels que bassines, seaux, gorgeoirs à oie…

En 1924, pour répondre à la demande croissante de fer blanc en France, Robert Bindscchedler devient agent de la forge anglaise Richard Thomas & Baldwin. Entrepreneur, il veut développer le marché du fer blanc en créant des sociétés utilisatrices [114]. Il crée donc la Société nancéienne d'emballages métalliques, où il développe un procédé permettant la production dans de bonnes conditions de conserves familiales (fig. 17). Il fonde la Compagnie franco-continentale des boîtes métalliques et la Compagnie des bouchages hermétiques Simplex. Il crée également une société de négoce à la Plaine Saint-Denis pour écouler ses boîtes en France et vendre le fer blanc aux petits fabricants de boîtes françaises.

En 1930 – c'est un bond en avant – se conclut une association avec le groupe de Wendel pour créer la société Le Fer Blanc (aujourd'hui filiale du groupe Usinor) et dont l'objet est le négoce sans frontière du fer blanc.

En 1931, avec l'appui des de Wendel, il crée la société Ferembal qui est en fait le regroupement de ses trois unités de production de Nancy, Carpentras et la dernière à Massilly.

Suit la création, en 1952, de la société Robert Bindschedler SA, imprimeur à façon et négociant de fer blanc, soudure et produits destinés aux industries du BTP (cette société sera transférée [71] à Mâcon en 1987).

Dés 1950, Pierre Bindschedler qui avait déjà développé, en 1938, des boîtes boisson pour la Brasserie de Vezelize en Lorraine, relance cette activité après avoir signé un accord de licence avec la société American Can, et fournit des boîtes à la même brasserie avec des vernis adap-

18

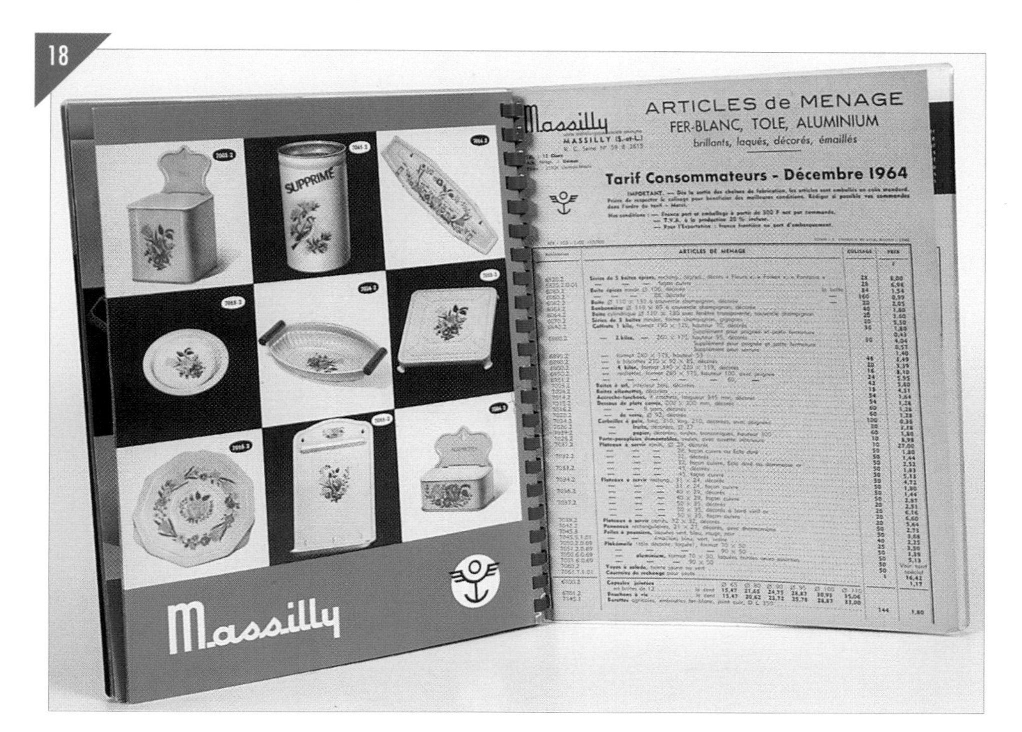

19

A l'écart des grands centres industriels

Massilly

donne l'exemple d'une affaire équilibrée dans sa production et son marché

tés aux contraintes du temps, en provenance de la société Storer Mudge, aux USA.

En 1954 la famille Bindschedler perd la majorité de Ferembal, mais Pierre réussit à négocier une clause par laquelle il se réserve le droit d'échanger ses actions contre le site de Massilly.

En 1959, Pierre Bindschedler assume la succession de son père Robert. Il lève cette option et reprend l'activité de transformation de fer blanc en articles de ménage, articles décorés et capsules pour boucher les bocaux. La raison sociale de l'entreprise devient Usine métallurgique de Massilly SA. À cette occasion il crée le logo de la maison, un ange aux ailes déployées dont le corps est une ancre, par allusion à l'origine de la famille issue d'un village de pêcheurs sur les bords du lac de Zurich. Les boîtes sont alors signées Massilly ou simplement frappées du logo.

Un accord, en 1962, avec la société américaine Anchor-Hocking va permettre la fabrication de capsules dites « Euro-Twist », grâce auxquelles Massily est devenu le troisième fabricant européen de capsules.

En 1980, après dix-huit ans de maison, il revient à Patrick Bindschedler de construire un groupe international par croissance interne et externe :

1982 : Grumetal en Espagne est racheté.

1983 : Franpac à Douarnenez et Coudert à Malemort sont repris.

1985 : Lecoultre en Suisse est absorbé.

1986 : Massilly UK est créé et Gecim à Villeurbanne repris.

1988 : Drummond UK en Écosse devient Massilly Packaging.

1996 : Un holding Massilly vient coiffer l'ensemble des sociétés du groupe et l'Usine métallurgique de Massilly est changée en Massilly SA puis en Massilly France SA.

1997 : Métalplast et Plastique Montbart rejoignent le groupe qui s'installe également au Ghana et au Canada.

1998 : La fabrication de capsules par Massilly Afrique du Sud est lancée. Aujourd'hui le groupe fonctionne avec plus de 1 000 employés. Il réalise un chiffre d'affaires d'un milliard de francs environ.

N'oublions pas pour autant de mentionner Franpac dont l'histoire est également remarquable. En 1911, Wenceslas Chancerelle crée la SMD (Société métallurgique de Douarnenez) afin de séparer son activité de conserveur (mise en boîte du produit de ses pêches) de celle de sa fabrication de boîtes. Rapidement, et les uns après les autres, les trente-six autres fritières (nom donné aux conserveurs) de Douarnenez lui achètent leurs boîtes.

En 1973 la SMD dépose le brevet pour une nouvelle boîte à ouverture facile et à couvercle recoiffant. C'est la « Box Band ». Pour lancer sa fabrication, la SMD a besoin de liquidités et accepte une prise de participation de la Cebal, filiale de Péchiney, dans la société SMD renommée Franpac. ●

Massilly's International Crusade

Thanks to the initiatives taken by the Bindschedler family, the name Massilly was put on the map. This was really a true and beautiful story of development. This family knew how to listen to the changing needs and tastes of society down through the different years.

The story began in 1898 when young Robert Bindschedler left his native Switzerland for Great Britain, the most industrially advanced country in Europe at that time. The tin manufacturer Tin Savoy Co. gave Robert a job after he had done several other jobs and around 1900 sent him to Paris to be an agent for France and Switzerland. He made a deal with Jules Joseph Carnaudso that the latter sold him his tin business.

Cleverly, Robert also installed material in printers in Paris, Rouen, and Marseille. On one of his trips he stopped at Cluny. Talking with the innkeeper he learnt that there was an old mill for sale at Massilly. This old mill used to be part of the prestigious abbey and it was now for sale. He bought it in 1911. Four years later after the war, tin, the strategic raw material which up until now had been imported mainly from Malaysia, became rare. To be able to recuperate some from waste tin through electrolysis, he needed electricity which he obtained by installing a bat-

20

tery of turbines on the river Grosne. Bit by bit in the twenties, Massilly started to transform tin to make household goods like basins, buckets and goose-feeding apparatus.

In 1924 to meet the increasing demand for tin in France, Robert Bindschedler became an agent for the English ironworks, Richard Thomas and Baldwin. An entrepreneur he wanted to develop the market for tin by creating companies who use it [114]. So he founded the Sociéte Nancéienne d'Emballages Métalliques, (a metal packaging firm),where he developed a procedure to manufacture family preserves in good condition (fig. 17). He founded the Compagnie Franco-Continentale des Boites Metalliques and the Compagnie des Bouchages Hermétiques Simplex (a metal container manufacturer and an airtight sealer firm). He also started a business in Plaine Saint-Denis to sell his tins in France and to sell the metal to small manufacturers in France.

In 1930 he mades a tremendous leap forward when he associated with the group Wendel to start up the Societe Le Fer Blanc (today a subsidiary of the group Usinor) and whose activity is dealing in tin all over the world.

In 1931, with the help of Wendel, he created Ferembal's which today is a regrouping of three of the production units in Nancy, Carpentras and Massilly.

In 1952 the Robert Bindschedler Company SA was created ;printing, trading tin and welding products for the building industry were its main activities. (this company is transferred to Macon in 1987) [71].

From 1950 onwards Pierre Bindschedler, who in 1938 had developed metal drink containers for the Vezelize Brewery in Lorraine, relaunched this activity after signing a permit agreement with the company American Can and supplied tins with varnishes adapted to all weather conditions, from the American firm, Storer Mudge.

In 1954 the Bindschedler family lost the majority of Ferembals, but Pierre succeeded in negotiating a clause whereby he reserved the right to exchange his shares for the site at Massilly.

In 1959 Pierre Bindschedler took over from his father Robert. He lifted this option and restarted the activity of transforming tin into household goods, decorated articles and capsules for closing jars. The firm was rechristened Usine Métallurgique de Massilly SA. He created the company Logo, an angel with open wings whose body was an anchor, referring to the family origins ;a fishing village on the shores of Lake Zurich. All the tins were hence signed Massilly or stamped with the logo.

In 1962 an agreement with an American firm Anchor-Hocking enabled the production of « Euro-Twist « capsules thanks to which Massilly is now the third most important European manufacturer.

In 1980 after 18 years, it was Patrick Bindschedler's task to build an international group while growing internally and externally:

1982: they purchase Grumetal in Spain

1983: Franpac, Douarnenez and Coudert, Malemort are taken over.

1985: Lecoultre, Switzerland is absorbed.

1986: they create Massilly UK and buy Gecim, Villeurbanne.

1988: Drummond UK in Scotland becomes Massilly Packaging.

1996: A Massilly holding comes to the head of all the companies of the group and the Metallurgical factory, Massilly becomes Massilly SA and later Massilly France SA.

1997: Metalplast and Plastique Montbart join the group. The group sets up in Ghana and Canada.

1998: Massilly South Africa starts production of capsules.

Today the group employs a thousand people and its, turnover is one billion francs.

Lets not forget to mention Franpac whose story is also remarkable. In 1911, Wenceslas Chancerelle created the firm S. M. D. (Société Métallurgique de Douarnenez) to seperate his preserving activity (canning his catch after a successful fishing expedition) and his tin making. Very soon after, all the other 36 preserving companies in Douarnenez started buying their tins from him.

In 1973 SMD patented a new easy-to-open tin with a reclosable cover. It was called « Box Band «. To launch it SMD needed funds so they accepted a financial participation from Cebal, a subsidiary of Péchiney. SMD was renamed Franpac. ●

21

21 • Anciens établissements V. Labarrère [✪ 4].

Carnaud Metal Box

En 1869, Jules Joseph Carnaud (1840-1911) s'établit comme importateur et négociant en fer blanc. Dès 1833, et dans une stratégie de croissance externe, il prend des participations ou rachète ceux de ses clients qui ne peuvent régler leurs traites et tisse ainsi un réseau national de fabricants de boîtes aux activités diverses : Saunier, Peltier-Paillard, Picard, Simon Colas.

Les Forges de Basse-Indre dont il était devenu le principal client, représente, en 1902, sa plus importante acquisition. La fusion des deux entreprises donne naissance à J.J. Carnaud & F. de B.-I., qui devient rapidement le premier industriel français de fer blanc. Le rachat de concurrents ferblantiers se poursuit en 1906, avec la société des Tableaux et boîtes métalliques de Lyon.

Pendant la Première Guerre mondiale, George Huillier l'un des trois gendres qui lui succéderont, inaugure une activité de construction de machines et d'outillagespour fabriquer ses boîtes.

Avec le retour à la paix, l'heure de l'automatisation a sonné : trains automatiques de la marque américaine Bliss, machines à agrafer et à contresouder, bordeuses et sertisseuses toutes reliées entre elles par des transporteurs. C'est également le moment choisi par Carnaud pour standardiser la taille de ses boîtes et le début de l'unification des méthodes de travail entre les diverses unités de fabrication. Les résultats ne se font attendre et en 1923 J.J. Carnaud & F. de B.-I. produit la moitié du tonnage de fer blanc français.

Un accord de coopération conclu avec le deuxième producteur américain Continental Can, permet à Carnaud de construire des liens avec l'anglais Metal Box et le belge Sobémi.

Ce qui ne freine pas le rachat de ses concurrents : Chouvel en 1925, De Andrèis en 1932 et Boîte métallique illustrée en 1933... D'autres formes d'intégration sont proposées aux conserveurs comme le rachat de leur matériel vétuste contre un contrat de fourniture de longue durée à prix préférentiels.

Face à la crise que connaît le marché intérieur en 1931, Carnaud se tourne vers les colonies et ouvre des filiales à Alger, Oran, Casablanca et Tunis.

De nouveaux produits naissent qui arrivent au bon moment comme la boîte à amincissement dont l'ouverture se fait par une languette et la canette à bière et à jus de fruits.

Pendant la guerre, et à cause de la pénurie de matière première, on fabrique des boîtes mi-carton mi-métal pour des contenus qui, comme les produits d'entretien, n'exigent pas une hygiène absolue.

À partir de 1948, Carnaud s'approvisionne en matière première auprès de Sollac (Société lorraine de laminage continu), société à statut coopératif crée par Wendel et Sidelor.

À partir des années cinquante, la demande des conserveurs augmente dans des proportions considérables et la fabrication des diverses usines est réorganisée pour produire vite, beaucoup et le moins cher possible : quelques années plus tard, l'automatisation des lignes est totale. En 1960, c'est le début des achats et créations à l'étranger, l'apparition de la concurrence de l'aluminium et du plastique, source de nouvelles alliances et de recherches de nouveaux produits.

Lorsque Continental Can prend le contrôle en 1969 du fabricant allemand Schmalbach et de l'hollandais Thomssen & Drijver, Carnaud se tourne vers le marché européen et rachète le belge Eurocan en 1975. Après la rupture entre Metal Box et Continental d'une part, Carnaud et Continental d'autre part, c'est le début d'une collaboration plus étroite avec Metal Box qui conduira en 1989 à la fusion des deux grands européens en une seule entité Carnaud Metal Box.

Il ne faut pas oublier que Metal Box est le résultat de la fusion, en 1921, de quatre fabricants britanniques qui ont joué un rôle important dans l'histoire de la décoration des boîtes et de la biscuiterie : Atkins & Co, Barclay & Fry, H. Grant et Hudson Scott.

En 1997, Carnaud Metal Box est racheté par le groupe américain Crown Cork et n'a plus au niveau mondial qu'un seul concurrent, Impress Metal Packaging, qui est également le résultat de plusieurs rachats effectués par un fonds de pension britannique des usines de Pectine, acquéreur d'Americana Can et de l'Allemand Viager. ●

In 1869, Jules Joseph Carnaud (1840-1911), set up as an importer and trader in tin. From 1833 and as part of a growing export strategy he took out shares or bought shares from customers who were unable to settle their bills and thus wove a national network of

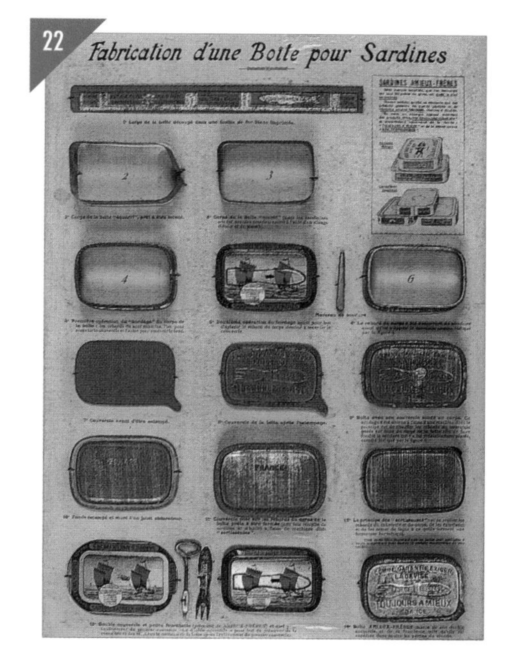

22 • Les étapes de la fabrication d'une boîte à décollage au XIXe siècle.

23 • L'atelier des presses de Boulogne-Billancourt en 1904.

24 • L'impression des feuilles par procédé offset.

box manufacturers, all with diverse activities: Saunier, Peltier/Paillard, Picard and Simon Colas.
The Forges de Basse-Indre of which he had become the main customer in 1902 represented his most important acquisition. The coming together of these two companies gave J.J. Carnaud and F. de B. I. It quickly became the leading French industrial in the tin business. They continued to buy up competitors until 1906 with the Société des Tableaux et Boîtes Métalliques de Lyon.
During the first world war, Georges Huillier one of the three sons-in-law, inaugurated a machine and tool construction activity in order to start making machines which the company needed to make its boxes.
With the return of peace, automation arrived: automatic trains with the American brand Bliss, stapling machines, welding machines, bordering and sealing machines all linked thanks to the transport firms. This was also the time chosen by Carnaud to standardise the size of his boxes and it also marked the beginning of the standardisation of work methods between the different units of production. The results came quickly and in 1923 J.J. Carnaud and F. de B. I. were producing half the total tonnage of French tin.
Carnaud signed an agreement with the second biggest American manufacturer Continental Can and this opened links with the English firm Metal Box and the Belgian Sobemi.
This didn't stop him buying up his competitors: Chouvel in 1925, De Andreis in 1932 and Boîte Métallique Illustrée in 1933. Other forms of integration were proposed to those who refused, like the buying up of their machines against a long-term preferential price supply contract.
Faced with a crisis in the interior market in 1931, Carnaud looked towards the colonies and opened subsidiaries in Algiers, Oran, Casablanca and Tunis. New products arrived on the market just at the right moment, like the slim tin which opens back with a flap and a tin for beer and fruit juice.
During the war and because of the lack of raw material, boxes made with half cardboard and half metal for contents like cleaning products, didn't need hygiene tests.
From 1948 Carnaud got its raw material from Sollac (Société Lorraine de Laminage Continu) a cooperative created by Wendel and Sidelor.
From the fifties the demand for tins increased in considerable proportion and the manufacturing in the different factories was reorganised in order to produce more quickly, in greater quantities and as cheap as possible. Some years later right down the production line everything became automated. In 1960 they began buying and creating abroad, new competitors like aluminium and plastic arrived on the market, some of which made for new alliances and also for research of new products.
When Continental Can took control in 1969 of the German firm Schmalbach and of the Dutch firm Thomssen and Drijver, Carnaud looks towards the European market and in 1977 bought the Belgian firm Eurocan. After the split between Metal Box and Continental on the one hand, Carnaud and Continental on the other hand, a new and closer collaboration began with Metal Box which in 1989 lead to the merger of these two big European firms into one CarnaudMetalBox.
We mustn't forget that Metal Box was the result of a merger in 1921 between four British firms which played a very important role in the history of the decoration of these boxes and of the biscuit industry: Atkins & Co, Barclay and Fry, H. Grant and Hudson Scott.
In 1997 CarnaudMetalBox was bought by the American group Crown Cork and on a worldwide level has only one real competitor, Impress Metal Packaging which is also the result of several buyouts of the Pectime factories with British funds, who also acquired Americana Can and the German Viager. ●

Ferembal

En 1931, Robert Bindschedler poursuit la marche en avant de son groupe en décidant de regrouper deux de ses sociétés, Simplex et la Franco-Continentale, avec Massily et ce sous la bannière ô combien connue des collectionneurs de belles boîtes anciennes Ferembal.
Deux autres fleurons de la fabrication de boîtes métalliques rejoindront la société pendant la guerre : il s'agit des établissements P. Williame et Cie basé à Clichy et de la société du Fer Blanc Imprimé de Bordeaux ; ce qui permet à Ferembal d'élargir sa gamme de produits de boîtes jusqu'alors à usage alimentaire à usage industriel.
En 1954, suite à l'incendie de son usine de Clichy et des énormes efforts financiers qu'il fallut prodiguer pour reconstruire, la société fondatrice cède une partie de ses actifs à son principal fournisseur, le groupe Marine-Firminy pour finalement lui céder la totalité des parts en échange de Massilly.
Les années 60 à 74 sont très propères et marquent un développement géographique considérable : dans l'ouest (Moellan), le nord (Roye) et le sud-est. C'est tour à tour les établissements Vinitié à Bordeaux, l'Alutol à Villeneuve-Saint-Georges et Hirschfield Frères à Strasbourg qui sont absorbés.
Pour éviter une trop forte concentration du marché français dans les mains du seul groupe De Wendel, la CCE demande et obtient en 1975 l'éclatement de Ferembal en deux unités totalement indépendantes : une partie revient à une filiale de Carnaud, la Cofem et une autre qui garde le nom de Ferembal et quelques usines, est vendue au groupe Denain Nord-Est Longwy. Ce deuxième Ferembal ne représente plus que 13 % de part de marché contre 23 % avant la partition.
Ferembal, peu à peu grandit jusqu'en 1989 où Denain voulant se réorienter vend la société au groupe américain Viatech. Ce dernier change de nom en 1992 lorsqu'il rachète le nom et certains actifs du grand groupe américain Continental Can Compagny Inc.
En 1998, Suiza Foods se porte acquéreur de Ferembal qui réalise un chiffre d'affaires d'un milliard de francs et compte près de 800 employés. ●

25 • Extérieur usine.

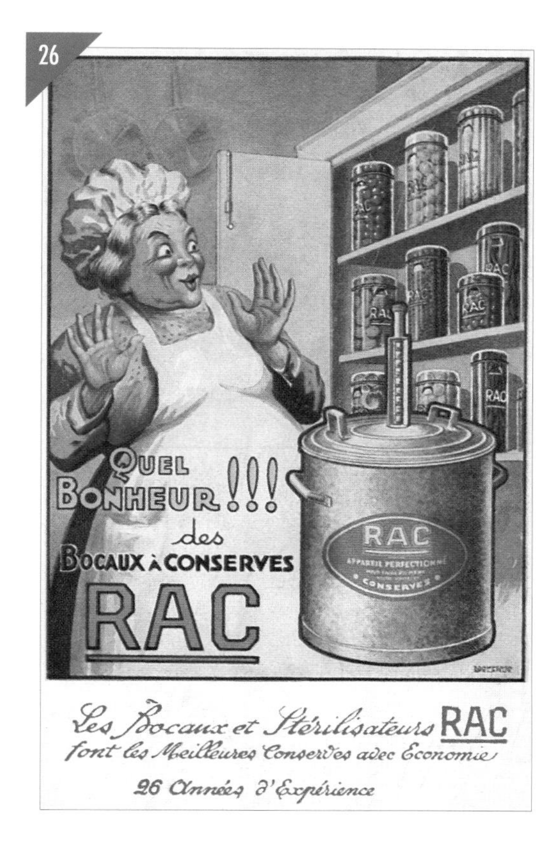

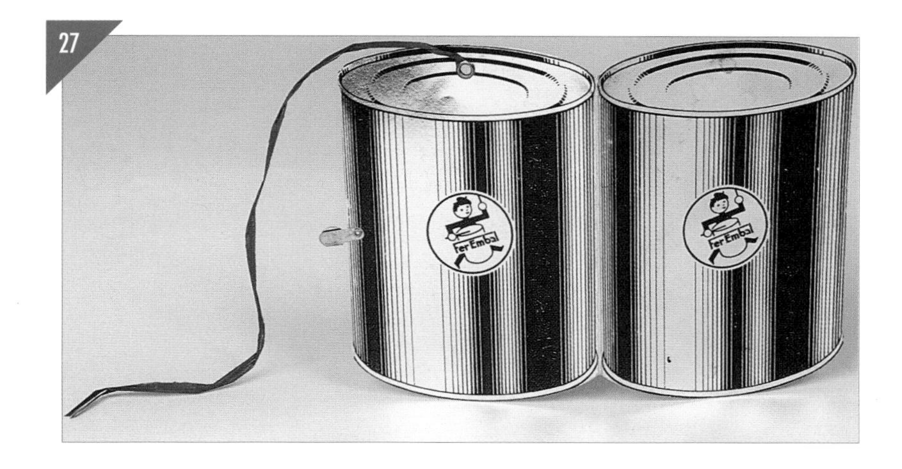

In 1931 Robert Bindschedler continued to expand his business when he grouped two of his companies, Simplex and Franco- Continentale, and with Massilly, they became known to all under the name Ferembal-a name which is well known by all old metal box collectors.

Two other leading metal box manufacturers joined the company during the war : P. Williame et Cie, based in Clichy and Fer Blanc Imprimée in Bordeaux. This move enabled Ferembal to broaden its range of boxes, which up to that point had been confined to food products, now they were also involved in the industrial box market.

In 1954, after a fire in the Clichy factory, and all the funds required to rebuild it, the head firm was obliged to concede part of its assets to its main supplier, the Marine-Firminy group, and finally found themselves obliged to concede all its shares to them in exchange for Massilly.

From 1960 to 1974, business was booming and the company expanded: in the west, Moellan, in the north, Rote, and also in the south east.The Etablissements Vinitié in Bordeaux, L'Alutol in Villeneuve St George and Hirschfield Frères in Strasbourg were taken over.

To avoid a monopolisation of the French market by the De Wendel group, in 1975 the EEC asked and obtained that Ferembal be split into two separate and independent entities : one part was run by a subsidiary of Carnaud, Cofem and the other kept the name Ferembal, and along with some other factories, was sold to the Denain Nord Est Longwy group. This second group only represented some 13 % of the market after the split, compared to 23 % before.Bit by bit Ferembal grew until in 1989, when Denain decided to diversify its activities, and sold the firm to the American group, Continental Can Company Inc.

In 1998, Suiza Foods bought Ferambal which now employs 800 people and its turnover is 1 billion French francs. ●

29

30

30 • [✪ 5].

31 • Les Brenêts [✪ 5].

32 • [✪ 1].

Siegerist

En 1872, Benedikte Siegerist, maître plombier, et son frère Conrad créent en coopération avec Nestlè, la première fabrique de boîtes métalliques en Suisse (la maison Hoffman n'ouvrira à Thun qu'en 1876).
Ils commencent, avec un outillage sommaire, à arrondir des morceaux rectangulaires de métal, à les souder à la main avec un piston et à garnir un fond sur le rond de la boîte (fig. 29).
La première machine semi-automatique à souder le métal date de la fin du siècle et permet alors de fabriquer des boîtes rondes et rectangulaires. Elles sont imprimées au moyen de pierres lithographiques. Les feuilles en fer blanc étaient ensuite placées verticalement sur des grilles, sur un wagon que l'on roulait dans un four chauffé au bois.
Le casse-tête pour la plupart des fabricants de boîtes de cette époque est d'en assurer l'étanchéité. Les fonds des boîtes à vocation industrielle étaient bien équipés d'anneaux en caoutchouc, mais en ce qui concerne les boîtes alimentaires un autre système était utilisé : les boîtes étaient roulées automatiquement dans un bain d'étain chauffé à 600 degrés. Malgré cela des intoxications se produisaient de temps à autre et pouvaient provoquer de graves maladies, parfois mortelles. En France, par exemple, une commission d'enquête sera créée en 1899 pour tenter de résoudre ce problème. Heureusement, depuis la Deuxième Guerre mondiale, les gommes liquides ont mis fin à cette difficulté.
Durant la guerre 39-45, il est très difficile de se procurer du fer blanc et Siegerist relance la fabrication de boîtes en carton qui se prolongera jusqu'en 1960.
À partir de 1918, Carl et Walter, les fils de Benedikte, dirigent la société. En 1944, Carl prend sa retraite et Walter continue, aidé par son fils Walter. En 1960, après 42 années dans l'entreprise, Walter décède et son fils assure la suite jusqu'en 1966. Ses fils Peter et Walter lui succèdent à partir de 1967. En 1985, pour pouvoir ajouter des installations d'impression et de peinture ainsi qu'une presse pliante, la production est transférée à Liebefeld.
Les années 90 marquent un tournant pour les fabricants de boîtes. C'est la récession en Suisse, le chômage augmente, et face aux pays asiatiques qui envahissent le marché avec des prix inégalables, l'industrie helvétique doit se concentrer et répartir les spécialités. Siegerist, qui dés 1924 avait réussi à produire une boîte en forme d'œuf, modèle unique au monde, opte pour des boîtes brevetées à forme spécifique. Elle en a l'expérience et les moyens grâce à une large palette de formes fantaisies et un esprit toujours en éveil pour s'adapter aux besoins de sa clientèle.
La société réalise, actuellement, un chiffre d'affaires annuel de 36 millions de francs français et compte 70 salariés. ●

In 1872 Benedikte Siegerist, master plumber, and his brother Conrad, in cooperation with Nestlé, built the first metal box factory in Switzerland. (Hoffman's didn't open in Thun until 1876).
They began with very basic tools, two round rectangular pieces of metal, then they welded them by hand with a pistol and then put a round bottom on the box (fig. 29).
The first semi-automatic metal welding machine

31

32

dates back to the end of the century and this machine gave the possibility to make round or rectangular boxes. They were printed thanks to lithographic stones. Sheets of tin were then placed vertically on gates and put in a wagon that was rolled into a wood fire.

The main worry for most metal box manufacturers at this time was to ensure that the boxes were airtight. The bottom of the boxes for industrial use were well equipped with rubber rings but for food boxes another system was used: the boxes were systematically rolled in baths of tin heated to 600 dgrees. Despite this there were sometimes intoxications which could provoke sometimes serious and even mortal diseases. In France for example a commission was set up in 1899 to try to solve the problem. Luckily after the second world war, liquid gums put an end to these problems.

During the '39-'45 war, it was very difficult to get tin and Siegerist started making cardboard boxes again and this continued until 1960.

From 1918 on, Carl and Walter, Benedict's sons, managed the firm. In 1944, Carl retired and Walter continued helped by his son Walter. In 1960, after 42 years in the company, Walter died and his son took over until 1966. His sons Peter and Walter took over from him in 1967. In 1985, to be able to add press and paint machines as well a folding press, production was transferred to Liebefield.

The 90's marked an important turning point for box makers. There was a recession in Switzerland, unemployment was increasing and facing competition from Asian countries who were flooding the market with unbeatable prices, the Swiss industry had to focus itself and make better use of its specialities. Siegerist, who since1924 had succeeded in making an egg shaped box which was unique in the world, opted for patented boxes with specific shapes. The company had both the means and the experience to adapt to its customers needs. Today this firm has an annual turnover of 36 million French francs and 70 employees. ●

Safet

La Safet, Société anonyme de fer blanc et tôlerie, est productrice de boîtes, même s'il ne s'agit pour elle que d'un produit annexe : partie d'un atelier de fabrication de bidons, rue Lafayette à Paris en 1925, la maison s'est rapidement développée sous l'impulsion de Joseph Poline (1928-1968), puis de son fils Michel jusqu'à aujourd'hui. À la suite d'acquisitions successives - dont celle de Lethias & Cie, fabriquant de boîtes métalliques très présent dans la pharmacie (fig. 32) - la Safet a su diversifier ses produits (boîtes, bidons, tubes) et les matériaux de base (métal, plastique, aluminium).

Depuis 1995, elle a élargi ses marchés en fabriquant des boîtes alimentaires alors qu'elle était jusqu'alors spécialisée dans l'emballage de produits industriels.

Avec 550 employés, elle produit journellement un million d'unités tous matériaux confondus. Ses 500 millions de francs de chiffre d'affaires la placent dans le tiercé de tête des fabricants français d'emballages métalliques. ●

Safet, Société Anonyme de Fer Blanc and Tôlerie is also a tin manufacturer, though it may be for this firm, a by product. It started off as a workshop for manufacturing containers, Rue Lafayette in Paris in 1925 but under the management of Joseph Poline (1928-1968) it developed very quickly. His son Michel took over and is still there today. Following successive acquisitions like that of Lethias & Cie a metal box manufacturer present mainly on the pharmacy (fig. 32) market Safet diversified its products (boxes, containers and tubes) and its basic materials (metal, plastic, aluminium).

Since 1995 it has broadened its markets making boxes for food since up until then, they had been specialised in industrial product packaging. The company has 550 employees and manufactures 1,000,000 units daily. It has a turnover of 500 000 000 francs and this puts it at the head of the French metal packaging manufacturers. ●

34

33

33 • Sans nom [✪ 4].

34 •Pierre lithographiée et boîtes [✪ 2].

LA DÉCORATION
decorating

PROCÉDÉS DE DÉCORATION DES BOÎTES

Au début du XVIIIe, les boîtes en métal sont peintes à la main. Le procédé est long et onéreux, car il nécessite une journée de séchage entre chaque couche de couleur. Un peu plus tard, Aloys Senefelder découvre le principe de la lithographie qui consiste à dessiner un motif avec une matière grasse comme de la bougie, sur une pierre poreuse et préalablement polie. Après passage dans un bain d'acide, le motif apparaît en relief sur la pierre sur laquelle on applique de l'encre et une feuille de papier qui recueille ainsi le motif.
En 1837, le Français Godefroye Engelmann perfectionne le procédé et met au point la chromolithographie, grâce à laquelle on pourra reproduire la couleur par impressions successives.
La technique ne sera appliquée aux boîtes métalliques qu'une cinquantaine d'années plus tard : en 1863, aux Forges d'Hénnebont et en 1864, en Grande-Bretagne, premières impressions du métal par la méthode d'impression directe.
Les problèmes seront nombreux car la mise en œuvre impose une couleur par pierre lithographique. De plus l'encre peut baver et rendre inutilisable la feuille de métal, qui peut, difficulté supplémentaire, se fendre sous la pression exercée.
Huntley & Palmer sort ses premières boîtes (fig. 38) en couleur, en 1868, grâce à l'impression par transfert, méthode déjà utilisée par les fabricants de porcelaines suivant laquelle on imprime les couleurs en ordre inversé sur un papier. Elles sont ensuite transférées sur une tôle par un procédé de décalque. Là aussi les manipulations étant nombreuses, la production est lente et les coûts toujours trop élevés.
En 1868, les imprimeurs français Peltier et Paillard utilisent des rotatives pour imprimer leurs feuilles tandis que d'autres constructeurs comme Missier et Voisin font des percées technologiques leur permettant d'accélérer les cadences de production.
En 1870, Barclay & Fry rachètent à un imprimeur anglais basé à Paris, Henry Baber, sa méthode d'impression offset et développent, en cinq ans, des machines qu'ils s'empressent de breveter : l'impression est réalisée sur une surface intermédiaire et reproduite ensuite sur des feuilles métalliques.
Dans les années 1890, les progrès des techniques de chromolithographie permettent d'imprimer plus rapidement les différentes séries de couleurs sur les plaques métalliques.
En 1895, le zinc, moins fragile et plus léger, remplace la pierre lithographique. En 1898, les Allemands mettent au point des sertisseuses qui autorisent une soudure plus efficace et plus rapide du fond des boîtes, à une cadence bien supérieure à celle d'un ouvrier soudeur capable de traiter au maximum 400 boîtes par jour. On comprend pourquoi la société Carnaud mit près de treize ans à les faire accepter dans ses usines : il faut évoquer ici plusieurs émeutes dont celle de 1919, à Concarneau, où préfet et ministre durent intervenir.
En 1914, introduction des fours en continu qui permettent de décorer les feuilles métalliques en une seule manipulation.
Dans les années trente, l'avènement de la sérigraphie permet de réduire l'impression aux quatre couleurs fondamentales – la quadrichromie – pour un résultat comparable, quoique moins achevé sur le plan esthétique. Avec, bien évidemment, une réduction des coûts de fabrication.
Pour comprendre la logique industrielle qui préside à la fabrication de ces boîtes, il faut distinguer l'imprimeur de son fabricant : l'imprimeur est chargé de reproduire le texte ou le dessin sur la feuille métallique, alors que le fabricant met en forme la feuille de métal. Leurs noms ne figurent que très rarement sur les boîtes, et la situation se complique lorsqu'on sait que certains imprimeurs faisaient également office de fabricant !
Pour leur rendre hommage, on peut citer parmi les imprimeurs les plus connus : en France, G. De Andréis, Forges d'Hennebont, A. Leroux, A. Riom, Simplex. En Grande-Bretagne, Barclay & Fry, Barringer, Wallis & Mann, Hudson Scott & Sons. En Hollande, Bekkers & Zoons, Numan Blikfabrik. En Italie, enfin, Officine E. Passero & Co. ●

35

36

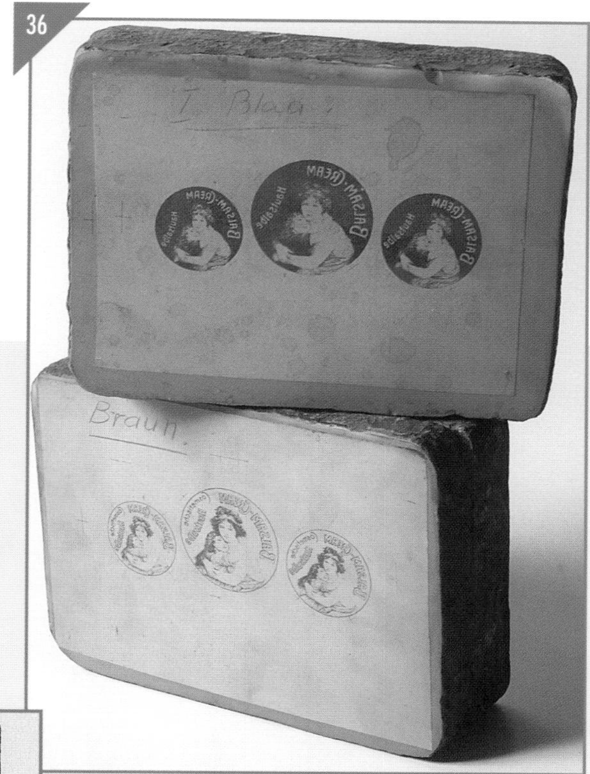

37

38

35 • H & P [✪ 3].

36 • Pierres lithographiées. Siegerist.

37 • Extrait. Livre de R. Vincent, 1947.

25 • H & P. Benjamin George [✪ 6].

decorating
LA DÉCORATION

39 • Impression sur feuilles de métal, cuisson U.V.

41 • Entrée d'un four de cuisson.

At the beginning of the XVIIIth century, metal boxes were being painted by hand. This was a long and expensive procedure, because the paint took one full day to dry between each layer.

A little later, Aloys Senefelder discovered the principle of lithography which consisted in drawing the design with a greasy substance, like a candle, on a porous pre-polished stone. Having dipped it in acid, the design would then appear raised on the stone. Then ink and a sheet of paper were placed on it in order to have the design on the paper.

In 1837, the French man Godfroye Engelmann perfected this process and started a chromo-lithographic process, thanks to which colour could be reproduced by successive printings.

This technique was only applied to metal boxes fifty years later. In 1863, at the Forges d'Hennebont and in 1864, in Great Britain, the first impressions on metal using the direct method were made.

There were numerous problems with this method since it meant laying the inked stone down directly on to the sheets of tinplate. Sometimes the ink dripped thus ruining the metal sheet and sometimes this metal sheet melted under the pressure.

Huntley and Palmer bring out their first coloured boxes (fig. 38) in 1868 thanks to the transfer process. This method had already been used by porcelaine makers. Transfers were first laid face down on to prepared sheets of tin. When dry, the backing was soaked off leaving the design fixed to the metal. It was still a long, slow and very expensive method.

In 1868, the French printers, Peltier and Paillard, used rotary presses to print their sheets, while other constructors like Missier and Voisin made technological breakthroughs enabling them to accelerate the rhythm of production.

In 1870, Barclay and Fry bought the offset printing method from an English printer based in Paris, Henry Baber. They developed this method so that five years later they took out two patents for the offset litho tin printing process : this is where the design is first printed on to an intermediary surface and then offset on to the tinplate.

In the 1890's, alot of progress was made in the techniques which meant that the different series of colours could be printed more quickly on the metal sheets.

In 1895, zinc, which was less fragile and lighter, replaced the lithograph stone. In 1898, the Germans found ways to use setters, which meant that the bottoms of the boxes were welded into place more quickly and efficiently. This was well above the capabilities of a welder who could only make a maximum of 400 boxes in a day. We understand why in a factory like Carnaud's it took almost 13 years to have them accepted. There were several riots like that in Concarneau in 1919, where the City Manager and the Minister had to intervene.

In 1904, the first metal offset press was put into service by Someqs, in the United States.

1914 saw the first ovens in which the metal sheets could be decorated in one go.

In the thirties, with the coming of serigraphy, the printing was reduced to the four fundamental colours - quadrichrome- though the end result was similar but not as well finished from an aesthetic point of view. This also reduced manufacturing costs, of course.

To understand the industrial logic which prevails the manufacturing of these boxes, we must differenciate the printer from the manufacturer : the printer must reproduce the text or the design on to the metal sheet, the manufacturer shapes the metal sheet. Their names rarely appear on the boxes and the situation becomes even more complex when we consider that some printers were also the manufacturers !

To pay tribute to them, we will name some of the most well known printers : in France, G. De Andréis, Forges d'Hennebont, A. Leroux, A. Riom, Simplex. In Great Britain, Barclay and Fry, Barringer, Wallis and Mann, Hudson Scott and Sons. In Holland, Bekkers and Zoons, Numan Blikfabrik. In Italy, finally, Officine E. Passero and Co. ●

39

40

41

LA RÉCLAME
advertising

Au XIXe siècle, les marchandises étaient livrées en vrac aux grossistes et détaillants qui les vendaient enveloppées dans du papier (dans des sacs en papier, à partir de 1873), comme on peut encore le voir sur certains marchés en Orient. Elles étaient stockées, selon leur nature, dans des bidons, sacs, caisses en bois, boîtes métalliques ou bouteilles.

LA DISTRIBUTION INVENTE LA RÉCLAME

L'épicerie était certainement un lieu magique, baigné d'odeurs et de saveurs. Le XIXe siècle sera celui de l'épicier-roi. Il s'impose dans les villes, il triomphe dans les campagnes aux dépens du pauvre colporteur. L'épicerie était une vraie carte du monde, en couleurs et en parfums. Chaque produit constituait la déférente ambassade d'un pays lointain [57].

Le développement du chemin de fer qui va peu à peu irriguer le territoire et l'industrialisation des procédés de fabrication, vont permettre de vendre plus et de plus en plus loin des lieux de production. La vente en vrac des produits alimentaires notamment, va progressivement s'effacer devant la nécessaire standardisation des conditionnements. Des produits nouveaux, comme les potages ou les extraits de viande, apparaissent qui exigent, plus encore, un conditionnement adapté à une consommation individuelle.

La publicité, on dira la réclame, devient le corollaire de ce processus de modernisation des méthodes de distribution. Ainsi se développe l'annonce par voie de presse et apparaît l'affiche, qui porteront la bonne parole jusque dans les villages les plus reculés de France. Ainsi s'ornent les factures des attributs de la modernité que sont alors la machine à vapeur ou la mise en scène d'usines plus monumentales que réelles, avec leurs cheminées crachant la fumée, et de médailles obtenues aux expositions nationales ou universelles. « Être admis comme exposant laissait augurer presque à coup sur une médaille. » (Théodore Zeldine [111]). Les pays où règne encore une Cour, comme la Grande-Bretagne et la Belgique, obtiennent le label envié de fournisseur attitré !

D'autres media publicitaires se développeront également, comme le prospectus, l'envoi de catalogue, le mur peint ou la plaque émaillée. Bien évidemment le conditionnement doit s'adapter. L'emballage individuel devient peu à peu support publicitaire : pour se distinguer de ses concurrentes, la marque soigne son logo, améliore ce l'on appellera le packaging, met l'accent sur la décoration. C'est sur la boîte métallique que les industriels porteront semble-t-il leurs efforts. Elle offre l'avantage indéniable de la perennité – on la conserve quand elle est vide – et elle se prête de mieux en mieux à une mise en forme et à une décoration sophistiquée et séductrice.

Et, preuve que le contenant pouvait avoir une valeur, la boîte métallique, comme d'ailleurs la bouteille de verre, est souvent consignée, donc patiemment recyclée par le producteur !

Tout cela ne se fera pas sans de petits conflits inhérents à d'inévitables bouleversements des habitudes : le détaillant perd un peu de son pouvoir de prescription devant un consommateur conditionné par la publicité. La marque John Horniman fut un temps boycottée par des épiciers lorsqu'elle décida de conditionner son thé en sachets individuels étiquetés à son nom et à prix fixe.

Le pouvoir de la marque est tel qu'apparaissent des contrefacteurs qui se glissent derrière une marque leader en imitant son nom, la forme ou la couleur de ses conditionnements, sa communication publicitaire : « Méfiez-vous des contrefaçons », nous dit la célèbre petite Menier !

On en trouve trace dans la revue *La Marque* (1935) : « La publicité sous marque est une arme défensive pour reconquérir son indépendance vis-à-vis du commerce… elle a mis le fabricant dans une position dominante » [71]. Ce qui n'est pas sans faire écho à l'actuel conflit entre les grandes marques de produits et les marques de distributeurs.

42 • [✪ 2].

43 • Confiserie Gebrüder Studer à Escholzmatt, Suisse [✪ 6].

44 • [✪ 2].

45 • [✪ 4].

Bien que le nombre de commerçants ait doublé entre 1856 et 1891, d'autres formes de distribution vont également bouleverser les habitudes d'achat tout en renforçant le paquetage individuel : l'ouverture des grands magasins Au Bon Marché (1852), le Bazar de l'Hôtel de Ville (1856), La Samaritaine et Les Galeries Lafayette (1865). C'est en premier lieu la marchandise qui est mise en avant. Les prix sont affichés et le client dispose d'un grand choix. Le magasin avec son décor et son éclairage devient un outil de vente. À noter également l'apparition, dès 1866, des premiers succursalistes comme Félix Potin ou Casino... ●

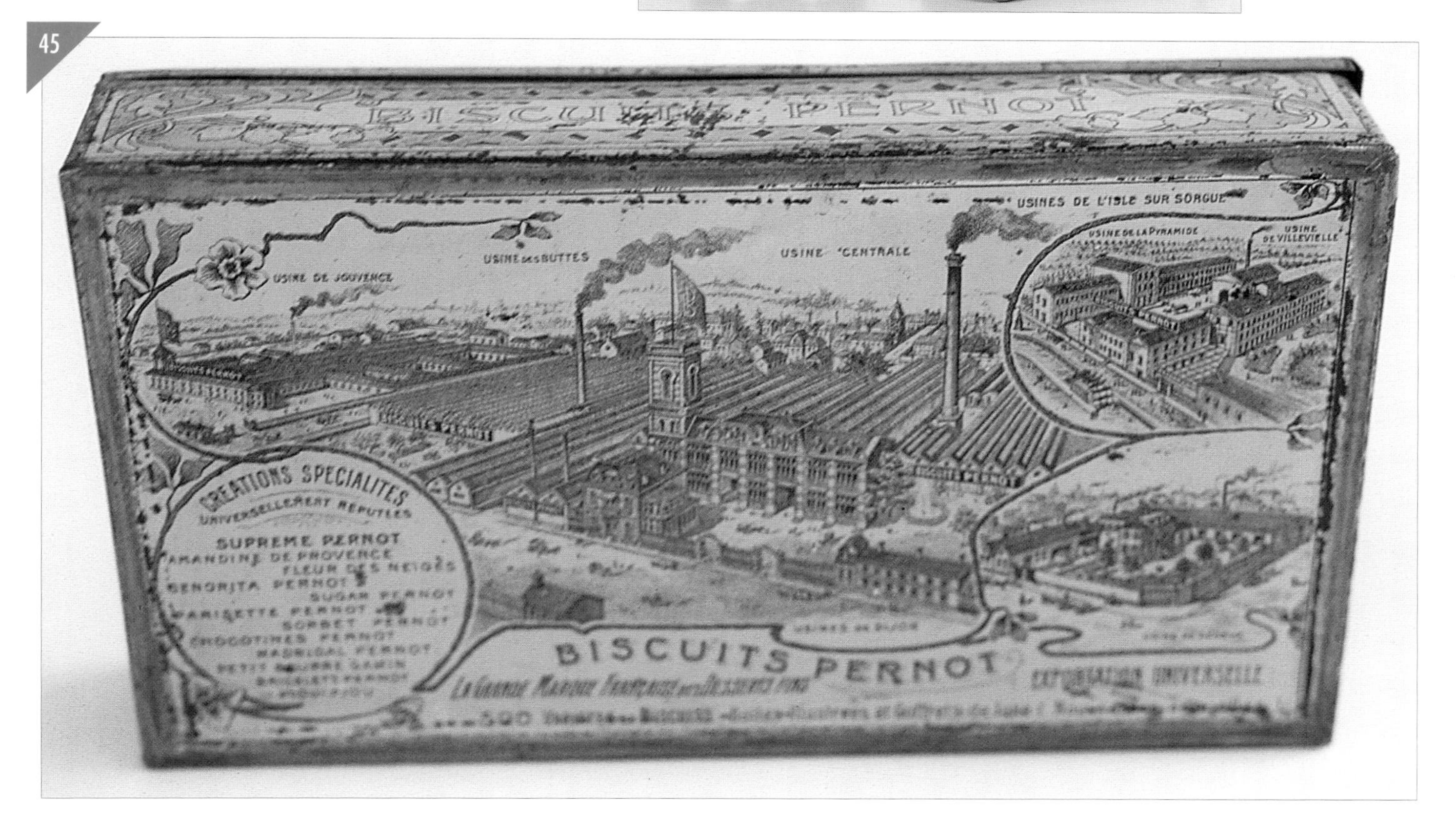

advertising
LA RÉCLAME

In the 19th century goods were delivered loose to wholesalers and retailers who later sold these goods wrapped in paper (from 1873 on, paper bags became popular), as we can still see today in certain markets in the East. These goods were stored, depending on their nature, in containers, bags, wooden boxes, metal boxes or glass bottles.

THE BIRTH OF ADVERTISING

46 • Boîte [✪ 4].

Spice shops,which later became general groceries, were most certainly magical places, full of odours and flavours. The 19th century was really that of the grocer-king. He was king in every city. He was also king in the countryside where he outdid the poor hawker. A grocery shop was a real map of the world, in colours and in smells. Each product was a worthy embassy of a far-off country [57]. The development of railways which little by little irrigated the land and also the coming of industrialisation and new means of manufacturing meant that things could be sold in greater quantities and further and further away from their place of production. Selling loose goods and in particular food products was slowly but surely going to disappear with the coming of the necessary standardization of packaging requirements. New products like soups and meat extracts appeared and these products demanded an even more specific kind of packaging that was adapted to individual consumption. Advertising became the corollary of the modernization of the methods of the distribution process. This is how press advertising began. Then came poster advertising. These types of advertising brought the message to the most remote villages around France. Bills were decorated with the attributes of our modern way of living, which were then the steam- run machine and the most monumental factories with their chimneys spitting smoke into the sky and the medals obtained in national and world-wide exhibitions and fairs. To be accepted as an exhibitor was almost a total guarantee of getting a medal'. (Theodore Zeldin 111). Royal countries like Great Britain and Belgium obtained the very coveted title ; purveyors by appointment ! Other means of advertising developed quickly like prospectus, catalogues, wall paint and enamelled plates. Of course packaging had to adapt. Individual packaging slowly but surely became a means of advertising and in order to differentiate itself from its competitors, each brand gave special attention to its logo and improved, what was to be called packaging, by putting special emphasis on the decoration of this packaging. Special efforts were made, seemingly, in the field of metal boxes. These metal boxes, of course, offered the undeniable advantage of being long-lasting. It's something we keep even when its empty ! It was used more and more because it was easily shaped and very easy to decorate in a sophisticated and attractive manner. These containers also had their own value : the metal box, as for the glass bottle, was very often returnable and recycled by the manufacturer ! Of course, all this did not just happen peacefully and calmly, and there were some inherent conflicts in the changing of habits : little by little the retailer lost his power over the consumer who was being more and more influenced by advertising. The John Horneman brand was for a long time boycotted by the grocers when they decided to pack tea in individual sachets with their brand name on them and sell them at a standard price. Brand power is so strong that of course counterfeiters started to appear and began imitating the leading brands in their shape, colour packaging and even in their advertising message : "beware of counterfeiters" said the famous little Menier ! In the magazine La Marque (1939) we found proof of this : "advertising under a brand name is a defensive means to accentuate brand independence vis à vis sales... The brand put the producer in a domineering position" [71]. This situation could remind us of the present conflict that is going on between big brand names of products and distributor brand names. Even though the number of shop keepers doubled between 1856 and 1891 other forms of distribution also changed purchasing habits and reinforced individual packaging : the opening of big stores like "Au Bon Marché" (1852) "Le Bazar de l'Hôtel de Ville" (1856) "La Samaritaine" et "Les Galeries Lafeyette" [186]. In fact in these stores the emphasis is put on the goods, the prices are shown and the customer has a very large choice. The shop with its own decoration and lighting becomes a sales tool. From 1856 onwards, branch shops like "Fekix Potin" and "Casino" sprang up.

46

CHOCOLAT MENIER

5 c
0

10 c
0

ROEDEL

EN VENTE PARTOUT

Boîtes et environnement

La configuration internationale des fabricants de boîtes est encore en mutation. La concentration des entreprises, marquée en 1997 par le rapprochement de Carnaud Metal Box et de l'américain Crown Cork, se poursuivra-t-elle, alors qu'avec Impress Metal Packaging, ces deux géants dominent le marché mondial ? Au niveau européen, et en France en particulier, l'évolution de la législation en matière de contribution des conditionneurs, envisagée par Éco-Emballage, risque d'entraîner des glissements de parts sur le marché des emballages métalliques et non métalliques. Actuellement, quel que soit le matériau utilisé, la taille ou le poids de l'emballage, le conditionneur, c'est-à-dire celui qui met un produit de consommation dans un emballage, paie une taxe de un centime par unité. Éco-Emballage, organisme privé à monopole d'État, utilise ce budget pour assister financièrement les collectivités territoriales et locales dans leur collecte des emballages vides. Afin d'anticiper la décision de ces collectivités de leur imposer la totalité de la charge de la récupération des déchets, les fabricants d'emballages métalliques et les sidérurgistes ont créé l'association Recycle Acier Emballage dont l'une des vocations est de multiplier les points de collecte des emballages usagés, et d'assurer leur recyclage. ●

47

48

« L'HISTOIRE EST LA SCIENCE DES CHOSES QUI NE SE RÉPÈTENT PAS. » (Paul Valéry)

« HISTORY IS THE SCIENCE OF THINGS THAT DON'T REPEAT THEMSELVES. » (Paul Valéry)

Tins and the environment

The international configuration of metal box manufacturers is constantly changing. Will the concentration of these companies, marked in 1997 by the merger of Carnal Metal Box and the American Crown Cork, together with Impress Metal Packaging go on? These two giants dominate the world-wide market. On a European level and in particular in France the evolution of the legislation concerning the contribution of conditioners envisaged by Eco-Emballage may bring about a certain collapse of the different market shares in metal and non metal packaging. Right now no matter what the material used, the size or the weight of the packaging, the conditioner, that is to say the person who packages the consumer product, pays a tax of 1 centime per unit. Eco-Emballage, a private organisation with state monopoly, uses this budget to financially help local and regional collectivities in the collection of empty packaging. In order to anticipate the decisions of these collectivities and to impose on them the totality of the expenses of waste recuperation, the makers of metallic and steel packaging have created an association called "Recycle Acier Emballage" and one of its primary aims is to increase the number of collection points for used packaging and to ensure the recycling of all these packagings. ●

destination boîtes

« Boîtes / Je vous aime toutes, je vous aime / Vous vous suffisez à vous-mêmes / Et jamais ne nous encombrez / Car pour ranger les boîtes, les boîtes, les boîtes / On les met dans des boîtes / Et on peut les garder. » Boris Vian (Cantate des boîtes, 1954).

purpose of tins

« Tins / I love you all, I love you / You are self sufficient / and never encumbered us / As to store tins, tins, tins / one put them in tins / and then we can keep them. » Boris Vian *(Cantate des boîtes, 1954)*.

LES BISCUITS
biscuits

« À l'instant même où la gorgée mêlée des miettes du gâteau toucha mon palais, je tressaillis, attentif à ce qui se passait d'extraordinaire en moi. Un plaisir délicieux m'avait envahi... Il m'avait aussitôt rendu les vicissitudes de la vie indifférentes, sa brièveté illusoire, de la même façon qu'opère l'amour... J'avais cessé de me sentir médiocre, contingent, mortel. »
(Marcel Proust à propos des madeleines).

Les origines du biscuit sont estimées à une dizaine de milliers d'années lorsque la bouillie de céréales devint galette, premier aliment condensé qui pouvait être conservé [113].
C'est pour ces vertus que les marins et les militaires en ont été parmi les premiers consommateurs et que les biscuitiers se sont installés dès le XVIIIe siècle près des ports : Venise, Portsmouth, Plymouth, Bordeaux, Nantes...
Le biscuit de mer ou biscuit des navires était une grosse galette, cuite deux ou quatre fois selon la durée du voyage, un mois avant l'embarquement. La difficulté était de bien les protéger des insectes et de l'humidité : pour les conserver sec, on les remontait de temps à autre sur le pont dans ses caisses en bois.
Consommé sur les champs de bataille ou à bord, il améliore le quotidien des hommes soumis à des conditions de vie difficiles. Ainsi, le biscuit devient rapidement un aliment associé à la notion de réconfort et de mieux-être [63].
D'utilitaire, le biscuit est devenu source de plaisir. Ses vertus gustatives ont d'abord eu les faveurs royales avant de commencer à se démocratiser à la fin du XIXe siècle, lorsque l'industrialisation a permis une baisse des prix. Les pâtissiers florentins de Catherine de Médicis apportent le biscuit à la cuiller, les macarons et la frangipane. Plus tard, le pâtissier de Napoléon crée la charlotte et Talleyrand en trempant son gâteau dans un verre de madère lance la mode du boudoir.
Au XIXe siècle, c'est la Grande-Bretagne, qui pour la fabrication des biscuits, prédomine dans toute l'Europe. Comme les Britanniques sont également les plus grands fabricants de fer blanc, il n'y a rien d'étonnant à ce que ce soit l'un de leurs fabricants de biscuits, la maison Huntley & Palmer, qui mette sur le marché, en 1868, la première boîte métallique décorée, fruit de la collaboration de Owen Jones pour le motif, de Benjamin George George pour l'impression sur les feuilles de fer blanc et de Huntley & Boorne pour la fabrication de la boîte. Grâce à l'exclusivité, entre 1877 et 1899, de son brevet d'impression du métal par offset Huntley & Palmer devient le plus important biscuitier de la planète.
Dans son propre pays, les concurrents ne manquent pas et font preuve d'imagination. Ainsi Carr & Co lance, pour Noël 1887, la première boîte dite Juvénile. W. & R. Jacob décore ses boîtes, en 1892, avec les textes et personnages de Lewis Caroll. N'oublions pas, également, les Peek, Frean, W. Crawford & Sons, Gray, Dunn, Macfarlane, Lange et autres Mc Vitie & Price.
À la fin du XIXe siècle, les fabricants de boîtes proposent aux biscuitiers des conditionnements de plus en plus élaborés, en forme de trompe-l'œil, de livre, de panier, de vase. Parallèlement, la fabrication de boîtes en métal simplement enrobées de papier continue à prospérer. Chez LU, la reprise et le nettoyage des boîtes effectués uniquement par des femmes, a quand même duré jusqu'en 1955 [80].
À partir de la deuxième partie du siècle dernier, les biscuitiers des autres pays européens vont réagir à l'hégémonie anglaise en créant de nouveaux produits et en améliorant leurs méthodes de fabrication : en Italie, par exemple, la maison Lazzaroni industrialise la fabrication de ses macarons et lance ses paneottones. En Allemagne, Hermann Bahlsen crée ses gaufrettes et biscuits à la confiture en 1889.
En Belgique, De Beukelaer en 1870 et Charles Delacre en 1891, étendent leurs activités de chocolatier à celle de biscuitier. En Suisse, André

49

50

Klein reprend, vers 1900, la fabrication bâloise des Leckerli, biscuits datant du Moyen Âge, tandis que Alfred Oulevay achète, à la même époque, une fabrique de pains d'épice à Morgues et la transforme en biscuiterie.

En France, une foule de grandes maisons vont voir le jour et jeter les prémices de la biscuiterie industrielle : Lefèvre Utile à Nantes en 1846, Olibet à Bordeaux en 1862, Biscuiterie Nantaise (BN) en 1896, Belin à Bagnolet en 1902, les Grollier à Saint-Michel Chef Chef en 1905, Biscuiterie Alsacienne à Ivry-sur-Seine en 1907…

Les ventes grimperont jusqu'à ce que la Première Guerre mondiale vienne bouleverser les priorités des consommateurs.

Entre les deux guerres, les biscuitiers devant l'obligation d'abaisser leurs coûts de production, amorcent des opérations de concentration en redoublant de créativité avec des boîtes en forme de bateau, d'avion ou de voiture, véritables jouets et objets de collection. C'est également la période où le biscuit devient un produit de masse et où il est considéré comme un aliment à part entière [63] comme en témoigne le lancement, en 1922, du casse-croûte BN.

Comme pour bien d'autres produits alimentaires, l'après-guerre et les années 1960 seront l'époque de la concentration, voire de la disparition d'entreprises, de leurs produits, de leurs marques et des personnages sympathiques qu'ils auront créés pour se faire connaître et qui, comme dans la chanson d'Yves Montand, accompagnaient Paulette lorsqu'elle s'en allait par quatre chemins à bicyclette. ●

51

52

49 • [✪ 3].

50 • [✪ 2 à 4].

51 • H & P. [✪ 8]
À gauche : Forest, 1891.
À droite : Fire Brigade, 1892.

52 • [✪ 4].

biscuits

LES BISCUITS

« The moment that mouthful mixed with cake crumbs touched my palate, I shuddered, conscious that something extraordinary was happening. Something wonderfully delicious had taken over inside and immediately the trials and tribulations of everyday life didn't matter anymore; it's brevity, illusory like love... I had ceased feeling mediocre, contingent, mortal. » (Marcel Proust on the subject of madeleines).

The origins of biscuits supposedly go back ten thousand years or so, when cereals mixed with water (porridge) were made into pancakes, this was the first condensed food to be preserved [113].

This is why sailors and soldiers were amongst the first consumers. This is also why biscuit makers were set up as early as in the xviiith century near the ports : Venice, Portsmouth, Plymouth, Bordeaux, Nantes...

The sea biscuit or the ship's biscuit was a large pancake, baked two or four times, depending on the length of the journey, a month before embarking. It was difficult to protect them from insects and from the damp : to keep them dry, they were brought up on deck from time to time in their wooden crates.

Eaten on the battlefields or on board, it improved the daily life of men who were subject to very difficult living conditions. The biscuit soon became a food associated with the notion of comfort and well-being [63].

From being something useful, the biscuit developed into something of a pleasure. Their tastiness first earned them the admiration of the royals before being democratized at the end of the xixth century, when industrialization enabled prices to be lowered. The Florentine cake makers of Catherine de Médicis introduced sponge fingers, macaroons and frangipane. Later, Napoleon's confectioner created the Charlotte and Talleyrand, dipping his cake into a glass of Madeira started the fashion of boudoirs.

In the xixth century, Great Britain leads the rest of Europe in biscuit making. Since Britain are also leaders in tin manufacturing, it is not surprising that one of their biscuit makers, Huntley and Palmer, have the first decorated metal box on the market in 1868. This was the fruit of the collaboration between Owen Jones for the design, Benjamin George George for the printing on the tin leaves and Huntley and Borne for manufacturing the box. Between 1877 and 1899, thanks to the exclusivety of their patent offset printing of metal, Huntley and Palmer became the most important biscuit maker's on the planet.

In Great Britain itself, there were plenty of gifted competitors. For Christmas 1887, Carr and Co. launched the first Juvenile box. In 1892 W. and R. Jacob decorated the boxes with texts and characters from Lewis Caroll. We must also remember the Peek's, Frean, W. Crawford and Sons; Gray, Dunn, Macfarlane, Lange and others McVitie and Price.

At the end of the 19th century, box makers offered biscuit makers more and more sophisticated kinds of packaging ; in the form of trompe-l'oeils, books, baskets or vases. At the same time, the manufacturing of metal boxes wrapped in paper continued to increase. At Lu ; returning and cleaning boxes, a job done soley by women, went on until 1955 [80].

From the second half of the last century, the biscuit makers from other European countries reacted to this English hegemony by creating new products and by improving manufacturing techniques : in Italy for example, Lazzaroni industrialized the manufacturing of macaroons and launched its « paneottones ». In Germany, Hermann Bahlsen created wafers and in 1889, jam biscuits.

In Belgium, De Beukelaer in 1870 and Charles Delacre in 1891, diversified their activity and from chocolate makers they became biscuit makers too. In Switzerland, André Klein took over

53 • [✪ 3].

54 • [✪ 2].

55 • [✪ 2].

the Leckerli activities around 1900. These biscuits date back to the Middle Ages, while Alfred Oulevay, at around the same time, bought a gingerbread factory at Morgues and transformed it into a biscuit factory.
In France, a whole series of big names began to appear and this was the beginning of industrial biscuit making : Lefèvre Utile in Nantes in 1846, Olibert in Bordeaux in 1862, Biscuiterie Nantaise (BN) in 1896, Belin in Bagnolet in 1902, the Grollier in St. Michel Chef Chef in 1905, Biscuiterie Alsacienne in Ivry sur Seine in 1907. ...
Sales soared until the first world war when consumer priorities changed. Between the two wars biscuit makers were obliged to lower their production costs and initiate operations integrating more creativity for example with boxes in the shape of boats, planes or cars, real toys and collectors items. This is also the time that the biscuit became a product of the masses and was really considered a food [63] as we can see at the launching of the BN snack biscuit.
As for numerous other food products, after the war and during the sixties marked a time of change. Many firms merged, many disappeared and with them, their products, their brands and the kind characters created by them and who helped them become famous, like in the song by Yves Montand, used to accompany Paulette when she'd go off on her « bicyclette »... ●

56 • Carr [✪ 4].

57 • [✪ 3].

58 • [✪ 2].

59 • Vendroux [✪ 5].

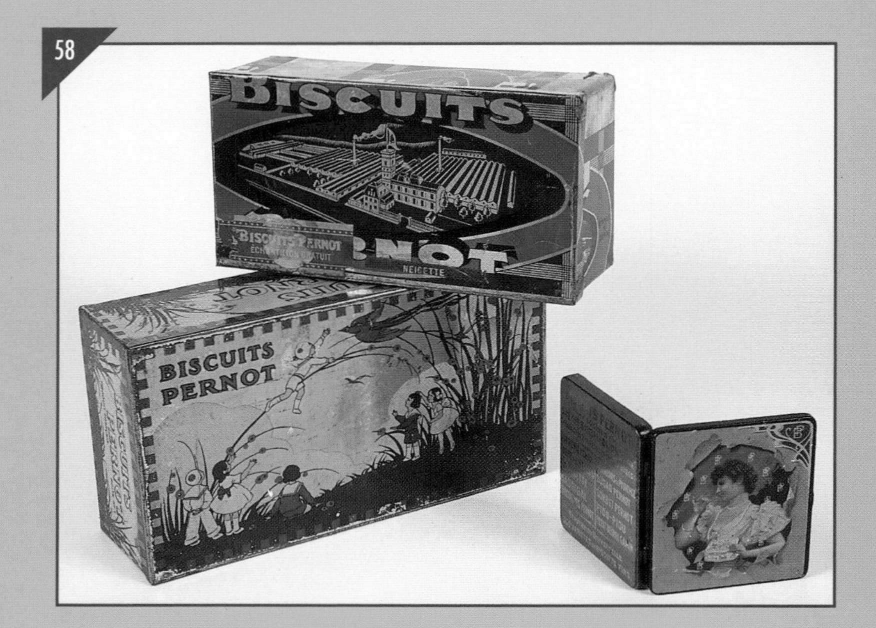

61 • H & P [✪ 5].

62 • H & P [✪ 7].
À gauche : Showman, 1893.
À droite : Gipsy, 1893.

63 • [✪ 5].

60

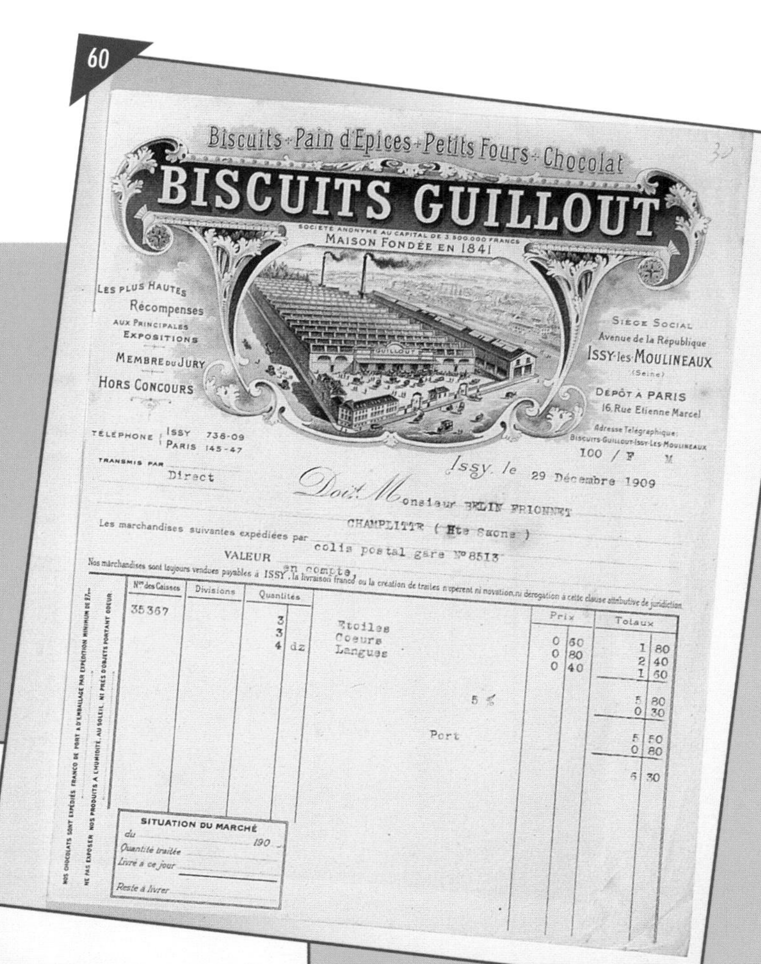

Biscuits · Pain d'Epices · Petits Fours · Chocolat

BISCUITS GUILLOUT

Société anonyme au capital de 3.500.000 francs
Maison fondée en 1841

Les plus hautes Récompenses aux principales Expositions
Membre du Jury
Hors Concours

Siège social
Avenue de la République
Issy-les-Moulineaux (Seine)

Dépôt à Paris
16, Rue Etienne Marcel

Adresse Télégraphique : Biscuits-Guillout-Issy-les-Moulineaux

Téléphone : Issy 738-09, Paris 145-47

100 / F M

Transmis par Direct

Issy, le 29 Décembre 1909

Doit Monsieur BELIN FRIONNET
CHAMPLITTE (Hte Saone)

Les marchandises suivantes expédiées par colis postal gare N° 8513

VALEUR en compte,

Nos marchandises sont toujours vendues payables à ISSY, la livraison franco ou la création de traites n'operent ni novation, ni dérogation à cette clause attributive de juridiction

Nos des Caisses	Divisions	Quantités			Prix		Totaux	
35367		3		Etoiles	0	60	1	80
		3		Coeurs	0	80	2	40
		4	dz	Langues	0	40	1	60
							5	80
				5 %			0	30
							5	50
				Port			0	80
							6	30

Nos chocolats sont expédiés franco de port à d'emballage par expédition minimum de 27...
Ne pas exposer nos produits à l'humidité, au soleil, ni près d'objets portant odeur.

SITUATION DU MARCHÉ
du .... 190..
Quantité traitée
Livré à ce jour
Reste à livrer

61

62

63

Les Galettes Saint-Michel

Au pays de Retz, Gilles de Rais, plus connu sous le nom de Barbe Bleue, n'a malheureusement jamais connu les galettes fondantes et dorées confectionnées par Joseph Grellier. Gilles de Rais termina ses jours sur le bûcher, alors que les clients de notre maître pâtissier pourraient tout au plus être punis pour un pêché de gourmandise ! Joseph Grellier les baptisa du nom de la ville qui l'avait vu naître, Saint-Michel. La petite galette, élaborée à partir d'une recette familiale, connut le succès un jour d'été, lorsque Constance Grellier, son épouse, les proposa à des Parisiennes en villégiature sur la côte. Devant l'engouement que connaît la biscuiterie, les galettes eurent un petit frère parfumé à la noix de coco que l'on appellera Sablè de Retz. Depuis 1994, c'est le biscuitier allemand plus que centenaire Bahlsen, qui poursuit les traditions de la famille Grellier. ●

In the country of Retz, Gilles de Rais, better known as « Barbe Bleue »(Blue Beard), unfortunately never knew the melt-in-your-mouth golden coloured biscuits made by Joseph Grellier. Gilles de Rais was burned at the stake, while our confectioner's customers could at the very most be punished for the sin of gluttony ! Joseph Grellier named the biscuits after his native town, Saint-Michel. The little biscuit, made from an old family recipe, became famous one summer's day, when Constance Grellier, his wife, offered some to Parisians staying on the coast. Due to their success, a coconut-flavoured little brother was launched, called Sable de Retz. Since 1994, the over one hundred year old German family, Bahlsen, has maintained the Grellier family's tradition. ●

La Biscuiterie Nantaise

En 1896, le négociant nantais Pierre Pelletreau réunit quelques confrères pour fonder la Biscuiterie nantaise (BN). À la suite d'un incendie, la société sera dissoute, puis remontée sous le même nom avec Pierre Cossé (Société P. Pelletreau P. Cossé et Compagnie) et leur produit vedette, Le Petit Breton, connaît un vif succès. En 1902, André Lotz en devient associé. La société Carnaud de Basse-Indre restera longtemps son principal fournisseur de boîtes lithographiées. En 1937, le personnage de la Nantaise, qui figure sur les boîtes, est crée par l'illustrateur Jorj Morin [63], et conséquence de son succès, sera quelquefois imité. ●

In 1896, the Nantes merchant, Pierre Pelletreau, together with some of his colleagues, founded the Biscuiterie Nantaise (BN). After a fire the company was dissolved, but it was started again under the same name by Pierre Cosse (Sociéte P. Pelletreau, P. Cossé et Compagnie) and their leading product, Le Petit Breton, was very successful. In 1902, André Lotz joined them. Carnaud de Basse Indre remained their principal supplier of lithographed metal boxes for a long time. In 1937, Jorj Morin [63] created the « Nantaise », the character on their boxes and because of its success, it was at times copied. ●

La biscotterie Corvisart

La boulangerie-pâtisserie Corvisart fut fondée par Charles Corvisart (1871-1956), descendant de Jean Corvisart (1755-1821), médecin de Napoléon. Son fils, Charles André (1905-1991), diversifie sa production, en 1935, vers la fabrication de biscottes qui seront vendues dans des sacs en papier, puis dans des boîtes. Dans les années cinquante, le marché de la biscotte explose, et la production de Corvisart est exportée dans toute l'Europe. Vendue en 1981 à Auga, puis aux anglais Hilsdow, en 1992, elle est tenue depuis 1995, en location gérance par le gendre d'André, Gérard Mercier. L'utilisation par Corvisart de l'imagerie d'Épinal comme motif de décoration s'explique à la fois par l'implantation régionale de l'entreprise et par l'immense notoriété de ces images créées en 1800 par l'imprimeur Jean Charles Pélerin (1756-1836), qui eut l'intuition de faire diffuser cette expression populaire par des colporteurs, à travers toute la France. ●

The Corvisart bread and biscuit shop was founded by Charles Corvisart (1871-1956),a descendant of Jean Corvisart, Napoleon's doctor. His son, Charles André (1905-1991),diversified the production in 1935 and started making rusks which were sold first in paper bags and then in tins. In the fifties the rusk market exploded and Corvisart products were exported all over Europe. Sold in 1981 to Auga and then to André Hilsdow in 1992, since 1995, it has been managed by André's son-in-law, Gérard Mercier. Corvisart's decorative use of the image of Epinal is explained first by the regional implantation of the firm and also by the widespread notoriety of these pictures created in 1800 by the printer Jean Charles Pelerin (1756-1836),who used pedlars to spread this popular image all over France. ●

64

65

66 • [✪ 2].

67 • [✪ 4].

66

67

LES BONBONS
sweets

Le bonbon se définit comme une friandise sucrée et aromatisée, et son origine remonte certainement à la notion même de sucré. Le miel, aliment naturel, est apprécié dès l'Antiquité pour enrober fruits, fleurs, graines et plantes. La canne à sucre apparaît en Inde à l'état de roseau sauvage, plusieurs millénaires avant J.-C. Connu des Grecs et des Romains, le sucre sera oublié puis retrouvé par les Arabes. Au XIIe siècle, les croisades nous le feront redécouvrir. Ainsi naîtra la confiserie !

Rare, donc coûteux, le sucre est vendu au Moyen Âge par les apothicaires. Il est utilisé dans les confitures, puis sert à l'enrobage des dragées, ainsi qu'à la fabrication des massepains, fruits et autres biscuits.
Dès cette époque, le bonbon est consommé aussi bien pour soigner le corps (a) que pour flatter le palais, jusqu'à ce que la seconde fonction l'emporte définitivement sur la première. En témoigne, l'étymologie du mot né en 1604, du redoublement de l'adjectif bon.
Sucre et miel furent à l'origine de luttes incessantes entre apothicaires et épiciers (b), membres de la même corporation, l'un et l'autre en revendiquant la vente et bien évidemment les profits. En 1353, un édit royal attribue aux premiers le monopole du sucre et aux seconds celui du miel. En 1777, une décision royale distingue les apothicaires des épiciers à travers deux corporations différentes et interdit le commerce du sucre et du miel au Collège de pharmacie.
D'autres professions joueront un rôle important dans le développement du bonbon : les boulangers, d'abord, qui contrôlent la fabrication des ouvrages de four, pains ou pâtés... Certains d'entre eux imagineront des préparations à base de lait, d'œuf, de crème et de sucre et deviendront ainsi les ancêtres de nos pâtissiers (c).
Au XVIe siècle se dessine peu à peu l'activité de confiseur. Le XVIIIe siècle voit naître les spécialités telles que les pralines et autres pastilles... et l'on y utilise de plus en plus souvent le chocolat.
Mais c'est au XIXe siècle que la confiserie connaît son âge d'or. La disparition des corporations qui freinaient toute innovation et la découverte (d) de l'extraction à partir de la betterave entraînent la chute du prix du sucre. Toutes les occasions sont bonnes, désormais, pour offrir des confiseries : baptêmes, mariages, fêtes et même procès : les plaideurs victorieux avaient, en effet, coutume de faire porter aux juges des boîtes de dragées en guise de remerciements.... jusqu'à ce qu'un édit l'interdise, en 1790.
Les confiseurs développent de belles boutiques (voir la Pâtisserie Meert, à Lille) et des salons de pâtisseries, fréquentés par une bourgeoisie argentée et gourmande. Certaines pâtisseries se distinguent par la beauté de leur décor et ornent façades et intérieurs d'arabesques, de guirlandes de fleurs entourant des médaillons et de panneaux agrémentés de bouquets, personnages, oiseaux, scènes champêtres et natures mortes [57]. Ces décors étaient généralement fixés sous verre pour en prolonger l'existence ou réalisés en faïences à motifs historiés.
À la fin du XIXe siècle, la confiserie française est la plus raffinée d'Europe, tant par la qualité de ses produits et de leur conditionnement, que par l'esthétique du lieu où ils sont vendus. Seule, peut-être, la Suisse et ses chocolats rivalise avec elle.
Même s'il n'est pas toujours aisé de distinguer la légende de la réalité historique, les anecdotes sur les spécialités de confiserie ont souvent eu pour origine un événement insolite (e) ou un personnage célèbre, quand elles ne sont pas tout simplement la conséquence d'une erreur culinaire ou d'un simple hasard. On notera, ici, le rôle d'une confrérie religieuse, là d'une cotume folklorique.
La généralisation, au cours du XIXe siècle, de l'usage du conditionnement métallique, fait évoluer le commerce de la confiserie. Dès le Moyen Âge, les joailliers produisaient déjà des drageoirs plus ou moins évasés, qui faisaient partie du ser-

(a) On mangeait des bonbons au coucher pour faciliter la digestion, ce qui leur vaudra le surnom d'épices de chambre.

(b) Les ciriers, droguistes et chandeliers faisaient partie de la même corporation et constituaient l'un des six corps de métiers du commerce parisien [88].

(c) Leurs premiers statuts furent déposés en 1440, à Paris. C'est là, en particulier rue des Lombards et dans les rues avoisinantes, que beaucoup d'entre eux, tel Au Fidèle Berger, exercèrent leur activité durant plusieurs siècles.

(d) En 1747, par Andress Marggraf, chimiste allemand. En 1812, Delessert produit les premiers pains de sucre.

(e) Le nom d'un roman ou d'une pièce de théâtre à la mode pouvaient devenir prétexte à gourmandise inventée pour l'occasion !

68 • A. Sébiré. France. [✪ 4].

69 • J. Tavernier. Kiosque [✪ 9]. Autres [✪ 2].

70 • Zombies. USA. [✪ 3].

71 • V. Sanchez. Espagne. [✪ 3].

vice de table et qui seront remplacés, au XVIIe siècle, par des bonbonnières. On voit apparaître des boîtes de poche ou de ceinture, gainées de cuir ou ciselées d'argent.
Au XVIIIe siècle la multiplication des boîtes à usages multiples, poudre ou tabatière par exemple, annonce pour le siècle qui vient, la transition de la fonction utilitaire du conditionnement vers sa vocation de séduction commerciale. ●

sweets
LES BONBONS

*Confectionery can be defined as sweetened aromatic titbits and has doubtlessly existed since the discovery of sugar.
Honey has been used from ancient times to coat fruit, flowers, seeds and plants. Sugar cane grew wild in India thousands of years B.C. The Romans and Greeks used sugar, then it fell into oblivion and was later rediscovered by the Arabs. Those returning from the twelfth century crusade brought it to Europe and so confectionery was born !*

In the Middle Ages apothecaries sold rare and expensive sugar that was used in jam-making, to coat sugared-almonds, for the manufacture of marzipan, crystallized fruits and biscuits.
At first sweets were eaten as a medicinal treatment for the body (a) as well as a treat for the palate with the latter function eventually winning the day. The etymology of the French word for sweet, dating from 1604, underlines this, Bonbon is the duplication of the word meaning 'good'.
Although they belonged to the same trade guild, apothecaries and grocers (b) disputed the right to sell sugar and honey and therefore reap the handsome profits. In 1353 a royal edict gave the sugar monopoly to apothecaries and the honey monopoly to grocers. In 1777 another royal decision separated apothecaries and grocers into two separate guilds and banned trade in sugar and honey by members of the college of pharmacists.
Other professions played an important role in the development of confectionery, particularly bakers who controlled bread and pastry making. Some of them created mixes using milk, eggs, cream and sugar and were the forerunners of pastry chefs (c).
The 16th century saw the development of the confectionery industry and by the 18th century the creation of specialities and the greater use of chocolate. However, the golden age was the 19th century. The price of sugar fell when the trade guilds disappeared and with the discovery (d) of a method of extracting sugar from sugar beet. Any occasion became an excuse to offer sweets: christenings, weddings, anniversaries and even lawsuits. It was custom for the successful litigant to send boxes of sweets to the judge until an edict in 1790 stopped this practice.
The confectioners opened attractive shops (e.g. the Patisserie Meert, Lille) and tea rooms regularly visited by wealthy and greedy middle class people. Some of these shops were known for their beautiful and ornate decoration both inside and outside. These decorations included arabesques, medallions encircled with garlands of flowers, panels adorned with flowers, people, birds, rural scenes and still life [57] and were usually under glass or made from earthenware.
At the end of the 19th century, French confectionery was probably the most refined in Europe, known not only for the quality of its sweets but also for the packaging and the beauty of shops. The only rivals were the Swiss and their chocolates.
It is not always easy to separate fact from fiction. However, the many anecdotes concerning the origins of confectionery specialities tell us that they were often connected with an event (e) or a well-known person or were simply the result of a mistake or a stroke of luck. Sometimes one notes the part played by a religious order or a traditional custom.
During the 19th century the use of metal boxes became general and helped the development of the industry. In the Middle Ages jewellers made sweet dishes as part of dinner services and bonbonnières or sweet boxes later replaced these in the 17th century. Leather covered or silver engraved boxes to carry in one's pocket or fix to a belt were also available.
The 18th century saw a large number of boxes that could be used for storing many things, for example powder, tobacco etc. and this marks the transition from utilitarian packaging to that of commercial seduction. ●

(a) Sweets were eaten at bedtime to aid digestion and they were given the nickname bedroom spices.

(b) Wax chandlers, druggists and candle makers were in the same trade guild, one of the six guilds in Paris. [88]

(c) Their statutes were first registered in Paris in 1440. Many, such as the patisserie shop Au fidéle Berger carried on their business for several centuries in the rue des Lombards and neighbouring area.

(d) By Andress Marggraf, a German chemist, in 1747. Delessert made the first sugar loaf in 1812.

(e) The name of a novel or a fashionable play was often the pretext to create a sweet.

72 • Suisse. [✪ 3].

73 • Angleterre. [✪ 3].

74 • Belgique. [✪ 4].

75 • Hollande. [✪ 5].

76 • France. [✪ 4].

La confiserie H. Moinet, Vichy

Laurent Moinet (1804-1871), batelier sur l'Allier de son état, installe, en 1852, sa fille aînée Madeleine et son gendre monsieur Rondepierre à la tête de la Confiserie de l'empereur. Son fils cadet Laurent (1833-1891) leur rachète, en 1871, la confiserie qu'il lègue à son petit-fils Henri (1872-1924), en 1895. Vient ensuite Rémy, fils d'Henri (1906-1989) et Jean-Claude fils de Rémy (né en 1930). Ce dernier, avec son gendre Gilles Michaille, assurera la continuité de cette rare odyssée familiale puisque Jean-Claude représente la cinquième génération des Moinet. Les trois spécialités de la maison sont les sucres cuits, les pâtes de fruits d'Auvergne et, depuis 1930, les pastilles de Vichy fabriquées à Hauterive. Pour le collectionneur de belles boîtes, le magasin restauré en 1952 et situé depuis 1890 en face de l'emplacement d'un ancien relais de poste est une véritable caverne d'Ali Baba tant les boîtes y sont nombreuses. Nombre d'entre elles furent décorées par le graveur sur bois Paul Devaux. Avec ses comptoirs en bois et ses bocaux en verre il règne dans cette boutique, un certain parfum d'enfance. ●

77 • [✪ 2].

78 • [✪ 2].

H. Moinet's Confectionery, Vichy

Laurent Moinet (1804-1871), who was a boatman by trade on the River Allier, put his eldest daughter, Madeleine, and his son-in-law Mr. Rondepierre at the head of the Emperor's confectionery in 1852. His youngest son Laurent (1833-1891) bought it back from them in 1871 and left it to his grandson, Henri (1872-1924), in 1895. Then came Henri's son Remy, (1906-1989) and Remy's son Jean-Claude (born in 1930). The latter and his son-in law Gilles Michaille, ensure the continuity of this rare family odyssey, since Jean Claude represents the fifth generation of Monets. Their three specialities are sweets made from a sugar paste, jellies from Auvergne and since 1930 Vichy sweets made in Hauterive. For somebody who collects beautiful tins, the shop, which was restored in 1952, and which has been situated since 1890 on the site of what was formally a post office, is a must ! It is a real Ali Baba's cavern, full of tins! Many of them were decorated by the wood carver Paul Devaux. With its wooden counters and glass jars, there is a real sweet flavour of childhood in this shop. ●

77

78

79

80

81

82

Kréma

En 1923, le confiseur Mollié lance ce caramel mou Kréma et la pâte à mâcher Mint'Ho. L'originalité des noms n'a d'égale que la beauté des boîtes. ●

In 1923 the confectioner Mollié launched the soft Krema caramel and the chewy sweet Mint'HO The originality of these names is equalled only by the beauty of the boxes. ●

83

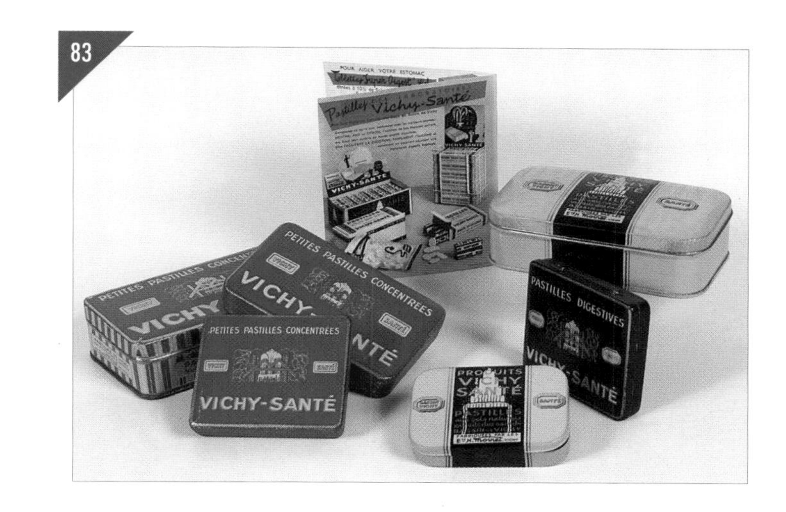

84

80 • [✪ 2].

81 • [✪ 3].

82 • Kiosque [✪ 7].
Autres : [✪ 5].

83 • [✪ 2].

84 • [✪ 3].

Confiserie & Chocolaterie Klaus, Morteau

En 1856, Jacques Klaus (1825-1909), simple compagnon, ouvre une confiserie au Locle, en Suisse. Petit à petit, la réputation de ses bonbons et pains d'épice s'étend et de confiseur il devient chocolatier. En 1884, il construit, une fabrique où pendant quelques années il est l'un des premiers à utiliser l'énergie de la vapeur. En 1896, devant l'accroissement de ses ventes, il monte une nouvelle fabrique. Nombreuses sont les récompenses qu'il obtient aux grands prix à Besançon en 1860, Londres en 1862, Paris en 1867... En 1896, il crée à Morteau une nouvelle usine pour s'ouvrir vers le marché français. Il crée des succursales à Paris, San Francisco et Saint-Pétersbourg et une vingtaine d'entrepôts dans le monde entier dont un à Asención, au Paraguay. En 1899, il sort l'entreprise du circuit familial pour en faire une société anonyme [75]. En 1906, il fait partie des 18 fabricants suisses (sur 24) qui composent le cartel du chocolat et réglementent le prix de vente du chocolat aux détaillants. Outre l'usage de procédés de fabrication modernes, la clef de la réussite de Jacques Klaus fut le recours précoce et astucieux à la réclame pour faire connaître ses produits. Ainsi, il fut le premier à se servir d'un dirigeable à des fins publicitaires ou à faire appel à l'immense talent de Cappiello pour dessiner ses emballages (on peut admirer non sans émotion une affiche originale, dans le hall d'entrée à Morteau). Les fils Klaus succèdent à leur père à sa disparition en 1909 et développent l'entreprise sans l'aide d'investisseurs étrangers. À l'issue de la guerre, la SA des Produits Klaus est créée à Paris pour reprendre les activités de l'usine de Morteau. Elle fait bâtir à Paris une usine d'une capacité de 500 ouvriers alors qu'à titre comparatif il y en avait 250, en 1921, au Locle et 220 à Morteau. L'initiative tourne court, l'usine est revendue et le siège rapatrié à Morteau où ne sont plus employés, en 1925, que 120 personnes. Pourtant certaines décisions étaient originales. Ainsi pour s'assurer, en 1919, de la fidélité de leurs distributeurs, les statuts de Klaus SA Suisse indiquent qu'un quart des actions ne sont délivrées qu'à des clients de la société. Le conseil d'administration peut à tout moment opérer le retrait de ces actions, si les titulaires cessent d'être clients ou si pendant trois années consécutives leurs achats diminuent d'importance [75] ! En 1924 le principal actionnaire, la Banque Cantonale, nomme à la direction monsieur Staub. Lui succède son gendre Maurice Gander, de 1960 à 1973, puis le fils de ce dernier Pierre-André Gander, de 1973 à 1989. En 1985 les sociétés suisse et française se séparent. En 1989 un grand professionnel du chocolat, Jean Valentin, achète Klaus France, pour le compte de son groupe Soginvest qui réunit la Biscuiterie Tour d'Albon, les nougats et pâtes de fruits Dumas et à partir de 1991 les caramels Chabot. Après avoir changé plusieurs fois de main, l'usine du Locle est fermée en 1992. La société suisse Villars reprend le matériel et les procédés. En 1993, ironie du destin, Klaus Suisse est rachetée par son ancienne filiale française. Aujourd'hui Klaus offre plus de 400 produits haut de gamme dont les fameux caramels mous au lait du Jura qui datent des années vingt, les glacés du Jura, les tablettes à la liqueur, les napolitains, les chocolats au whisky ou en forme de feuilles de houx ou de cônes de sapins, et les têtes de nègres. Klaus fabrique annuellement 900 tonnes de chocolat, 300 tonnes de caramels avec 55 salariés pour un chiffre d'affaires de 45 millions de francs, dont 20 % à l'exportation. ●

85

85 • [✪ 2].

86 • Page suivante : Klaus. Fabriqué par Siegerist. [✪ 5].

In 1856 Jacques Klaus (1825-1905) opened a sweet shop at Locle in Switzerland. Bit by bit his reputation for sweets and gingerbread spread and from a confectioner he became a chocolate maker. In 1884 he built a factory where he is amongst the first to use steam energy. In 1896 because of the growth in sales he built a new factory. In Besançon in 1860, London in 1862, Paris in 1867 he won numerous prizes for his work. In 1896 he built a new factory in Morteau aiming at the French market. He opened shops in Paris, San Francisco and Saint Petersburg and twenty warehouses all over the world one of which is in Ascenscion, Paraguay. In 1899 he took the company out of the family circuit and created a limited company [75]. In 1906 he is one of 18 Swiss makers (out of 24) who forms a chocolate cartel and regulated the sale price of chocolate to retailers. Besides using all the modern techniques in his fabrication process, Jacques Klaus' key to success was his early and judicious use of advertising to make his product known. He was the first to use a hot air balloon for advertising purposes and he was also the first to use the very talented Cappiello to design his packaging (one of the original posters is hanging in the hallway at Morteau, and is much admired). After the death of their father in 1909 the Klaus sons took over and developed the company without any foreign investment. Following the war, the limited company « Produit Klaus » was created in Paris and took over the activities of the Morteau factory. A new factory for five hundred workers was built in Paris, compared to the factory for 250 workers in Locle in 1921 and for 220 in Morteau. But the initiative was cut short, the factory was sold and the headquarters returned to Morteau where in 1925 there were only 120 people. However some of the decisions made were very original for that time. In 1919 to insure distributor loyalty, the Klaus company ruled that one quarter of its shares be given to company customers only. The board of directors decreed that these shares be retracted if their owners ceased to be customers or if for three consecutive years their purchases diminished radically [75] ! In 1924 the principal shareholder the Banque Cantonale put Mr Staub at the head of the company. His son in law Maurice Gander ran the firm from 1960 to 1973, then his son Pierre-Andre Gander from 1973 to 1989. In 1985 the Swiss and French companies separated. In 1989 one of the great chocolate professionals Jean Valentin bought Klaus France for his group Soginvest which comprises the Tour d'Albon Biscuit Makers, Dumas' nougats and fruit jellies, and since 1991 Chabot caramels. Having changed hands several times, the Locle factory closed in 1992. The Swiss firm Villars took over the machines and the techniques. In 1993, by some strange fate Klaus Switzerland was bought back by its old French subsidiary. Today Klaus offers over four hundred high range products including the famous soft milk caramels from the Jura which date back to the twenties, the Glacés du Jura, the liqueur bars, the Napolitains, the whisky chocolates, either in the shape of holly leaves or pine cones, and « têtes de nègres ». Klaus makes 900 hundred tonnes of chocolate annually and 300 tonnes of caramels, has 55 employees with a turnover of 45 million francs, 20% of which is exports. ●

86

La Confiserie Palomas

La confiserie Palomas a été tenue successivement par monsieur Palomas, chocolatier né dans l'Isère (1917-1950), madame Durieux (1950-1973), monsieur et madame Dejoux (1973-1988), et depuis 1988, par madame Charrion. Spécialités dont le dépôt est renouvelé tous les dix ans : Délicia (1923), Les Amandes de Bellecour (1965), Les Palais de Fourvière (1967), toutes fabriquées, ainsi que Le Merveilleux, un caramel mou, dans un laboratoire situé au-dessus du magasin, 2, rue du Colonel-Chambonnet, à Lyon. ●

The Palomas sweetshop

The Palomas sweetshop was run by the chocolate maker Mr Palomas from 1917 to 1950, then Mrs Durrieux (1950-1973), Mr and Mrs Dejoux (1973-1988) and since then by Mrs Charrion.
The specialities Délicia (1923), Les Amandes de Bellecour (1965), Les Palais de Fourviére (1967) and the soft toffee Le Merveilleux are all made in the laboratories above the shop 2, rue du Colonel Chambonnet, Lyon. The specialities have their patents renewed every ten years. ●

Pierrot Gourmand

À la fin du siècle dernier, le célèbre acteur Debureau crée avec succès, une pantomime sur l'air de la chanson populaire *Au clair de la lune*. Pierrot, son personnage principal, inspire le dessinateur Wilette qui peint à cette époque un Pierrot poète et montmartrois. C'est ce Pierrot, dont la maquette sera réalisée en 1892, que monsieur Évrard, confiseur à Paris et fondateur de la société Évrard & Herbet, retient pour séduire Colombines et Colombins gourmands. Jusqu'à présent réservé aux adultes, le bonbon pénètre, en ce début de siècle, dans l'univers des enfants qui s'offrent, pour un petit sou, berlingots, sucres d'orge, pastilles de menthe et autres coquelicots qu'on leur sert dans des cornets en papier. En 1911, la gamme Pierrot Gourmand ne compte pas moins de quatre-vingt variétés de confiseries. Vient alors l'idée de génie qui démarquera l'entreprise de ses concurrentes : monsieur Évrard, observant les enfants sucer leur sucre d'orge sans le déshabiller pour ne pas se salir les mains, eu l'idée de le placer sur un bâton en rotin de Madagascar ! Cette sucette, dite à l'époque Fer de Lance, et le sympathique et populaire personnage de Pierrot, consacreront l'immense succès de cette marque qui fait partie aujourd'hui du groupe Andros. ●

At the end of the last century the famous actor Debureau succesfully created a pantomime to the air of the popular song "Au clair de la lune". Pierrot his main character inspired the drawer Wilette who at this time painted a 'Pierrot poet' and 'Monmartrois'. This is the Pierrot, the model which was made in 1892, that Mr Evrard, a Parisian confectioner and founder of the Evrard and Herbert Company decided to keep to seduce all the « Colombines and Colombins » fans. At the beginning of the century, sweets, up to this point reserved for adults, began to become part of the world of children. And as soon as they had a few pennies they would run to spend them on boiled sweets, barley sugars, mint pastilles and others served in paper cones. In 1911, the Pierrot Gourmand range counts no less than eighty varieties of sweets. Then the company came up with an ingenius idea that was to really distinguish the firm from its competitors. Mr Evrard while observing children eating their barley sugars without taking off the paper so as not to dirty their hands, had the idea of putting a little wicker stick from Madagascar in the barley sugar ! This lollypop we then called 'Spearhead' or 'fer de lance", and the popular figure of Pierrot constituted the huge success of this brand which is today part of the Andros group. ●

87

88

89

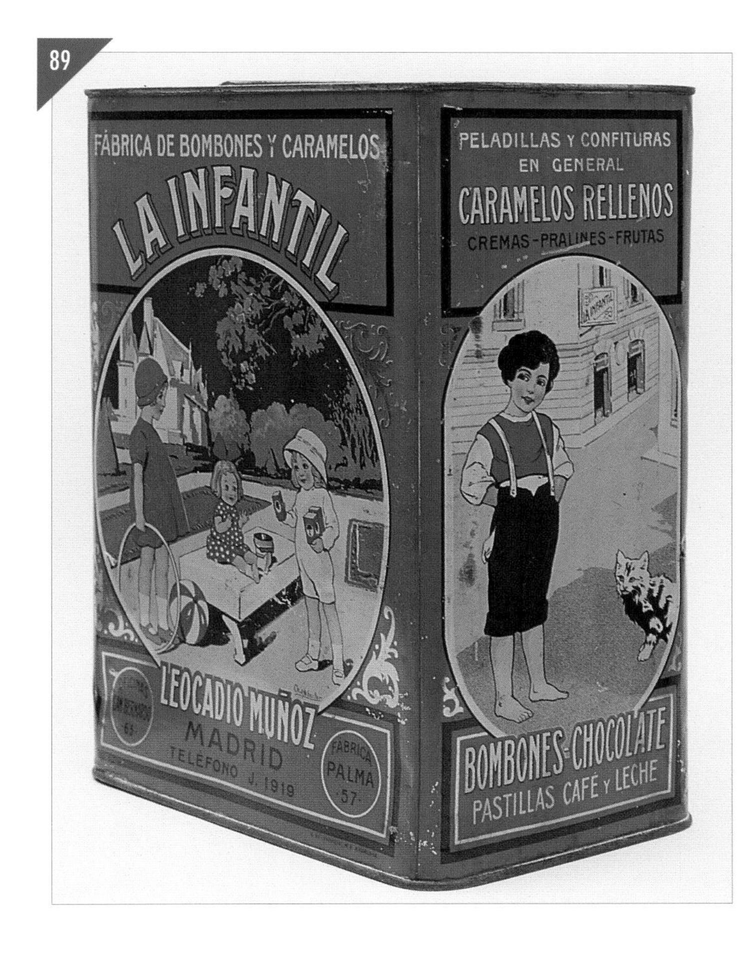

87 • [✪ 2].

88 • Angleterre. [✪ 3].

89 • [✪ 4].

HISTORIQUE DE QUELQUES BONBONS

1815 : Premiers bonbons à la liqueur.

1824 : Pastilles de Vichy : le pharmacien Darcet cède sa formule à Bartillat.

1830 : Premiers bonbons fondants.

1850 : Bergamotes de Nancy (sucres d'orge).

1851 : Berlingots de Carpentras de Georges Eysseric.

1853 : La production des sucres d'orge des religieuses de Moret reprend.

1856 : Klaus s'installe chocolatier à Morteau.

1862 : L'impératrice Eugénie et Napoléon III découvrent la nougatine de Nevers.

1878 : Premiers bonbons fourrés à Bourges, avec La Forestine de Georges Forest.

1880 : Bêtises de Cambrai d'Émile Afchain.

1880 : Cachou de Léon Lajaunie, pharmacien à Toulouse.

1882 : Premiers marrons glacés, à Privas, par Clément Faugier.

1884 : La marque Zan est déposée à Uzès par Henry Lafond, suivie par les Grains de Millet.

1892 : La marque Pierrot Gourmand est déposée par Georges Évrard.

1894 : Caramels Dupond d'Isigny.

1902 : Le Négus, caramel mou au chocolat, est créé à Nevers par M. Grelier en hommage à l'empereur d'Éthiopie. Il sera suivi par l'Abyssion et la Lolotte.

1905 : Caramel Kanougas, de Jacques Damestoy à Saint-Jean-de-Luz.

1921 : Création des sucres d'orge Les Ptits Quinquins, à Lille, évoqués par la célebre berceuse.

1920 : La Pie Qui Chante, de Jean Chabanon débute à Marseille. Michoco naît en 1936.

1921 : Caramels au café Les Charitois de Lebon, à la Charité-sur-Loire.

1922 : Le Nounours Haribo, de Hans Riegel.

1922 : Les Vérités de La Palisse, par Jean Savaudet.

1924 : Première sucette réalisée par Georges Évrard.

1937 : Les Smarties.

1939 : Les Sottises de Valenciennes.

1946 : Les Niniches de Raymond Audebert, à Quiberon.

1946 : Les Pastilles Pulmoll, du pharmacien Victor Hélin.

1954 : Le Carambar de Delespaul-Havez.

THE HISTORY OF SOME SWEET

1815: The first liqueur sweets.

1824: Vichy Pastilles: the pharmacist, Darcet sells his formula to Bartillat.

1830: The first 'melt-in-your-mouth' sweets.

1850: Bergamots from Nancy (Barley Sugars).

1851: Berlingots from Carpentras (Humbugs) by Georges Eysseric

1853: The Nuns at Moret begin making barley sugars again.

1856: Klaus sets up his chocolate shop in Morteau.

1862: The Empress Eugénie and Napoleon discover Nougat from Nevers.

1878: First filled Sweets in Bourges, like La Forestine by Georges Forest.

1880: Betises de Cambrai (Mint Humbugs) by Emile Afchain.

1880: Cachou by Léon Lajaunie, a chemist from Toulouse.

1882: First Iced Chestnuts from Privas, by Clément Faugier.

1884: The brand name Zan is registered in UzËs, by Henry Lafond.

1892: The brand name Pierrot Gourmand is registered by Georges Evrard.

1894: Dupond d'Isigny Caramels.

1902: The Négus, a soft caramel with chocolate, created in Nevers by Mr. Grelier in honour of the Emperor of Ethiopia. Followed by the « Abyssion» and the «Lolotte».

1905: Kanougas Caramels, by Jacques Damestoy, St. Jean de Luz.

1921: Les Petits Quinquins, Lille, Barley sugars named after the famous lullaby

1920: La Pie Qui Chante, by Jean Chabanon, Marseille. «Michoco» originated in 1936.

1921: Coffee caramels, Les Charitois de Lebon, from Charite sur Loire.

1922: The Nounours Haribo, by Hans Riegel.

1922: Les Vérités de la Palisse, by Jean Savaudet.

1924: The first lollipop by Georges Evrard.

1936: Michoko is born.

1937: Smarties

1938: Les Sottises deValencienne

1946: Niniches by Raymond Audebert, Quiberon

1946: Pulmoll pastilles, by the pharmacist Victor Hélin.

1954: The Carambar by Delespaul-Havez

La Pâtisserie Méert, Lille

En 1761, Delcour s'installe confiseur chocolatier au 27, rue Esquermoise. Rollez lui succède en 1773 et jouit rapidement d'une renommée sans égale grâce notamment à ses fameuses glaces tant appréciées par le comte de Lille (il ira jusqu'à écrire dans la *Feuille des Flandres* qu'elles sont les meilleures connues). La pâtisserie est alors devenue le haut lieu des rendez-vous mondains lillois. En 1839, un fils Rollez entreprend des travaux et donne à la pâtisserie le visage que nous lui connaissons aujourd'hui : un style flamboyant dans un décor orientaliste que l'on doit à l'architecte Benvignat, assisté dans ce travail de maître par Stalars et Huidiez, peintre et sculpteur. En 1849, Rollez cède à Méert qui devient, en 1864, fournisseur officiel de Sa Majesté le roi des Belges et nous laissera l'exquise trace de la fameuse gaufre fourrée à la vanille de Madagascar. De la grande duchesse de Russie au vice-roi des Indes Lord Dudley, du général de Gaulle à l'Aga Khan, tous en ont gardé un souvenir ému... Le premier salon de thé, Family Tea, œuvre du célèbre architecte Cordonnier et du plus pur style Louis XIV, est inauguré en 1909. Un second salon sera ouvert dans les années 1930. Moules anciens, étiquettes, dessins originaux et vieilles boîtes montées ou métalliques constituent aujourd'hui un patrimoine unique. Et c'est ainsi que la maison Méert, grâce à ses recettes soigneusement conservées, entretient depuis plus de deux siècles le plus délicieux des péchés : la gourmandise. ●

In 1761 Delcour set up a sweets and chocolate shop on 27 Esquermoise street. Rollez succeeded him at the head of the firm in 1773 and very quickly gained an unbeatable reputation especially for his famous ice-creams that the Count of Lille so appreciated (he went so far as to write in the local paper the « Feuille des Flandres » that they were the best to be found. The cake shop thus became one of the most fashionable places in Lille. In 1839, one of the Rollez sons did some refurbishing and gave the shop the look and image we associate it with today: a flamboyant and oriental style designed by the architect Benvignat who was assisted in this work of art by Stalars and Huidiez, a painter and sculptor. In 1849, Rollez handed over to Méert who in 1864 became the official Supplier of his Majesty the King of Belgium and who was to leave us the delightful trace of the famous waffle filled with vanilla from Madagascar. From the Great Duchess of Russia to the Viceroy of India Lord Dudley, from General de Gaulle to the Aga Khan, all treasure fond memories... The first "Family Tea" tea-room, which was the work of the famous architect Cordonnier, and pure Louis XIV style, was inaugurated in 1905 and a second was opened in the thirties. Old moulds, labels, original drawings and old metal boxes today constitute a unique heritage. That is how Méert's, thanks to its carefully kept recipes, has kept secret for over two centuries, the most delighful of sins. ●

90

91

92

93

90• [✪ 1].

91 • [✪ 1].

93 • [✪ 1].

95 • [✪ 1].

94

95

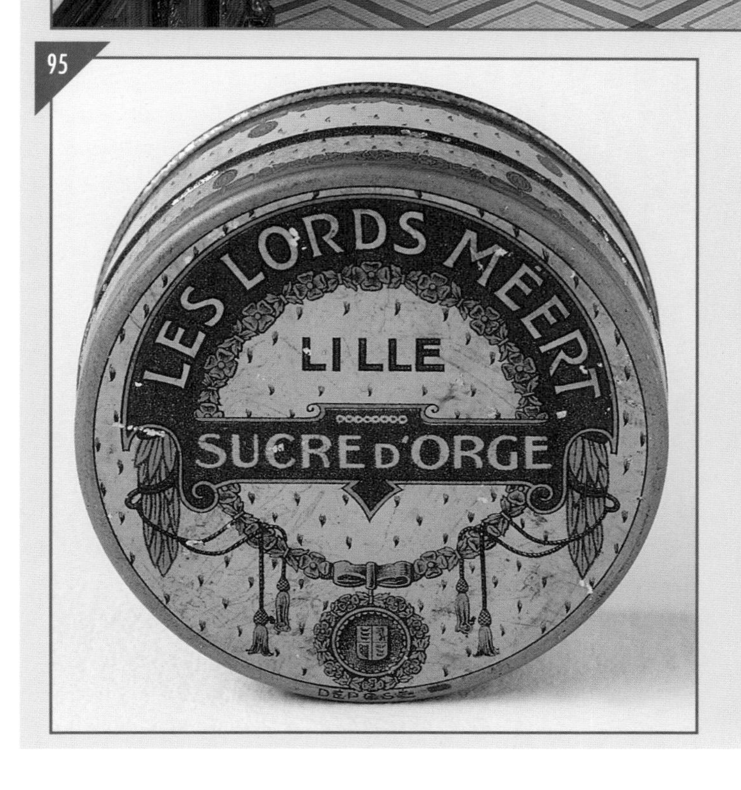

À LA SOUPE !
soup is ready!

« Il se retrouva rue de la Femme-sans-Tête. Il y déjeuna chez Gomard, un marchand de vin (...). Il mangea son ordinaire de huit sous, le bouillon dans un bol, où il trempa une soupe, et la tranche de bouilli, garnie de haricots. »
Émile Zola, L'Œuvre, *1896.*

96

(a) Le pot-au-feu est pris là au sens de potage qu'il avait au XIIe siècle et qui, par extension, sera utilisé à la place de mets [10].

(b Les mots soupe et potage datent du Moyen Âge, avec la différence que pour ce dernier le plat était cuit dans un pot.

(c) Inspiré du témoignage de J. Galot (Liebig) et de M. de Broissia (C.F.P.L).

(d) Sera absorbée en 1947 par Nestlé et intégré dans la Sopad en 1948.

Consommés, bouillons et pots-au-feu (a, b) ont été commercialisés pendant plus d'un demi siècle dans des boîtes métalliques. Leur histoire remonte à la nuit des temps, lorsque l'homme imagine de se restaurer en faisant bouillir de l'eau avec des herbes. Le bouillon deviendra symboliquement le véhicule de la vigueur et de la régénération [18].

Au XIIe siècle, la soupe se limite à une tranche de pain sur laquelle on verse un bouillon de légumes, voire de viande pour les plus riches, ou à défaut de lard.

Dès le Moyen Âge, on prête au bouillon de poule, avec ou sans addition de vin, des vertus thérapeutiques. La distinction entre les expressions « on mange sa soupe » et « on boit son potage » n'intervient qu'à partir du XVIIe lorsque les potages s'allègent, se sophistiquent, alors que la soupe reste le plat unique des campagnes et des foyers modestes.

Progressivement, avec l'élévation du niveau de vie, la soupe va perdre du terrain au profit de la viande accompagnée de légumes, nouveau plat de résistance [119].

Durant les cinquantes dernières années, les conditionnements dans lesquels le potage est commercialisé ont coexisté avec des fortunes diverses : sachets en 1946, boîtes en 1950, tablettes en 1952, briques en 1986.

En 1847 (c), un certain Justus von Liebig (1803-1873), chimiste allemand de son état, invente le premier concentré d'extrait de viande que le monde médical, en la personne du professeur Parmentier, prescrit aux soldats en convalescence. Comme il faut trente kilos de viande pour obtenir un kilo d'extrait, Liebig se penche sur les ressources bovines d'Amérique du Sud, et avec le concours d'un confrère allemand, Giebert, il fonde en 1862, une unité de production en Uruguay.

À la suite de l'ouverture d'un dépôt à Paris, au 30 de la rue des Petites-Écuries, il est élevé au grade de Chevalier de la Légion d'honneur par Napoléon III, en 1867.

La guerre de 1870 ayant eu des répercussions négatives sur le chiffre d'affaires de son entreprise à la consonance de toute évidence germanique, il reprend à son compte, en 1872, l'idée d'Aristide Boucicaut, fondateur cinq ans auparavant du Bon Marché, en offrant des petits calendriers ornés d'images en couleurs. Le succès est tel que cette astuce publicitaire se pérennisera jusqu'en 1975 en Italie !

C'est en 1873, après sa mort, qu'est commercialisé le petit pot d'extrait de viande portant la célèbre signature Liebig bleue sur l'étiquette.

La concurrence est forte sur ce marché juteux de l'extrait de viande : notons la création des marques Cibils, en 1883, Bovril en 1886, Professeur Kemmerich en 1890 et surtout Maggi dont les bouillons et potages sont déjà très répandus à l'époque.

Jules Maggi (1846-1912), Suisse et fils de meunier, produit des farines de haricots, de pois et de lentilles qu'il propose comme remède aux carences alimentaires des familles ouvrières modestes, des farines si fines que les ménagères peuvent en préparer très rapidement des soupes. Leur fabrication industrielle débute en 1885. L'Arôme Maggi, composé d'extraits de substances végétales, est lancé en 1887. En 1890, naît la société anonyme pour la Fabrication des produits alimentaires Maggi (d), qui commercialise en capsules d'abord (1907), en cubes ensuite (1912), les célèbres concentrés à base de viande, le bouillon Kub et La Poule au Pot. À tous ses produits, l'entreprise associera de grands affichistes comme F. Bouisset, L. Cappiello, Moloch ou plus récemment Savignac.

Liebig réagit en lançant le bouillon Oxo liquide (1905) ou solide (1910), un cube, lui aussi, dans un emballage de papier, vendu à l'unité pour un penny en Angleterre et dix centimes en France.

Le conflit de 14-18 et l'intendance des armées en guerre, encouragera cette tendance au conditionnement individuel [83].
De 1911 à la fin de la guerre, le climat est détestable pour des sociétés dont le nom évoque un pays adverse. Léon Daudet, proche de l'Action française, les accuse de préparer l'invasion ennemie. Plus graves sont les accusations du président du syndicat des crémiers selon lesquelles Maggi espionne pour le compte des Allemands. Certains de leurs dépôts sont saccagés et le 23 juillet 1915, le sénateur Gaudin de Villaine proclame que les kiosques Maggi-Kub, étincelants dans la nuit, jalonnent le cours de la Seine dans la traversée de la capitale pour éclairer la marche des Zeppelins [29].
En 1920, la boîte ronde Liebig concurrencée par la boîte Kub au format carré plus pratique, est rejointe par Viandox, un consommé de viande liquide ou solide conditionné en portions triangulaires aux angles arrondis. Suivra Potox, en 1938, un bouillon gras, vendu jusqu'en 1957, en cube solide.
Petite Marmite est, selon Claudine Brécourt-Villars [10], un pot-au-feu dégraissé avec des croûtons frits, divers légumes et des morceaux de bœuf et d'abattis de volaille. Il fut mis à la mode, en 1867, par le restaurateur parisien Magny. ●

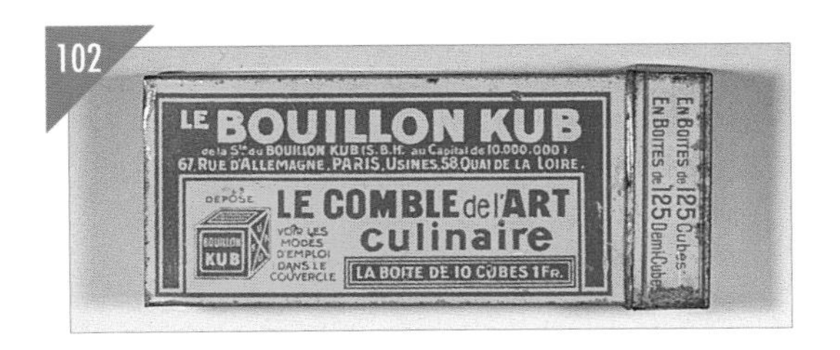

96 • [✪ 4].

97 • [✪ 4].

98 • [✪ 4].

99 • [✪ 2].

100 • Vache et deux petits modèles : [✪ 3]. Autres : [✪ 1].

101 • [✪ 4].

102 • [✪ 4].

soup is ready!
À LA SOUPE !

"He found his way in the rue de la Femme-sans-Tête. He dined at Gomard's, the wine merchants (...). He ate as usual for eight sous, a bowl of stock in which he dipped his bread, and a slice of boiled beef with beans." Émile Zola, *L'Œuvre*, 1896.

Clear soups, soups and stock were sold for over half a century in metal boxes. They can be traced back to the beginning of time when man sought to feed himself by boiling herbs with water. Stock has become means of restoring vigour and refreshment [18]. In the 12th century soup was a slice of bread onto which was poured vegetable stock. The rich would use meat stock or at least bacon stock. From the Middle Ages chicken stock, with or without the addition of wine, was considered therapeutic. The difference between the expressions eat your soup and drink your soup came about after the 17th century when certain soups became thinner and more sophisticated whereas the thick soup remained the staple diet of country people and those with lower incomes. Eventually, with better standards of living, soup lost its place to meat and vegetables as the main dish [119]. The last fifty years have seen soups marketed in various forms and packaging. Packets in 1946, tins in 1950, cubes in 1952 and carboard boxes in 1986. The German chemist Justus von Liebig (1803-1873) invented a cube of concentrated meat extracts in 1847 (a). This was the first to be approved by doctors and the professor Parmentier prescribed it to convalescent soldiers. Thirty kilos of meat were needed to obtain one kilo of extract and Liebig was attracted by the bovine resources of South America and with the assistance of a German colleague, Giebert, a production unit was opened in Uruguay in 1862. He opened a depot at 30, rue des Petites Écuries, Paris and was made a Chevalier of the Legion d'honneur by Napoleon III in 1867. The evidently German sounding name led to a fall in turnover during the war in 1870. So in 1872 he offered his clients small colour printed calendars, a publicity stunt initiated by Aristide Boucicaut the founder of the department store Bon Marché in 1867. This was a success and the practice continued in Italy until 1975. The small jar of meat extract with the famous blue signature Liebig on the label was marketed after his death in 1873. There was a lot of competition for this lucrative market: Cibils in 1883, Bovril in 1886, Professor Kemmerich in 1890 and above all Maggi whose soups and stocks were already widely available. Jules Maggi (1846-1912), the son of a Swiss miller, produced flours from beans, peas and lentils and recommended them as a remedy for poor working class families' lack of food. Such flours were so tenous that housewives were able to use them to make soups very quickly. They were produced industrially as from 1885. The Maggi Arome, made from plants, was launched in 1887. Three years later was set up a limited company, "la Société Anonyme pour la Fabrication des produits Maggi" (b), to market its famous meat extracts, Bouillon Kub and Poule au Pot, first as capsules (1907) and later (1910) as cubes. For every one of them it had recourse on great poster designers such as F. Bouisset, L. Cappiello, Moloch and more recently Savignac. Liebig launched its own meat extract, Oxo, in liquid form in 1905 and as a cube in 1910. The paper wrapped cubes ere sold for a penny in England and ten centimes in France. With the outset of the First World War, the Army Service Corps favoured the individual paxkaging. Companies with foreign sounding names had a difficult time from 1911 to the end of the war. Léon Daudet, closely related to l'Action Française, accused them of preparing the enemy invasion. The president of the dairyman's guild accused Maggi of spying for the German and some of their consignment houses were ronsacked. On July 23rd 1915, Senator Gaudin de Vilaine proclaimed that the lights from the kiosks selling Maggi-Kub along the Seine in Paris were a guide to the Zeppelin's progress [29]. The round Liebig tin in competition with the more practical square tin for the Maggi Kub, was joined by Viandox in 1920 in either liquid or in a solid triangular form. Then, stock cube Potox came on sale from 1938 to 1957. According to Claudine Brécourt-Villars [10] Petite Marmite is a clear stock with fried croutons, vegetables, pieces of beef and chicken giblets. This dish was made fashionable by the Parisian restaurateur Magny in 1867. ●

(a) Inspired by J. Galot (Liebig) and M. De Broissa (C.F.P.L.)

(b) Taken over by the Nestlé group in 1947 and integrated into Sopad, the French subsidiary of Nestlé, in 1948.

La maison Duval fut constituée en 1868 pour exploiter des bouillons-restaurants. Elle prolongera cette activité en mettant en boîte ses produits.

Knorr

En 1870, Carl Knorr fabrique en Allemagne les premiers potages de légumes présentés sous forme de farine et de tablettes. L'armée sera parmi les premiers utilisateurs. ●

In 1870 Karl Knorr made the first vegetable soups in flour and bars- from. The army were amongst the first users. ●

103 • Petite Marmite :
[✪ 4].
Autres : [✪ 3].

104 • [✪ 2].

105 • [✪ 2].

106 • [✪ 2].

Page suivante :

107 • [✪ 3].

108 • [✪ 2].

109 • [✪ 3].

Fond de page :
Autres Kub : [✪ 2].

107

LES PRODUITS AROMATIQUES
PASTILLES ROZIÈRE
POUR
POT AU FEU
USINE AUX LILAS (SEINE)

LE BOUILLON KUB

108

LA POULE AU POT
CONSOMMÉ EXTRA SUPÉRIEUR

TENIR LA BOITE

KUB
LA
"POULE AU POT"
DU
BOUILLON KUB
Bouillon
extra
supérieur

109

HUGON'S
TOROX
CUBES
BOUILLON
GRAS
POTOX
PRODUIT LIEBIG
300
PETITES
TABLETTES

SILVOX
CUBES
BOUILLON-CUBE-
BŒUF
LE CUBE
10c

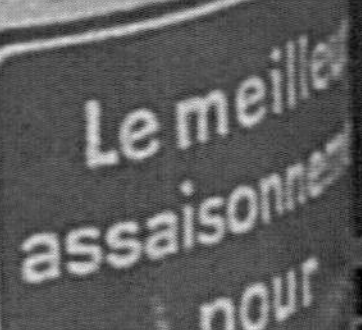

LES ÉPICES
spices

« Pour toi, les caravanes déballeront les gemmes et les épices du pays jaune, les armures de Syrie, les ivoires de Byzance. Dans les bazars d'Ispahan rouleront sous tes pas les fourrures, l'ambre, le miel et les esclaves blanches. »
(Gilbert Sinoué).

110 • [✪ 3].

111 • [✪ 2].

CHER COMME POIVRE : À PROPOS D'ÉPICES ET D'AROMATES

À l'origine, le terme épices est synonyme de denrées alimentaires ou de drogues médicinales, vendues par les apothicaires. Au Moyen Âge, il s'applique aux substances fortes qui rehaussent le goût comme le poivre et le piment, alors que vanille, safran, cannelle où muscade, plus doux et parfumés, sont considérés comme des aromates, et que la moutarde et la girofle sont des condiments.

Au XIIIe siècle, l'épicier fait commerce d'épices alors qu'à partir du XVIIe il vendra bien d'autres denrées comme le thé, le café, le sel ou les huiles.

Les épices et leur usage nous viennent d'Orient [46] : par voie terrestre, d'abord dans des caravanes parties de Chine, par voie maritime ensuite, lorsqu'en 1498 le Portugais Vasco de Gama découvre les Indes en passant par le cap de Bonne Espérance. Ayant eu connaissance des récits de Marco Polo, il savait qu'il y trouverait beaucoup d'épices et une source considérable de profit (près de soixante fois le coût du voyage [124]) !

Les épices servaient également à conserver les aliments et on leur prêtait des vertus médicinales. Produit de luxe, elles permettaient à leurs propriétaires d'étaler leur opulence et leur rang.

Magellan, en 1522, étend l'implantation ibérique en Asie et développe le commerce des épices : 25 000 quintaux de poivre parviennent annuellement à Lisbonne.

À la fin du XVIIe les Portugais sont chassés par les Hollandais, regroupés, en 1602, au sein de la Compagnie des Indes Orientales dont les bateaux transportent les épices jusqu'à Amsterdam d'où elles sont revendues dans le reste de l'Europe.

En 1781, la Compagnie anglaise des Indes, et les

Anglais, prennent le contrôle des Indes mettant la main sur ce fructueux commerce.

À partir du XVIIIe, les prix baissent et la consommation des épices connaît un réel essor [34] pour se banaliser à la fin du siècle suivant, où démarre, comme pour bien d'autres produits alimentaires, leur mise en boîte. ●

spices
LES ÉPICES

« For you, caravans will spill out gems and spices of asian countries, armours of Syria, Byzantine ivory. In the bazaars of Esfahan, fur, amber honey and white slaves will roll out to your feet. »
(*Gilbert Sinoué*).

DEAR AS PEPPER: ABOUT SPICES AND SEASONING...

At the beginning the term spices was a synonym for food and drugs sold by apothecaries. In the Middle Ages, the term was used to describe strong flavours, such as pepper or hot pepper, which made food more spicy, while vanilla, saffron, cinnamon or nutmeg, more gentle and fragrant, were called seasonings, and mustard and cloves were named condiments.

During the 13th century, the grocer only sold spices where as from the 18th century onwards, he also sold other foodstuffs such as tea, coffee, salt or oil. Spices and their use came to us from the East [46]: first, across land from China by caravans, then by ship, when in 1498 the Portuguese Vasco de Gama discovered India by sailing around Cape Horn. Having heard Marco Polo's stories, the grocer knew where he would find spices and his significant source of profit (nearly 60 times the cost of a trip)! [124].

Spices were also used to preseve food and some people were even inclined to give them medicinal virtues. Luxury products, spices and their use showed off the wealth and ranking of the owners. Magellan, in 1522, spread the Iberian colonisation to Asia and developed the spice trade: 25,000 quintals of pepper came to Lisbon every year.

At the end of the 17th century, the Portuguese lost the market control to the Dutch who had joined in 1602 the East Indian Company. Its ships transported spices to Amsterdam where they were then sold throughout Europe. In 1781, the East Indian Company and the English took over India and therefore the profitable spicy business.

As of the 18th century, prices decreased and the use of spices expanded rapidly [34] to become rather common at the end of the following century when, as for many other foodstuffs, they were packed in tins ●

112 • [✪ 3].

112

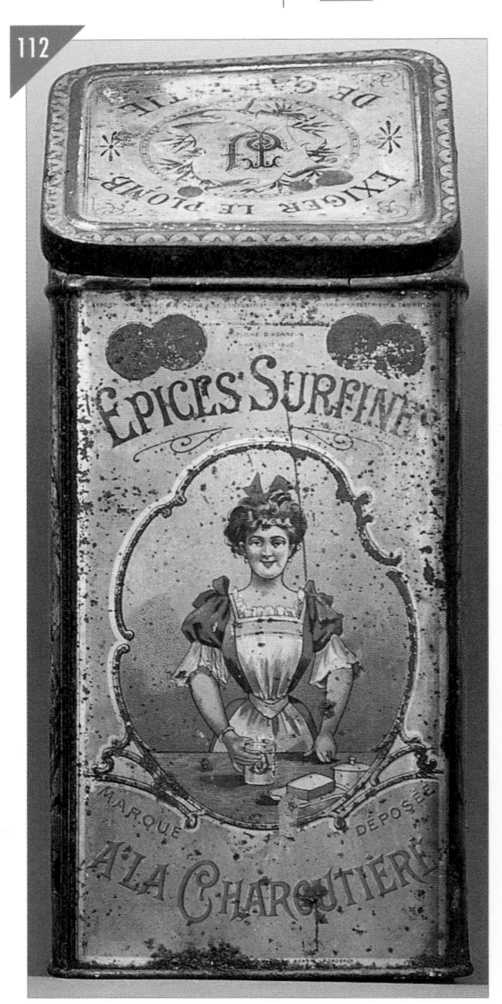

113

114

115

113 • [✪ 2].

114 • [✪ 1].

115 • [✪ 2].

116 • [✪ 3].

117 • [✪ 3].

116

117

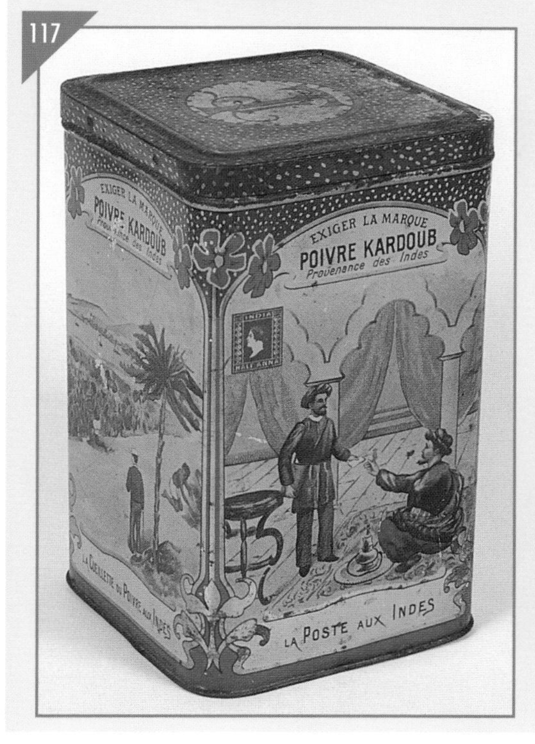

Au Planteur de Caiffa

La SA des Établissements Au Planteur de Caiffa, fut créée par la famille Cahen en 1922.

On retrouve cette marque sur une multitude de produits, qu'ils soient alimentaires ou de soins. La société avait compris très tôt la nécessité de commercialiser sa production sous ce que l'on appellerai aujourd'hui une marque ombrelle : épices, crème, soupe, cacao, savon, shampooing... ●

The "SA des Etablissements au Planteur de Caiffa" was created by the Cahen family in 1922.

This brand can be found on a multitude of products whether they are food products or health products. The company understood very early on the need to commercialise its production under what we would call today an umbrella brand : spices, cream, soup, cocoa, soap and shampoo. ●

DIVERS
miscellaneous

118

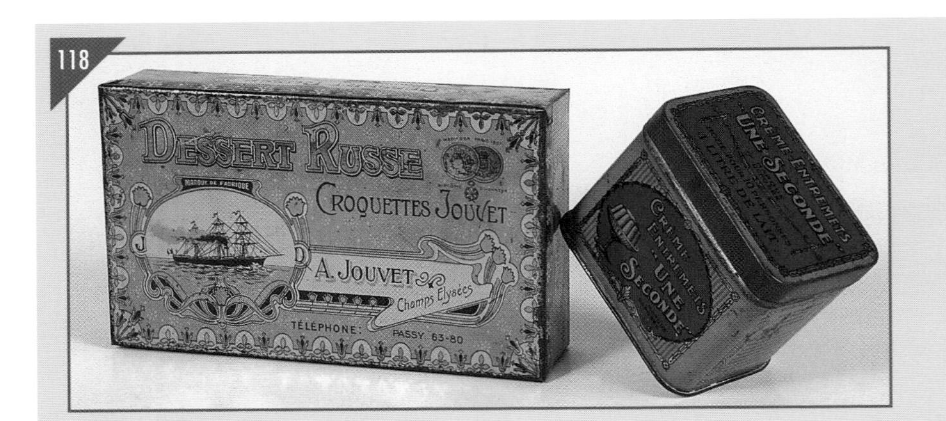

119

120

121

122

118 • [✪ 2].

119 • [✪ 1].

120 • [✪ 3].

121 • [✪ 2].

122 • [✪ 1].

123 • [✪ 3].

124 • [✪ 4].

125 • [✪ 2].

126 • [✪ 2].

127 • [✪ 1].

128 • [✪ 1].

129 • Boîtes factices [✪ 2].

LES AÏEULS
SARDINES PORTUGAISES À L'HUILE D'OLIVE

123

DATTES CRISTALLISÉES
CONFISERIE J. GROPPI
LE CAIRE
EGYPT

124

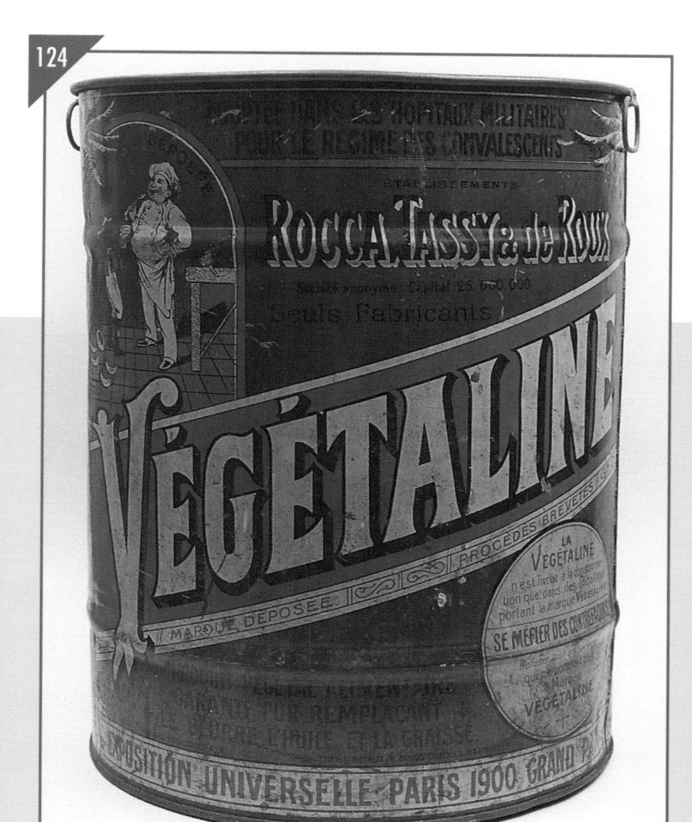

125

126

127

Lustucru

En 1910, Albert Cartier-Million organise un concours d'affiches pour donner un emblème à la fabrique de pâtes créée par son père Louis à Grenoble en 1860. Le premier Prix revient à l'illustrateur Synave, qui crée un motif sur fond de damier bleu et blanc, que Jean-Louis Forain complètera avec un irrésistible Père Lustucru. Qui eut cru qu'il eut tant plu ? ●

In 1910 Albert Cartier Million organised a poster competition in order to find an emblem for a pasta maker and for the pasta factory that was founded by his father Louis in Grenoble in 1860. The first prize went to a man by the name of Synave who, on a blue and white check background, illustrated his picture that Jean Louis Forin completed with the irresistible Père Lustucru. Who would have believed that this would be so successful ? ●

128

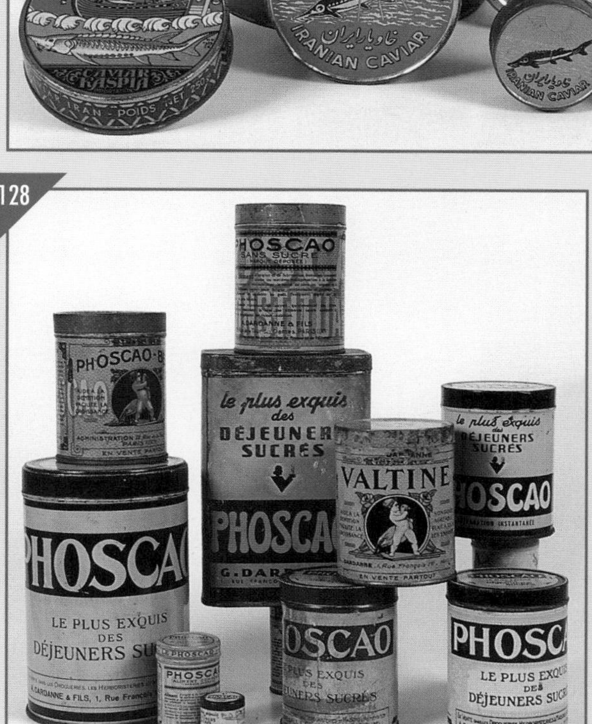

129

LE THÉ
tea

Le thé est originaire de Chine. Selon la légende, l'empereur Chen Nung, souverain en 2737 avant J.-C., de la seconde dynastie, en fit la découverte lorsque quelques feuilles d'un arbre voisin tombèrent dans le récipient où il faisait bouillir de l'eau : il s'agissait d'un théier.

De Chine, le thé gagne toute l'Asie, Mongolie, Tibet, Japon au VIIIe siècle, l'Orient au IXe et pénètre en Europe entre le XVIIe et XIXe siècle, en Hollande d'abord, puis en Angleterre.

Source de grands profits, le contrôle de son transport et de sa commercialisation fut l'objet de rudes affrontements. Il faudra attendre le XIXe siècle pour que sa production soit étendue aux Indes, à Ceylan et à l'Afrique.

La vente de thé en boîte métallique individuelle commence vers 1850. La vente en vrac, dans des grosses boîtes en tôle alignées sur les étagères des herboristeries, est plus ancienne d'une bonne cinquantaine d'années. Les premières d'entre elles étaient en étain, souvent décorées à la main [126].

Comme le montre le décor de ces boîtes, le thé évoque la subtilité et le raffinement de l'Extrême-Orient, le charme des contes de la vieille Russie, l'hospitalité des seigneurs du désert, l'amitié et la douceur des peuples de l'Inde, la distinction des salons occidentaux des XVIIIe et XIXe siècles, le flegme et l'efficacité britanniques [118]. ●

130

131

130 • Tsching (Suisse) [✪ 2].

131 • Mazawatee (Angleterre) [✪ 3].

Magasin de Thé Tsching, Genève

La vie de Marc Tsching racontée par Willy Aeschlimann, est digne d'un scénario de cinéma. Né en Chine en 1841, il embrasse à vingt ans la carrière militaire. Prisonnier des Tae-ping, il s'évade mais est capturé par les Anglais. Libéré, il devient l'intendant d'un Américain. En 1884, au cours d'une croisière, il est enlevé par des pirates qui le vendent à un Espagnol qui l'emmène avec lui dans un tour d'Europe. Ayant retrouvé son indépendance à Paris en 1873, il se fait passer pour un imprimeur afin de trouver un emploi à Genève. Mais ce fils du céleste Empire, qui était né au centre même des cultures de thé, connaissait les mélanges aromatiques et possédait surtout les secrets de composition du thé. Il vend donc du thé à Genève, dans la Grande-Rue, puis à Taconnerie et dès 1890 au Bourg-de-Four. Il retournera plusieurs fois dans son pays natal pour s'approvisionner en thés. Il meurt à Shanghaï en 1904. La boucle est bouclée. ●

The life of Mark Tsching told by Willie Aeschlimann actually deserves to be made into a film ! Born in China in 1841 he became a soldier when he was twenty. A prisoner of the Tae-Ping he escaped but was captured by the English. Freed he became the steward of an American. In 1884 during a cruise he was captured by pirates who sold him to a Spanish man who brought him on a tour of Europe. Having regained his independence in Paris in 1873 he let on to be a printer in order to be able to find a job in Geneva but, this son of a Celestial Empire who was born in the very centre of tea fields knew how to mix aromas and had, above all other things, the secret of the makings of good tea. In Geneva therefore he sold tea in the Grande Rue and then in Taconnerie and from 1890 in Bourg-de-Four. He returned several times to his native country for tea supplies. He died in Shanghaï in 1904. The circle was complete. He had returned to his point of departure. ●

132

132 • [✪ 3].

133 • [✪ 5].

133

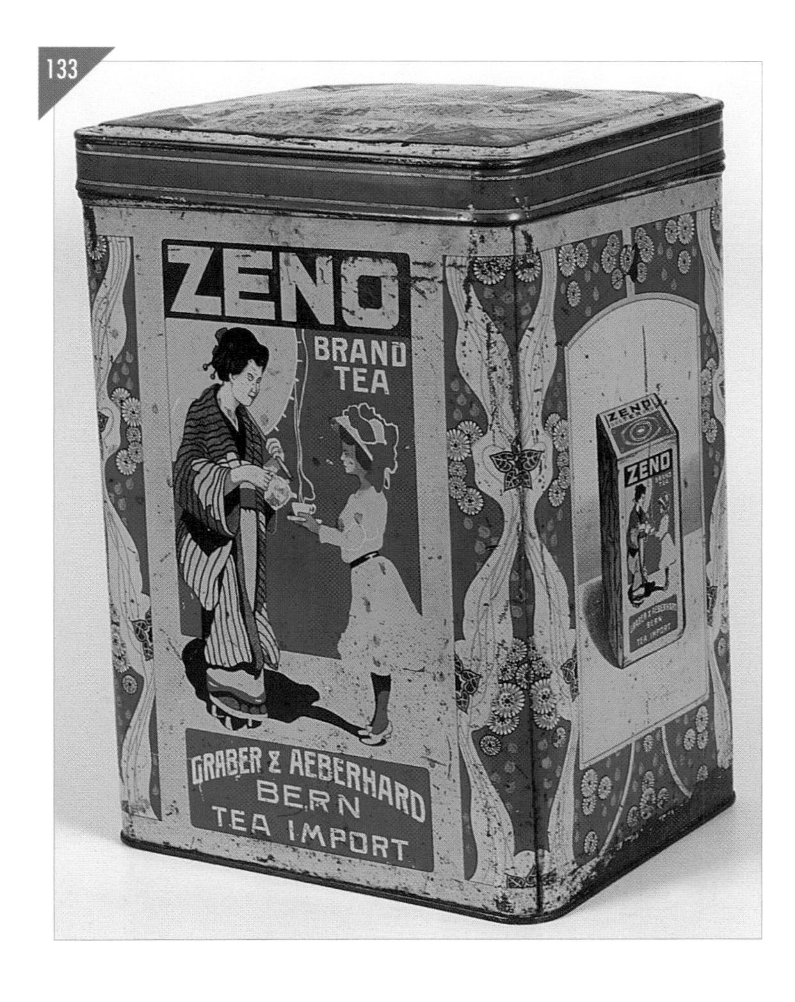

134

tea
LE THÉ

Tea originated in China and legend has it that the Emperor Chen Nung of the second dynasty in 2737 BC discovered the drink when some leaves fell from a neighbouring tree into a pot of boiling water.

135 • [✪ 5].

136 • [✪ 3].

Tea drinking spread from China to the rest of Asia, Mongolia, Tibet and Japan in the 8th century, the East in the 9th century and reached Europe, Holland and then England, between the 17th and 19th centuries. The huge profits led to the strict control of the transport and marketing of tea and also to some harsh confrontations. In the 19th century tea production spread to India, Ceylon and Africa.

Tea was not sold in individual tins until around 1850. For over fifty years before that tea had been sold loose from large metal containers lined up on the herbalists shelves. The early tins were in pewter and often hand decorated [126].

These decorations underlined that tea evoked the subtlety and refinement of the Far East, the charm of old Russian tales, the hospitality of the lords of the desert, the friendliness and gentleness of the Indian people, the dignified salons of the 18th and 19th centuries and the imperturbable and efficient British people [118]. ●

135

136

137 • Mazawatee.

138 • Protège-cahier.

139 • [✪ 3].

Thé de l'Éléphant

Les deux géants français du thé sont frères et Marseillais et se prénomment Lazare et Petrus Digonet. Ils déposent la marque Éléphant en 1896 et intitulent, en 1926 leur SA la société des Thés de L'Éléphant. Depuis 1972, c'est Unilever qui préside au destin du troupeau. ●

The two big French tea giants were brothers and from Marseille. Their names were Lazare and Petrus Degonnet. They registered the brand name Elephant in 1896 and in 1926 they called their S. A. La Société des Thés de l'Éléphant. Since 1972 Unilever has been at the head of this "troop". ●

LE CAFÉ
coffee

Un chevrier du Yémen s'étonne un jour que son troupeau ne puisse trouver le sommeil après avoir brouté certaines baies rouges. Apprenant cela, le moine du couvent voisin a l'idée de préparer un breuvage en faisant bouillir dans l'eau les noyaux de ces fruits. Les prières nocturnes sont dites avec une ardeur inconnue. Ils nomment kawah (force, élan) la boisson merveilleuse [74].

LE CAFÉ, UN GRAIN DE LÉGENDE

D'Éthiopie, le café se propage en Arabie du Sud et devient dès le XVe siècle la boisson favorite de tout le Proche-Orient, où les premiers cafés sont ouverts en 1554, à Constantinople. Le café turc pénètre en Occident grâce aux relations des ports méditerranéens avec l'Orient. De Venise, en 1570, il conquiert toute l'Italie.

Il fait son apparition à Marseille en 1644. En 1669 Soliman Pacha, ambassadeur de Turquie en France, en offre à Louis XIV qui semble l'apprécier. En 1681, ouverture à Paris du Café de la Régence suivi, en 1686, par le Procope. Au XVIIIe siècle, c'est par centaines que des cafés voient le jour : il en existe quelque 380 à Paris, en 1720. Ajouté au lait, il devient une boisson populaire, vendue dans la rue par des marchands ambulants. Dès 1652, l'Angleterre connaît ses premiers *coffee houses*, et en Allemagne le premier établissement est ouvert à Regensburg en 1686. Les Hollandais implantent le caféier à Ceylan et Java d'où ils peuvent l'exporter dans toute l'Europe. Les Anglais font de même en Jamaïque, en 1730. De Guyane il prend ensuite pied au Brésil où il sera produit massivement.

Le blocus continental par Napoléon, en 1806, interrompt momentanément les importations de café et permet le développement de la chicorée. Au XIXe, c'est l'explosion de la consommation. De 100 000 tonnes en 1835, le café passe à 1 million de tonnes avant la guerre de 14-18. Aujourd'hui la production mondiale oscille entre 5 et 6 millions de tonnes [34].

D'abord vendu en France par les apothicaires, le café mettra un siècle avant de trouver le chemin du comptoirs des épiceries. En effet ses effets excitants le firent tout d'abord considérer comme un médicament avant que comme pour le chocolat, le plaisir ne prenne le pas sur ses vertus médicinales.

Toute une série d'innovations ont marqué son histoire :

– 1802 : François Antoine Descroisilles pharmacien à Rouen annonce, avec sa caféolette, la future cafetière.

– 1908 : Une jeune Allemande, Melita Benz, invente le premier filtre en papier.

– 1937 : Max Morgenthaler fabrique pour Nestlé le premier café soluble dit café instantané. Ce sont les GI's américains qui le rendront populaire en juin 1944. Il faut dire qu'il avait un goût de liberté [107] !

– 1946 : L'Italien Achille Gaggia invente la machine à espresso.

– 1954 : Premier café décaféiné. Merci Nestlé.

– 1960 : Premiers sachets individuels.

– 1962 : Le café est vendu en bocal de verre. Adieu les boîtes !

– 1967 : Premier café lyophilisé mis au point par Nestlé.

Le café, qui craint l'humidité, est vendu en boîte métallique depuis 1840. C'est alors un café vert, non torréfié. ●

140

140 • Belgique [✪ 1].

141 • [✪ 3].

142 • [✪ 2].

143 • [✪ 2].

144 • Ubena [✪ 3].

145 • [✪ 3].

141

142

143

144

Julien Damoy

La SA des Établissements Julien Damoy est constituée en 1905, avec pour vocation sociale le commerce de gros et de détail de produits alimentaires. ●

The SA of the Julien Damoy Establishment started in 1905. It's social vocation was the wholesaling and retailing of food products. ●

145

coffee
LE CAFÉ

A goat keeper in Yemen was surprised one day to discover that after eating a certain variety of red berries, the goats couldn't sleep. On learning that, a monk from a neighbouring cloister decided to make a drink using the stones from these fruit. The night prayers were recited with a new ardour. The new and marvellous beverage was called Kawah (strength, thrust) [74].

COFFEE, THE STORY OF A LITTLE BEAN

From Ethiopia the beverage spreads to South Arabia and in the fifteenth century it becomes the most popular drink in all the Near East. The first cafés appeared in Constantinople in 1554. Turkish coffee enters the Western world thanks to links between the Mediterranean ports and the East. In 1570 coffee spread fom Venice around the rest of Italy.

It appears in Marseille in 1644. In 1669, Soliman Pacha, Turkey's ambassador in France, offers coffee to Louis XIV who seemed to like it. In 1681 the Café de la Régence opened in Paris, followed by the Procope, in 1686. During the 18th century hundreds of cafés opened. In 1720 there were about 380 in Paris. When added to milk, coffee became a popular drink sold in the street by pedlars.

England saw its first Coffee Houses in 1652 and in Germany the first one opened in Regensburg in 1686. The Dutch set up coffee plantations in Ceylon and Java from where they exported to the rest of Europe. The English did the same in Jamaica in 1730. From Guyana it took off in Brazil where it was massively produced.

The Continental System imposed by Napoleon in 1806, momentarily interrupted coffee imports and made way for the development of chicory. In the 19th century, the consumption of coffee exploded. From 100,000 tonnes in 1835, it went to 1 million tonnes before the first world war. Today production worldwide varies between 5 and 6 million tonnes [34].

First sold in apothicaries in France, coffee took a century to make its way to the grocery store counter. In fact, its stimulating effects made it firstly a medicine and as for chocolate its medicinal values were put before its pleasurable ones.

A whole series of innovations punctuated its history:

1802: François Antoine Descroisilles, a pharmacist in Rouen, announced his « cafeolette »,the future coffee pot.

1908: A young German, Melita Benz, invented the first paper filter.

1937: Max Morgenthaler makes the first instant coffee for Nestlé. In June 1944 the American GIs make it really popular. After all it did have that taste of freedom ! [107].

1946: The Italian, Achille Gaggia, invents the expresso machine.

1954: The first decafinated coffee. Thanks to Nestlé.

1960: First individual sachets.

1962: Coffee was sold in glass jars. Good-bye tins !

1967: The first lypholised coffee thanks to Nestlé.

Coffee has been sold in metal boxes since 1840 to protect it from dampness. It was then a green coffee and not roasted. ●

146

147

148

149

146 • [✪ 2].

147 • [✪ 2].

148 • Compagnie Générale de Torréfaction [✪ 6].

149 • Paul Mairesse (chicorée) [✪ 3].

150 • [✪ 3].

151 • [✪ 3].

152 • [✪ 3].

150

151

152

LA CHICORÉE
chicory

La chicorée est une plante qui ressemble à une carotte. Ses grains sont généralement consommés avec du lait chaud ou du café dont ils atténuent l'amertume.
Chicory is a plant resembling a carrot. In powder form it is generally drunk with hot milk or coffee to lessen its bitterness.

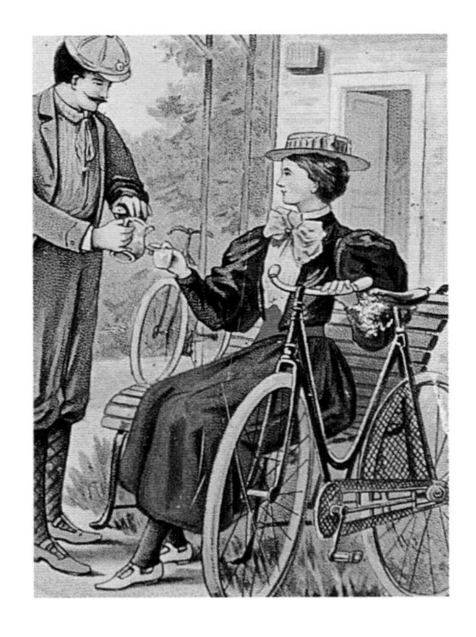

153

Cultivée aux Pays-Bas, au XVIIIe siècle, elle s'est progressivement répandue en Prusse, en Belgique et dans le nord de la France dont les sols limoneux lui étaient favorables. Le blocus de l'Europe par Napoléon en 1806, qui interrompt les importations de café, ainsi qu'un peu plus tard l'essor du chemin de fer lui permettent de prospérer.
En 1855, Jean-Baptiste Leroux rachète la manufacture Herbo (créée en 1830) et en confie la direction à son fils Alphonse-Henri François (1831-1895). Malgré des débuts modestes, la maison Leroux finira par acquérir pratiquement tous ses concurrents, Arlatte, Protez-Delatre, Black, Casiez-Bourgeois, Williot, Mairesse... pour devenir le premier producteur mondial
Pour accroître leur part de marché, les fabricants de chicorée ont, dès la fin du XIXe siècle, multiplié les marques et les thèmes publicitaires sur les étiquettes de paquets en papier d'abord, puis sur les boîtes métalliques : l'Orient, l'Empire colonial, la région du Nord, la religion, le patriotisme, les événements politiques et culturels, la femme ou l'enfant seront tour à tour les thèmes d'illustrations variées et colorées [68]. Leroux commercialise la chicorée en boîtes rondes de 500 g (1886), puis d'un kilo (1887), qui sont abandonnées, pour ces dernières, peu avant la guerre de 1914.
Sous la présidence d'Alphonse Henri Eugène Leroux (1866-1947), l'entreprise devra son essor à une politique commerciale moderne avec la création d'un réseau de représentants, ainsi qu'à une communication basée sur l'affichage et des opérations de promotions originales comme la distribution d'échantillons et d'objets publicitaires. Une chromolithographie, trouvée par exemple dans un paquet, devait être collée dans un album destiné aux enfants dont on fidélisait ainsi les parents. La société Leroux organisa également en 1904, et d'autres le feront après, un concours national consistant à rassembler le plus grand nombre possible de vignettes découpées sur ses paquets de chicorée. En 1912, la gagnante en avait rassemblé 51 768 ! ●

In the 18th century it was grown in Holland and gradually spread all over Prussia, Belgium and northern France. The chicory market prospered, firstly, because Napoleon's blocade of Europe in 1806 interrupted the importation of coffee and later because of the growth of rail links.
In 1855 Jean-Baptiste Leroux bought the Herbo factory founded in 1830 and put his son Alphonse-Henri François (1830-1895) in charge. Despite their modest start they became the world leaders as they bought most of their rivals... Arlatte, Protez-Delatre, Black, Casiez-Bourgeois, Williot and Mairesse.
From the end of the 19th century in order to increase their market share the chicory manufacturer multiplied the publicity themes used on the labels of the paper packets and later the tins. Themes ranging from the Far East, the colonial empire, northern France, religion, patriotism, political and cultural events, women and children were used one after another [68]. The Leroux company sold chicory in 500 g. round tins from 1886 and tins containing a kilo from 1887 until just before the first world war.
Under the presidency of Alphonse Henri Eugène Leroux (1866-1947) the company expanded, thanks to a modern commercial policy, it created a network of representatives and their advertising policy included the use of posters and such promotional methods as the distribution of free samples and gifts. One tactic used to win the

154

155

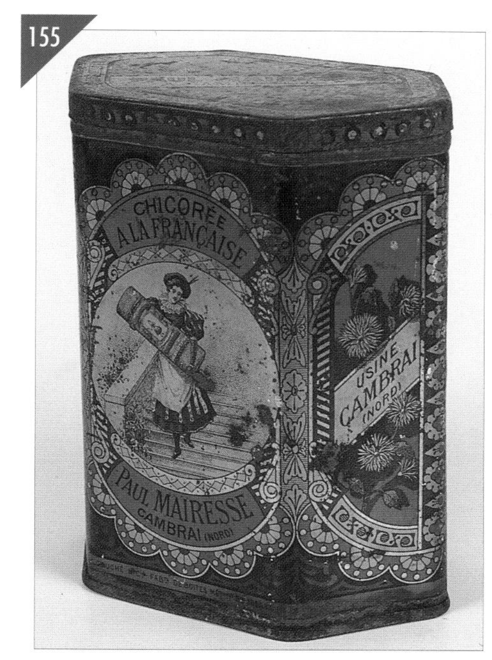

loyalty of the customers was to include a colour picture in the packet for their children to stick them in an album. In 1904 the company organised a national competition with a prize for the person who collected the greatest number of labels cut from the packets. In 1912 the winner had collected 51,768 labels ! ●

156

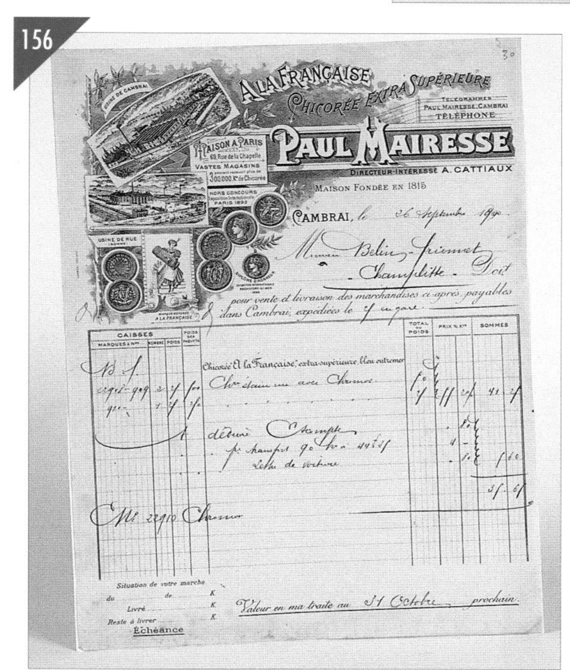
A LA FRANÇAISE
CHICORÉE EXTRA SUPÉRIEURE
PAUL MAIRESSE
DIRECTEUR-INTÉRESSÉ A. CATTIAUX
MAISON FONDÉE EN 1815
CAMBRAI, le 26 Septembre 190
pour vente et livraison des marchandises ci-après payables dans Cambrai, expédiées le
Chicorée A la Française, extra supérieure
Valeur en ma traite au 31 Octobre prochain

153 • [✪ 6].

155 • Paul Mairesse [✪ 2].

157 • Droulets Fils [✪ 6].

158 • Alphonse Leroux [✪ 2].

157

158

LE CACAO
cocoa

JE SUIS CHOCOLAT (a)

159

(a) : Chocolat est un clown barbouillé de noir, imaginé par le forain Raphael Padilla, en 1896. Le personnage donne la réplique au clown blanc, Footit, et il est probablement à l'origine de l'expression « Je suis chocolat », qui signifie s'être fait avoir.

Les peuplades précolombiennes ont consommé du cacao bien avant l'arrivée des conquistadores. Les fèves d'abord jetées, furent un jour grillées par les Indiens. Mélangées, sous forme de pâte à de l'eau, de la vanille, du piment et parfois un peu de cannelle, elles constituaient une boisson appelée *tchocoatl*, la boisson des Dieux pour les Mayas. Les Aztèques en consommaient abondamment et en faisaient boire à leurs prisonniers avant de les immoler.

Christophe Colomb, n'apprécie guère celui que les Indiens lui offrent, en 1502. Hernando Cortez expédie des fèves à Charles Quint en 1524, et fait découvrir le chocolat à ses compatriotes.

Additionné de sucre, comme le faisaient les colons, pour en atténuer le goût amer, le breuvage suscite en Espagne une véritable chocomania. Les moines l'apprécient d'autant plus qu'ils sont autorisés à en consommer durant le jeûne, et de nombreux ordres le fabriquent en conservant secrète la recette de fabrication. La marquise de Sévigné écrira à sa fille, en 1671 : « La marquise de Coetlogon prit tant de chocolat qu'elle accoucha d'un petit garçon noir comme le diable, qui mourut. »

On prête même au chocolat des vertus aphrodisiaques ! Casanova ne se séparait jamais de sa chocolatière et Sade note, dans les *Cent Vingt Jours de Sodome* : « On passa à onze heures dans l'appartement des femmes, où les huit jeunes sultanes parurent nues et servirent le chocolat ainsi. »

Le chocolat poursuit son chemin à travers l'Europe : Antonio Carletti l'introduit en Italie en 1606, Anne d'Autriche en épousant Louis XIII le fait découvrir à la cour de France.

Thomas Gage en fait la promotion dans son livre *La Nouvelle Relation*, paru en 1648. On relève, en 1657, dans le journal londonien *The Public Advertiser*, une publicité sur cette boisson que l'on peut acheter dans une boutique de Londres et le chocolat est consommé dans les *coffee houses*. En 1660, la culture du chocolat est initiée en Jamaïque, à Saint-Domingue et en Guadeloupe.

En 1659, Louis XIV accorde à un officier de la Reine le privilège de la vente du chocolat et son extinction, en 1693, aboutit à la création de la corporation des limonadiers, qui sera seule autorisée à le vendre. Leur nombre sera limité à 150 et leur charge héréditaire.

La Hollande est alors la plaque tournante de la distribution des denrées alimentaires et c'est sur ses bateaux que le cacao est transporté en Europe. À la fin du XVIIe, les premiers chocolatiers belges s'établissent à Bruxelles, mais la fabrication du chocolat restera artisanale jusqu'au XVIIIe. C'est l'époque où les chocolats sont fabriqués par les marchands d'épices et les apothicaires qui inventent des chocolats médicinaux purgatifs ou pectoraux.

En 1756, le prince Guillaume de Lippe fait appel à des chocolatiers portugais pour ouvrir une fabrique à Steinhude. En 1765, James Baker et John Hannon ouvrent une première chocolaterie aux États-Unis. En 1770, Pelletier fonde à Paris la Compagnie française des chocolats et thés Pelletier & Cie. 1776 marque les débuts de la Chocolaterie royale Le Grand d'Aussy.

Les procédés et les techniques évoluent au rythme de l'engouement que le chocolat suscite : en 1778, Doret invente la première machine hydraulique à broyer la pâte. En 1780, les fabricants de Bayonne installent leur première machine à vapeur.

Les grandes marques de chocolat, celles qui peupleront les rêves de générations d'enfants gourmands… et de tout autant de collectionneurs de beaux objets publicitaires, naissent à cette époque : François Cailler fonde la première chocolaterie suisse à Corsier en 1819. En 1824, Jean Antoine Brutus Menier installe ses ateliers à Noisiel, dans un moulin au bord de la Marne. Philippe Suchard ouvre une chocolaterie à Serrières en 1826. En 1828, le Hollandais Van Houten élabore le cacao en poudre. En 1831, Amédée Kohler et Daniel Peter ouvrent, l'un et l'autre, une fabrique de chocolat à Lausanne, ainsi que Rodolphe Lindt à Zurich et Jean Tobler à Vevey. En 1848, Auguste Poulain s'installe à Blois. Son slogan « Gouttez et comparez » deviendra célèbre.

Les progrès technologiques permettent d'augmenter les tonnages et de s'acheminer vers la production de masse que nous connaîtrons bientôt : premier chocolat blanc en 1829, première machine à vapeur en Belgique, en 1835 [116]. Henri Nestlé élabore le procédé de fabrication du lait en poudre, en 1867. Le pharmacien Debauve invente avec son neveu Gallais la truffe au chocolat, en 1850. Daniel Peter utilise un procédé Nestlé pour préparer la première tablette de chocolat au lait, en 1875. En 1879, Rudolph Lindt fabrique un chocolat fondant grâce à un procédé de pétrissage et d'affinage appelé conchage et dans lequel il a l'idée d'adjoindre du beurre de cacao. Tobler produit, en 1870, une boisson au lait chocolatée.

Les grandes familles de l'industrie chocolatière anglaise, pour la plupart Quakers protestants, ont pour nom Fry, Cadbury ou Rowntree. Leur forte conscience morale, à une époque où le prolétariat vit dans des conditions très rudes, se traduit tout comme chez les Menier et les Suchard, par un ensemble de mesures sociales révolutionnaires pour l'époque : logements, crèches, soins médicaux... Leur engagement est, pour eux, une alternative à un alcoolisme très présent dans la société.

Durant la seconde moitié du XIXe siècle, la France domine le marché mondial du chocolat tant par l'ampleur de ses importations de matière première que la qualité de ses productions. Cependant les droits de douane restent élevés et freinent la démocratisation de la consommation du chocolat.

En 1850, Menier en produit déjà 400 tonnes qu'il commercialise via un réseau d'un grand nombre de détaillants. Les chocolatiers commencent à prendre conscience de l'importance commerciale de leurs emballages. Les récompenses obtenues aux grandes expositions y figurent afin que détaillants et consommateurs soient informés sur l'origine et la qualité du produit [88].

C'est à Cadbury que l'on doit, en 1875, l'invention des œufs de Pâques en chocolat, même si la coutume d'offrir des œufs à Pâques remonte à la plus haute Antiquité [88].

En quelques décennies la production qui était d'environ 10 000 tonnes en 1830, passe à 115 000 tonnes en 1900 [34] pour atteindre 500 000 tonnes en 1931.

Consommé par les adultes jusqu'à l'orée du vingtième siècle, le chocolat devient progressivement la friandise favorite des enfants, phénomène particulièrement perceptible à travers l'évolution de sa communication : affiches, systèmes de primes, cahiers, buvards et autres objets publicitaires offerts aux enfants et à leurs instituteurs !

Au début du XXe, les innovations sont de moins en moins le fait de l'industrie française : première tablette de chocolat au lait, par Cadbury en 1905. Baisers d'Hershey (Hershey Kisses) en 1907. Tablette de chocolat noir (Bournville Plain), à nouveau par Cadbury en 1910. Première barre fourrée Voie Lactée (Milky Way) par Forrest Mars, à Chicago, en 1923. Gaston Menier réagit avec Rialta et Jolta, en 1924. Rowntree riposte avec Kit-Kat, en 1931.

Forrest Mars Jr lance la barre fourrée Mars, en 1932. En 1936, apparaît Quality Street de Mackintosh. 1937 est l'année des Smarties de Rowntree. 1951, celle de la Barre Bounty, de Mars, et 1962, celle des After Eight de Rowntree.

La fabrication du chocolat se concentre dans un nombre de plus en plus restreint de sociétés internationales dans lesquelles les entreprises françaises en déclin, sont tour à tour absorbées : Spüngli absorbe Lindt. Menier en fait de même des Chocolats Lombard, puis de son homonyme François Meunier. Peter rachète Kohler en 1904. Tobler acquiert, en 1905, la plus ancienne chocolaterie italienne, Michele Talmone [75].

Peter-Kohler fusionne avec Cailler (1909), Fry est repris par Cadbury (1918), Nestlé et Anglo Swiss Condensed Milk Co fusionnent en 1921, Talmone est cédée par Tobler, en 1924, au trust Unica qui regroupe cinq fabricants de chocolats et biscuits italiens

Nestlé croque Kohler-Peter-Cailler, en 1929, tandis que Mackintosh achète les chocolats Caley, de Norwich, en 1932.

Dans les années soixante, une deuxième vague de concentration, qui n'est pas sans évoquer le procédé de la poupée gigogne, aboutit à la prise de contrôle de Menier par la Société des Cacaos Barry, puis à la fusion de Rowntree et John Mackintosh & Sons, en 1969. En 1970 Suchard et Tobler forment l'Interfood SA et Cadbury qui avait absorbé Pascall, fusionne avec Schweppes. En 1976, Rowntree-Mackintosh s'offre Menier, et le hollandais Nuts Chocolade Fabriek en 1979. En 1982, Jacobs achète Suchard et devient Jacobs-Suchard, qui acquiert Van Houten en 1986, et le belge Côte d'Or, en 1987.

Dernières grandes manœuvres : en 1988, Nestlé achète Rowntree-Mackintosh, donc Menier. En 1990, Philipp Morris absorbe Jacobs-Suchard, tandis que Poulain et La Pie Qui Chante sont repris par Cadbury-Scweppes, en 1998. ●

160

161

159 • [✪ 3].

160 • [✪ 4].

161 • [✪ 3].

cocoa
LE CACAO

162

The pre-columbian people ate cocoa long before the arrival of the conquistadores. The beans first thrown away, were one day grilled by the Indians. Mixed into a kind of paste with water, vanilla, pepper and sometimes a little cinnamon it became known as a drink called "tchocoatl", the Gods' drink for the Mayas. The Aztecs drank it in abundance and gave it to their prisoners to drink before burning them.

Christopher Columbus did not appreciate the drink he was given by the Indians in 1502. Ernando Cortez sent beans to Charles Quint in 1524 so that his fellow countrymen could discover the taste of chocolate.

Adding sugar as the colonists did to take away the bitter taste, in Spain there was a real chocomania. The monks loved it especially since they could drink it while fasting. Numerous orders started to make it while keeping the production recipe secret. The Marquise de Sévigne wrote to her daughter in 1671: The Marquise of Coetlogon ate so much chocolate that she gave birth to a little boy black as the devil and who died.

Even aphrodisiac virtues have been associated with chocolate! Casanova never left his chocolate box behind him and Sade says in "Sodome's one hundred and twenty days": "We went to the women's quarters at eleven a.m. where eight naked young sultanas appeared and served us chocolate". Chocolate continued to make its way through Europe: Antonio Carletti brought it to Italy in 1606 and Anne of Austria introduced chocolate to the French Court when she married Louis XIV.

Thomas Gage promoted it in his book La Nouvelle Relation, in 1648. In 1647 in a London daily, the Public Advertiser, there was an advertisement for this drink giving the address of a shop in London where it could be bought and chocolate was drank in all the Coffee Houses. In 1660 chocolate growing started in Jamaica, Saint Domingo and Guadeloupe.

In 1659 Louis XIV accorded one of the Queen's Officer's the privilege to sell chocolate and his death in 1693 lead to the creation of the corporation of inn keepers who alone were authorized to sell it. There were only 150 of them.

Holland was then the main point for the distribution of food products and this is how cocoa was transported by boat to Europe. At the end of the 17th century the first Belgian chocolate makers set up in Brussels. But the production of chocolate remained small scale until the 18th century. This is when chocolate was made by spice merchants and apothecaries who invented chocolate for medical use, purgative and pectoral.

In 1756 Prince Guillaume de Lippe called on Portuguese chocolate makers to open a factory in Steinhude. In 1757 James Baker and John Hannon opened the first chocolate shop in the United States. In 1770 Pelletier founded the French chocolate and tea company in Paris called Pelletier & Cie. 1776 marked the beginning of the Chocolaterie Royale Le Grand D'Aussy. The chocolate making process and techniques evolved to the rhythm of development of people's taste for chocolate. In 1778 Doret invented the first hydraulic machine for crushing the paste. In 1780 chocolate makers in Bayonne installed their first steam machine.

Great brands of chocolate, those that fill the dreams of generations of greedy children and many collectors of beautiful advertising objects appeared around this time: François Cailler founded the first Swiss chocolate factory in Corsier. In 1824 Jean-Antoine Brutus Meunier set up his workshops in Noisel in a mill on the banks of the Marne. Philippe Suchard opened a chocolate factory in Serrieres in 1826. In 1828 the Dutch man Van Houten made the first powdered cocoa. In 1831 Amédée Kohler and Daniel Peter both opened a chocolate factory in Lausane as did Rodolphe Lindt in Zurich and Jean Tobler in Vevey. In 1848 Auguste Poulain opened in Blois.

Technological progress increased the amount of chocolate being produced and soon led to its mass production: the first white chocolate in 1829,the first steam machine in Belgium in 1835 [116]. Henri Nestlé invented a manufacturing procedure for powdered milk in 1867. The pharmacist Debauve along with his nephew Gallais invented the chocolate truffle in 1850. Daniel Peter used *the Nestlé process to make the first bar of milk chocolate in 1875. In 1879, Rudolph Lindt made the first fondant chocolate thanks to a kneading procedure called "conchage" and into which he added cocoa butter. In 1870 Tobler produced a milk chocolate drink.*

The great English chocolate industry families, most of them protestant Quakers, were Fry, Cadbury or Rowntree. Like Menier and Suchard, they showed their strong moral conscience at a time when the proletariat was living in very poor conditions throught a number of quite revolutionary social measures : housings, nurseries, medical care. Their commitment was to offer an alternative to alcoholism which was very prevalent in society at the time.

During the second half of the 19th century France dominated the world chocolate market both by the extent of its imports of raw material and the quality of its production. However, customs tariffs remained high and this stopped chocolate from becoming a democratic or widely consumed product.

In 1850 Menier was already producing 400 tons of chocolate which he sold through a network of retailers. Chocolate makers began to become more aware of the commercial importance of their packaging. Any prizes obtained at major exhibitions were inscribed on the packaging so that retailers and consumers were informed on the origin and the quality of the product [88].

We owe chocolate Easter eggs to Cadbury who started this tradition in 1825. Even if the custom of offering Easter eggs goes back a long time in history [88].

Within a few decades, production worldwide, which was at about 10,000 tonnes in 1830 went up to 115,000 tonnes in 1900 [34] to reach 500,000 tonnes in 1931.

Until the beginning of the XXth century chocolate was mostly consumed by adults and then progressively it became a favourite treat for children. This phenomenon is clearly visible in the evolution of its communication policy: posters, prizes, copies, blotting paper and other advertising objects which were given both to children and to their teachers!

Innovations at the beginning of the XXth century are less and less present in the French chocolate industry. The first bar of milk chocolate by Cadbury dates back to 1905. Baisers d'Hershey (Hershey Kisses), in 1907, plain chocolate bar (Bournville Plain) again by Cadbury in 1910. The first filled chocolate bar Voie Lactée (Milky Way) by Forest Mars in Chicago in 1923 and in 1924 Gaston Menier reacts with Rialta and Jolta. Rowntree answered back with Kit Kat in 1931.

Forest Mars junior launched the filled Mars bar in 1932. In 1936 Quality Street by Mackintosh appeared on the market. 1937 is the year of Smarties by Rowntree. In 1951 Mars launched the Bounty Bar and 1962 Rowntree introduced their After Eight.

Chocolate production became more and more restricted to a number of International groups into which the French companies already in decline were absorbed one after the other: Spüngli absorbed Lindt , Menier did the same with Chocolat Lombard as with its homonym François Meunier. Peter bought Kohler in 1904 and in 1905 Tobler bought the oldest Italian chocolate maker Michele Talmone [75].

Peter-Kohler merged with Cailler (1909) and Fry was bought by Cadbury (1918), Nestlé and the Anglo-Swiss condensed milk company merged in 1921 and Talmone is given up by Tobler in 1924 to the Unica trust which groups five Italian chocolate and biscuits makers.

Nestlé eats up Kohler - Peter - Cailler in 1929 while Mackintosh bought Caley chocolates from Norwich in 1933.

During a second wave of merging in the sixties, Société des Cacao Barry took control of Menier while Rowntree and John Mackintosh and Sons merged in 1969.

In 1975 Suchard and Tobler formed Interfood S.A. and Cadbury which had absorbed Pascal merged with Schweppes. In 1976 Rowntree-Mackintosh buys Menier and the Dutch Nuts Chocolade Fabriek in 1979.

In 1982, Jacobs bought Suchard and became Jacobs-Suchard which bought Van Houten in 1986 and the Belgian Côte d'Or in 1987. The last big movements were in 1988 when Nestlé bought Rowntree-Mackintosh, so Menier. In 1990 Philipp Morris took over Jacobs-Suchard, while Poulain and La Pie qui Chante were taken over by Cadbury-Schweppes in 1998. ●

163

164

162 • [✪ 5].

163 • [✪ 3].

164 • [✪ 2].

165 • [✪ 3].

166 • En haut à droite : [✪ 4]. Autres : [✪ 2].

167 • [✪ 3].

168 • [✪ 3].

169 • [✪ 6].

Page suivante : Suchard [✪ 4].

SUCHARD
SOLUBILISÉ
Nº 287
500 GRAMMES
GRAND PRIX
PARIS 1900
NEUCHÂTEL-SERRIÈRES-PARIS
LOERRACH-BLUDENZ-SAN SEBAST
Mode d'Emploi.
SUCHARD
PUR LAIT
CACAO ET SUCRE,
MILKA
SUCHARD
PUR LAIT
CACAO ET SUCRE.
SUCHARD, SEUL FABRICANT
CACAO
SUCHARD
SOLUBILISÉ
Nº283
CACAO
SUCHARD
SOLUBILISÉ
Nº288
250 GRAMMES
MILKA
SUCHARD
CACAO
GRAND PRIX
PARIS 1900
SUCHARD
SOLUBILISÉ
Nº 286

170

170 • Confiserie Gebrüder Studer [✪ 5].

171 • [✪ 5].

172 • Deux petits modèles : [✪ 4]. Autres : [✪ 2].

173 • [✪ 6].

174 • [✪ 6].

171

172

173

174

175

175 • [✪ 6].

176 • [✪ 4].

177 • [✪ 4].

178 • [✪ 5].

Page suivante :
[✪ 4].

176

177

178

Poulain

La chocolaterie Poulain est fondée à Blois en 1848. Le slogan « Gouttez et comparez » date de l'année 1862 et l'affiche de Cappiello, de 1905. ●

Poulain's chocolate factory was founded in Blois in 1848. The slogan 'Gouttez et Comparez' 'Taste and Compare' dates back to 1862 and the poster by Capiello to 1905. ●

Milka

Milka est né en 1901 de la contraction des mots allemands *MILch* (lait) et *KAkao*. « Sa douceur n'a d'égale que sa saveur. » ●

Milka started in 1901 and comes from the contraction of the German words MILch (Milk) and KAkao. 'Sa douceur n'a d'égal que sa saveur' ('its sweetness is as great as its taste'). ●

EVITER
LES
CONTREFAÇONS
ÉVITER LES CONTRE
CHOCOLAT
MENIER
USINE DE NOISIEL
Production: 60.000 Kos par jour
CACAO
MENIER
CACAO-MENIER
CHOCOLAT-MENIER
IMP. L. REVON

BOISSONS DIVERSES
beverages

179

180

181

182

Négrita

La marque Négrita, terme affectif qui signifie petite négresse en espagnol, a été déposée en 1886, par Paul Bardinet. ●

The brand Négrita, an affectionate term which means little negro girl in Spanish was registered as a brand name in 1886 by Paul Bardinet. ●

179 • [✪ 3].

180 • [✪ 3].

181 • [✪ 3].

182 • [✪ 4].

BOISSONS DIVERSES
beverages

183 • [✪ 2].

184 • [✪ 3].

185 • Mousseux de Nice [✪ 3].

183

184

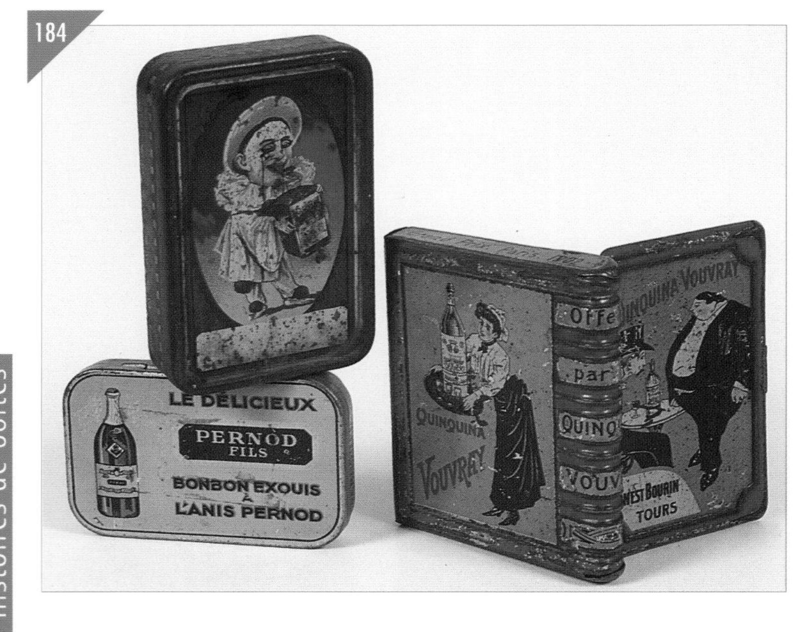

185

Cointreau

La société de spiritueux Cointreau Frères fut créée à Angers en 1849, par Adolphe et Édouard-Jean Cointreau. En 1875, à la suite d'un voyage à Curaçao, le fils d'Édouard-Jean crée la fameuse liqueur à base d'oranges douces et amères. Le succès du produit tiendra autant à sa qualité qu'à la forme carrée, originale de la bouteille et à la célèbre affiche de Tamagno qui s'était inspiré, si l'on en croit la légende, de la très forte myopie d'Adolphe Cointreau. ●

The first Cointreau Frères was created in Angers in 1849 by Aldophe and Edward-Jean Cointreau. In 1875 after a trip to Curaçao Edward-Jean's son created the famous liquor from sweet and sour oranges. The success of this product was not only due to its quality but also to the square shape of the bottle which was very original at the time and also to the very famous poster by Tamagno who, in fact, was inspired, if we believe the legend, by the very strong short-sightedness of Adlophe Cointreau. ●

186

187

188

186 • [✪ 2].

187 • [✪ 3].

188 • [✪ 2].

LE TABAC
tobacco

« Gloire au tabac, cette plante si chère, le plus fameux des produits d'ici bas ; il guérit tout ! Tous les maux de la terre. Ceux que l'on a, même ceux qu'on n'a pas ! » Vive le tabac ou *le Chant des fumeurs*, paroles de Marius Fontaine & Vouret [54].

Parti à la recherche de l'or des Indes, Rodrigo de Jerez, compagnon de Christophe Colomb, rapporte les premières feuilles de tabac en Espagne en 1498. L'Inquisition le condamnera à sept ans de prison pour sorcellerie ! L'usage du tabac se répand, dès 1558, en Espagne et dans toute l'Europe, jusqu'en Russie, aux Indes et en Chine.

À la même époque, André Theret, après un séjour au Brésil, est le premier à le cultiver en France. Jean Nicot en offre quelques prises à Catherine de Medicis, en 1561, pour soulager ses maux de tête. La prise du tabac est lancée, à la satisfaction des apothicaires… et des finances publiques !

L'usage du tabac se répand dans toutes les couches de la société. Cependant les gens de condition modeste, comme les paysans et les soldats, préfèreront la pipe. Les marins se verront accorder du bout des lèvres le droit de priser ou de chiquer à bord. Deux siècles durant, il sera d'usage de conserver son tabac dans des tabatières richement ornées.

En 1629, Richelieu instaure des taxes à l'importation, système que Colbert perfectionne, en 1674, en créant la ferme des tabacs (Manufacture royale), seule habilitée à le vendre et où les marchands de tabac devront obligatoirement s'approvisionner. La Civette, le plus célèbre des débits de tabac français, s'ouvre en 1715 au Palais Royal. Une police douanière redoutable et la perspective des galères, n'empêcheront pas les contrebandiers d'en organiser la fraude.

En 1811, Napoléon crée la Régie (Manufacture impériale). La culture, la fabrication et la vente de tabac sont à nouveau contrôlées par l'État (on avait coupé la tête aux impopulaires fermiers généraux !), qui attribuera de façon souvent partiale, la gestion des débits de tabac à ceux qui le servent.

Le tabac se présente alors sous forme de grandes feuilles sèches liées les unes aux autres, prenant l'apparence d'une carotte : à partir de 1906, tous les débits de tabac arborent la carotte comme enseigne. ●

Le tabac roulé

Jusqu'à la fin du XIXᵉ siècle, le tabac est vendu au détail, râpé par le tenancier en présence du client et enveloppé dans du papier. À partir des années 1880, il est peu à peu proposé dans des boîtes métalliques dont le prix de revient baissera régulièrement : après les biscuitiers, les marchands de tabac furent les premiers, avec les moutardiers, à commercialiser leurs produits dans des boîtes métalliques dont les thèmes de décoration furent nombreux, avec une prédilection, toutefois, pour les animaux et les personnages célèbres.

Au début du siècle, les Américains imaginent une boîte à tabac extra plate, facile à glisser dans une poche, dans lequel on pouvait mettre du tabac pour la pipe ou à rouler.

En France, La Régie est remplacée en 1926, par le SEIT (Service d'exploitation industriel des tabacs) auquel s'ajouteront, en 1935, les allumettes (SEITA). Le terme de Régie française des tabacs, apparu dans les années vingt, ne correspond, en fait, à aucune appellation officielle. En 1980, le SEITA est transformé en Société nationale et devient la SEITA, transformée en SA en 1984. ●

189

190

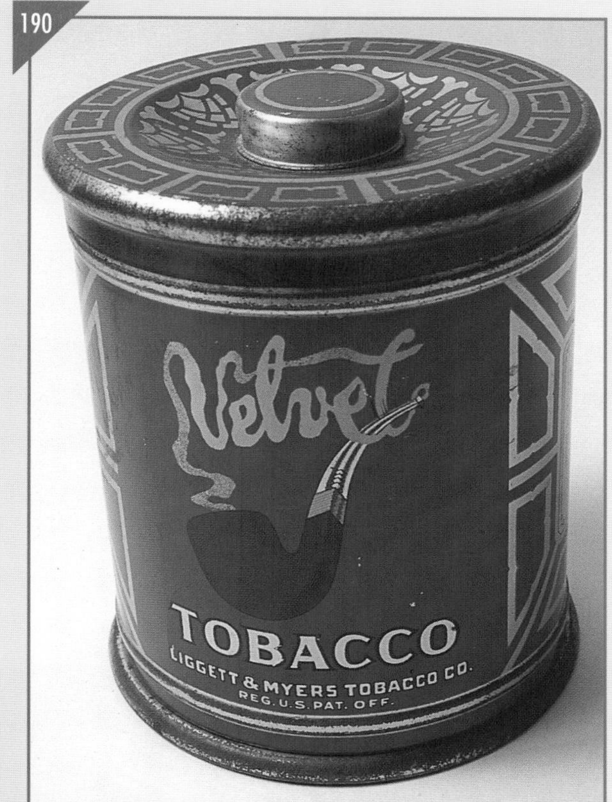

191

192

193

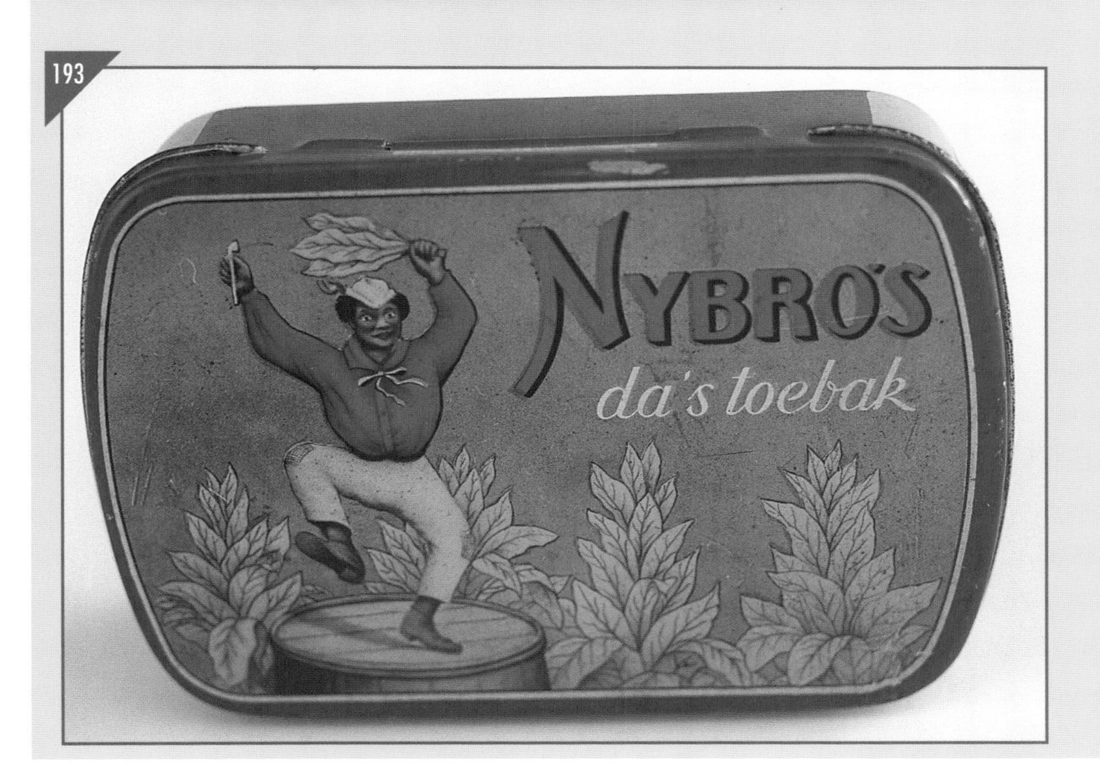

189 • [✪ 3].

190 • [✪ 3].

191 • [✪ 3].

192 • [✪ 2].

193 • [✪ 1].

tobacco
LE TABAC

"Glory to tobacco, that most cherished plant, the greatest thing that ever came out of here; it cures everything ! Everything on earth. The illnesses we have and even those we don't have ! " (Long live tobacco or *The Smokers Song*, words by Marius Fontaine and Vouret [54]*).*

Christopher Colombus'companion Rodrigo de Jerez, went to look for gold in the Indies but brought back the first tobacco leaves to Spain in 1498. The Inquisition condemned him to 7 years in prison for witchcraft! From 1558 the use of tobacco spread in Spain and in the rest of Europe, as far as Russia, India and China.

At the same time, André Theret, on his return from a trip to Brazil, began cultivating tobacco in France. Jean Nicot offered some snuff to Catherine de Médicis in 1561 to relieve her headaches. Snuffing took off, much to the satisfaction of the apothicaries and... the state finances !

The use of tobacco spread to every level of society. However those of more modest means like the peasants and the soldiers preferred the pipe. Sailors were just about allowed to snuff or chew tobacco on board. For two centuries it was common to store tobacco in richly decorated tobacco boxes.

In 1629 Richelieu initiated importation taxes, a system which was perfected by Colbert in 1674 when he created the tobacco farm, (Royal Manufacture) the only farm entitled to sell it and where all tobacconists were obliged to buy. The Civette, the most famous of French tobacconists, opened in 1715 at the Palais Royal. A fearsome customs police and the threat of the galleys didn't prevent smugglers from organising fraud.

In 1811, Napoleon created the Régie (the Imperial Manufacture). The growing, production and sale of tobacco was again controlled by the State (the unpopular General Farmers group had had their heads cut off !). So the State was often biased as to who it gave the management of the tobacco outlets.

At this time tobacco was presented in the form of large dried leaves attached to each other in the shape of a carrot and from 1906 the carrot became the sign of all tobacconists.

Rolled tobacco

Until the end of the nineteenth century, tobacco was sold loose, shredded by the manager infront of the customer and wrapped in paper. From 1880 on, it was more and more frequently sold in metal boxes. Little by little their price decreased: following the biscuit makers, tobacconists were the first with mustard makers to sell their products in metal boxes. These boxes were decorated with numerous themes, with a slight preferencce however for animals and famous people.

At the beginning of the century the Americans invented an extremely flat box that fits into your pocket easily. This box was both for piper tobacco or roll-your - own cigarettes.

In France in 1926 the Régie was replaced by the S.E.I.T. (Service d'Exploitation Industriel des Tabacs) and in 1935 matches were also included. (S.E.I.T.A.). The term Régie Française des Tabacs, which appeared in the twenties, didn't correspond to anything official. In 1980, the SEITA (le SEITA, in French) is transformed into a national company (la SEITA) which became S. A. in 1984. ●

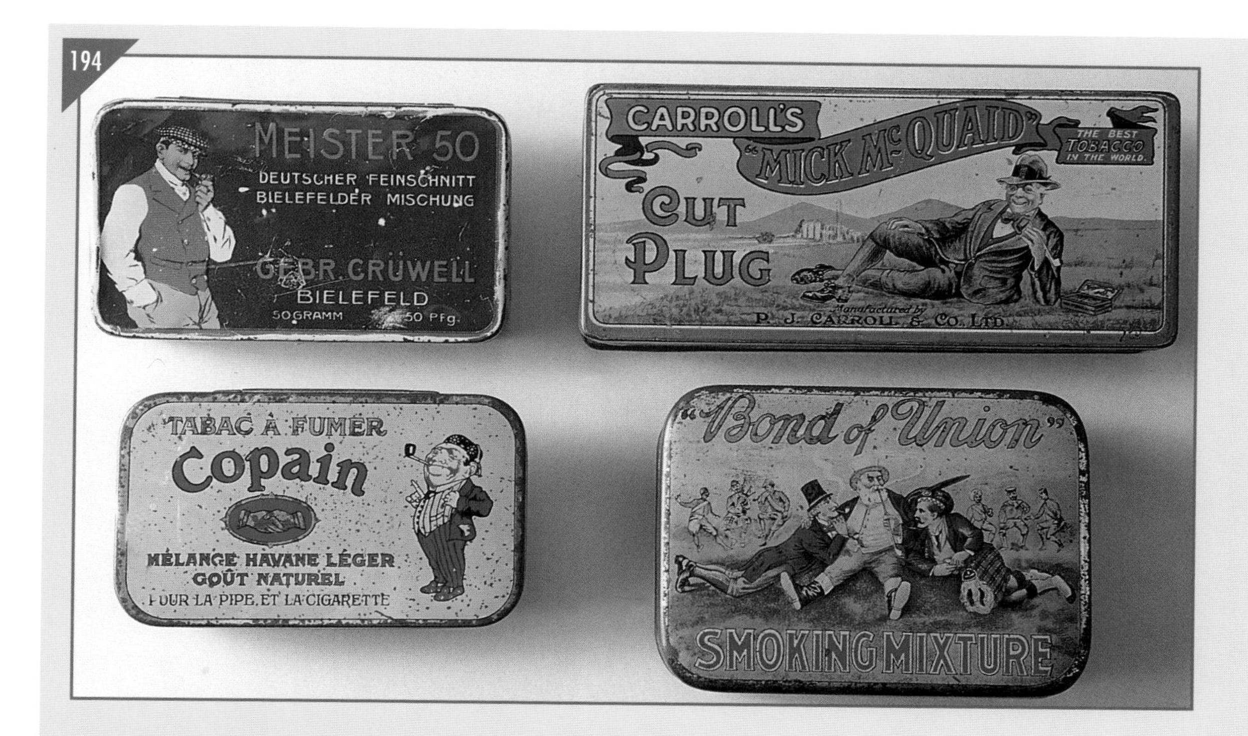

194 • [✪ 3].

195 • [✪ 1].

196 • [✪ 4].

197 • [✪ 1].

198 • [✪ 3].

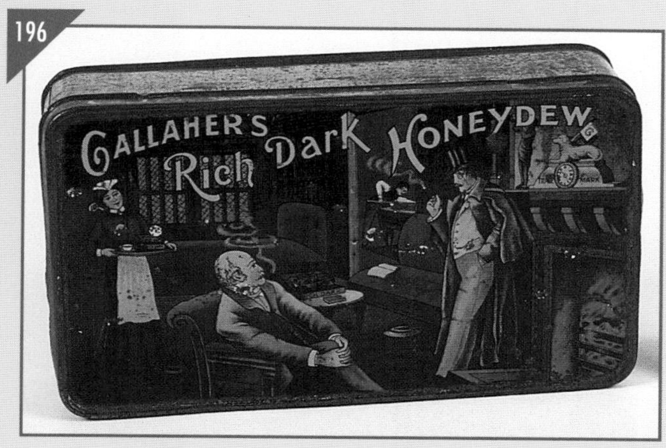

LE CIGARE
cigars

« DIEU EST UN FUMEUR DE HAVANES »

"GOD SMOKES HAVANA CIGARS"

Le cigare est découvert à Cuba par les Européens, en même temps que le tabac, en 1492, lors de l'expédition de Christophe Colomb. En 1542, Bartolomé de Las Casas décrit le cigare comme des herbes sèches enroulées dans certaine feuille sèche. Les Indiens, hommes et femmes, les allumaient par un bout, suçaient l'autre et absorbaient la fumée par aspiration. Cette fumée les endormait et les empêchait de sentir la fatigue. À la différence du tabac qui connaît un succès rapide, le cigare met trois siècles à conquérir le monde. Il faut attendre l'année 1720 à Séville, cité de *Carmen*, et 1788 à Hambourg, pour que s'ouvrent les premières manufactures de cigares en Europe. Hollandais, Américains, Français et Autrichiens leur emboîtent le pas durant les deux décennies suivantes. Cuba, patrie du cigare qui sera appelé *puro* puis havane, passe du statut de producteur de feuilles à celui de fabricant, en 1761. Au milieu du XIXe siècle on y dénombre déjà quelque cinq cents fabriques, dont l'une des plus importantes fut sans doute Cabanas y Carbajol, marque enregistrée à La Havane en 1810. En 1844, Don Jaime Partagas dépose la marque qui porte son nom et ouvre, l'année suivante, une boutique à La Havane, au 520 de la rue de l'Industrie (curieusement, c'est le 174 qui est inscrit sur la boîte. Jusqu'à son assassinat en 1864, il est l'un des leaders de l'industrie cubaine du havane. En 1900, son fils José Partagas cède l'affaire au banquier Ramon Cifuentes Llano, dont les héritiers se succéderont jusqu'à l'arrivée de Fidel Castro, en 1959. En France, les premiers cigares fabriqués par la Régie datent de l'année 1876. « Les hiboux méditent », disait Charles Beaudelaire dans *Les Fleurs du Mal*. Il est amusant de noter le choix de ce rapace nocturne et de sa représentation symbolique sur certaines boîtes de cigares. On le retrouve, par exemple, chez le Hollandais La Bolsa ou chez Owl Brand aux États-Unis [44]. Pour les besoins de la décoration, ce symbole de retraite solitaire est souvent confondu avec la chouette qui incarne la sagesse. Les deux thèmes semblent bien correspondre à une certaine idée du plaisir que les fabricants de cigare ont pu vouloir communiquer. Suivant E. Deschodt et P. Morane [31], le cigare favorise aussi bien l'isolement que le contact. On l'allume pour s'échapper au monde et à soi-même, aussi bien que pour s'y relier. Sa fumée isole et rapproche, tantôt masque, tantôt lien. ●

Cigars were discovered at the same time as tobacco when Christopher Columbus landed at Cuba in 1492. In 1542 Bartholomé de Las Casas described cigars as dried herbs wrapped in a dried leaf. Both Indian men and women lit one end and then sucked the other and inhaled the smoke. This smoke made them sleepy and stopped them feeling tired. Whereas tobacco became popular rapidly, cigars took almost three centuries to conquer the world. Europeans did not have a cigar factory until 1720 when one was opened in Carmen's city of Seville and another in 1788 when Hamburg added its factory. The Dutch, Americans, French and Austrians followed suit in the next two decades. Cuba, birthplace of the cigar, first known as puro and later Havane, moved on from being being producer of leaves and in 1761 started to manufacure cigars. In the middle of the 19th century there were some five hundred factories including one of the biggest, that of Cabanas y Carbajol, the trade name registered in Havana in 1810. In 1844 Don Jaime Partagas registered his name as a trademark and the following year opened a shop at 520, rue de l'Industrie, Havana. (Oddly it is no. 174 on the box) He became one of the leaders of the Cuban cigar industry until he was murdered in 1864. In 1900 his son Jose Partagas sold the business to the banker Ramon Cifuentes Llano whose heirs continued to run the company until Fidel Castro comes to power in 1959. In France the state run factory made cigars from1876. "Owls meditate" said Charles Baudelaire in his poetry book "The Flowers of Evil". It is amusing to note that this nocturnal bird of prey is chosen as a symbol on certain cigar boxes. For example the Dutch make La Bolsa and the Owl Brand in the United States [44]. Sometimes this symbol of solitary reclusion is confused with the barn owl that symbolises wisdom. Both ideas seem to represent the feeling of pleasure that the manufactures wish to communicate. According to E. Deschodt and P. Morane [31], cigars encourage both isolation from and contact with others. One lights up to escape from oneself and the world and also to join in with others. The smoke isolates and brings together, sometimes a mask, sometimes a bond. ●

199

200

201

199 • [✪ 3].

200 • [✪ 3].

201 • [✪ 2].

202 • [✪ 2].

203 • [✪ 2].

204 • [✪ 3].

205 • [✪ 2].

202

203

204

205

Ad Rem

ENTRE ACTES

20 CIGARILLOS

206

207

208

206 • [✪ 3].

207 • [✪ 4].

208 • [✪ 2].

LES CIGARETTES
cigarettes

« Tu es fine, mince, propre et blonde. Tout en blanc habillée, tu as bien l'air de sortir d'une boîte. Tu es silencieuse et docile et je t'allume quand je veux ! »
(Sacha Guitry)

L'usage du tabac roulé dans une feuille de papier nous vient d'Espagne, dans les années 1830. Déjà utilisé en 1831 par Balzac, le mot cigarette mettra moins de dix ans à se généraliser. Le fameux Scaferlati, nom donné par la Régie au tabac coupé en fines lanières, est fumé avec une pipe ou roulé dans une cigarette. Le premier papier à rouler du tabac fut fabriqué en France par un certain Lacroix, en 1796 !

Le lancement de la cigarette en France remonte à 1843, lorsque la Régie française des Tabacs offre 20 000 cigarettes à la reine Marie-Amélie pour la vente de charité qu'elle organise au profit des sinistrés de Guadeloupe. La cigarette fait un tabac, les commandes affluent et du personnel doit être recruté.

C'est la grande époque des papiers et accessoires de ce nouveau plaisir de fumer. On commercialise des tubes de papier (Abadie Flor), qui contiennent jusqu'à mille feuilles, les cigarettes étant encore pour une large part roulées par le consommateur.

En 1864, celles qui étaient fabriquées par la Régie étaient vendues dans des boîtes en carton de 50 ou 100 pièces et mises en vente dans les deux débits de tabac que la Régie possédait à Paris [27].

En 1867, le tabac a son stand à l'Exposition universelle de Paris. Richard Koenig, un Français résidant en Turquie lance, avec le concours de la Régie, des cigarettes de tabacs d'Orient. Cette année-là, dix millions de cigarettes seront vendues en France.

En 1872 la Régie augmente le prix du tabac sans modifier celui des cigarettes dont le chiffre d'affaires sera multiplié par six et les processus de fabrication automatisés dès 1887. Grâce à la Bonsack, version 1884, première machine à fabriquer des cigarettes en continu, le coût unitaire baisse considérablement et permet aux fabricants d'élargir leur marché.

À partir de 1876, on ne désigne plus en France les cigarettes par un numéro, mais par un nom de marque, Les Hongroises par exemple, destiné à séduire l'amateur. La Régie lui propose un large éventail de cigarettes de luxe : 79 variétés en 1877, 242 en 1894, classées en 17 modules de 15 qualités de tabac.

Aux États-Unis, la cigarette progresse pour s'imposer vers 1910. En 1890 Duke, producteur de Bull Durham, fonde l'American Tobacco qui regroupe la majorité des producteurs auquel R.J. Reynolds s'intègre. En 1913, R.J.R lance Camel une cigarette à l'apparence orientale mais au mélange et au goût américain. Un million de Camel seront vendues en 1913 et 31 millions en 1924.

En Suisse la cigarette reste, au début du XXe, l'apanage de quelques privilégiés. Les plus recherchées étaient roulées à la main par des ouvriers russes immigrés [13]. Sur 7 millions de kilos de tabac vendus en Suisse en 1922, un seul est destiné à la fabrication des cigarettes et trois et demi à celle du cigare !

En Allemagne, la Compagnie Laferme, installée à Dresde et premier producteur de cigarettes en 1862, est dirigée par un émigré russe, le baron Joseph von Huppmann. En 1877, la jeune industrie allemande compte 33 fabricants dont 21 sont installés à Dresde. En 1930, les deux conglomérats Jasmatzi-Reemtsma et Haus Neuerburg représentent 75 % de la production. Face à eux il ne restera qu'une douzaine de producteurs indépendants dont Muratti, Nestor Gianaclis, Kyriazi Frères et Abdullah [108]. Jasmatzi avait acquis Constantin et Kreyssel en 1927. De son côté, Reemtsma avait absorbé Frigo en 1917, Manoli en 1924, Pfozzheim et Liby en 1927, alors que Cavallos et la Compagne Laferme les avaient rejoints en 1926. Neuerburg était propriétaire, dès 1929, des marques Waldorf-Astoria, Zuban et Halphaus.

En 1883, le gouvernement turc institue le mono-

LES CIGARETTES
cigarettes

209

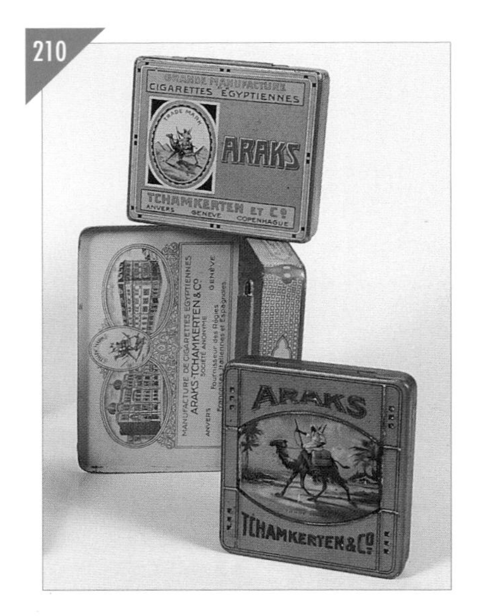

210

pole de la vente du tabac ; les nombreux producteurs grecs (Aravantinos, Gianaclis...), dont on retrouvera les noms sur leurs boîtes, s'exilent en Allemagne ou en Égypte.

À partir de 1880, les boîtes en carton de la Régie, dont la présentation n'a guère évolué, sont peu à peu remplacées par des boîtes en métal étiquetées et pressurisées pour conserver les arômes du tabac. À compter de 1890, les motifs de décoration de la plupart des boîtes à cigarettes sont imprimés directement sur le métal.

De 1880 à 1930, les cigarettes égyptiennes et turques, très en vogue, inspirent le décor de centaines de boîtes qui mériteraient qu'un livre leur soit totalement consacré.

À partir de la guerre de 14-18, les ventes de Scaferlati ne cesseront de baisser au profit de la cigarette vendue toute prête. Dans les années vingt, le SEIT lancera de nouvelles marques et organisera ses premières campagnes publicitaires avec des slogans porteurs pour l'ensemble de ses marques. Les résultats seront positifs pour Gitane, avec le slogan « Défense de fumer même une Gitane ! », les ventes grimpant de 19 millions en 1925 à 1 milliard d'unités en 1932.

Dans les années trente, les nouvelles décorations abandonnent les thèmes orientalistes passés de mode, pour des motifs plus stylisés comme cette Gitane dessinée par Giot. On redécouvre la sensualité des visages de femmes [1] ou la masculinité (*cf.* la Gauloise de Max Ponty).

Les visuels de Balto (1930) et de Week-End (1932) inviteront au voyage et à la relaxation.

Les années quarante resteront comme les années de guerre, donc des restrictions tant sur le nombre de marques disponibles que sur celui de la dimension des cigarettes et de la qualité de leurs emballages. Elles resteront également marquées par le débarquement des soldats américains et de leurs cigarettes blondes au goût de liberté.

La décennie suivante imposera le bout filtre (1953) et surtout le goût américain, grâce à des mélanges plus doux de tabacs de Virginie, d'Orient et de Burley. ●

209 • [✪ 3].

210 • [✪ 2].

211 • [✪ 2].

212 • [✪ 4].

211

212

213 • À gauche : [✪ 2].
À droite : [✪ 3].

214 • [✪ 2].

215 • [✪ 2].

216 • [✪ 2].

217 • [✪ 5].

218 • [✪ 5].

cigarettes
LES CIGARETTES

"You are fine, slim, clean and blond. All dressed in white, You look like you've come out of a box. You are silent and docile and I light you when I feel like it!"
(Sacha Guitry)

219

The use of tobacco rolled in paper came to us from Spain in the 1830s. The word cigarette was used by Balzac as early as 1831, and everyone was using it within ten years. The famous Scaferlati is the name given by the state-owned company (Régie), for tobacco cut in fine strips and smoked in a pipe or rolled in cigarettes. The first cigarette paper was made in France by a certain Lacroix in 1796.

The launching of cigarettes in France dates back to when the state - owned tobacco company, offered 20,000 cigarettes to Queen Marie-Amélie for a charity sale she was organising for the benefit of the Guadeloupe disaster victims. The cigarette was a huge success, the orders flowed in and new personnel had to be recruited. This was the best time for papers and accessories associated with this new pleasure: smoking. Little tubes (Abadie Flor) containing up to a thousand papers were sold, cigarettes were still being rolled by the consumer.

In 1864, those being made by the Régie were sold in cardboard boxes of 50 or 100 at two tobacco outlets that the Régie owned in Paris [27].

In 1867, tobacco had a stand at the World's Fair in Paris. Richard Koenig a French man living in Turkey launched Oriental tobacco cigarettes on the market, with the help of the Régie. That year ten million cigarettes were sold in France.

In 1872, the Régie increased the price of tobacco without increasing that of cigarettes. The turnover on cigarettes for that year was multiplied by six and the production process was automated from 1887. Thanks to the Bonsack version of 1884, the first machine to manufacture cigarettes non-stop, the unit price decreased significantly and enabled manufacturers to increase their marketshare.

Fom 1876, one no longer identified cigarettes by number but by a brand name, "Les Hongroises", for example, to seduce the amateur. The Régie offered a large range of luxury cigarettes, for example: 79 varieties in 1877, 242 in 1894 classified in 17 sizes of 15 different types of tobacco.

In the United States the cigarette began to be popular around 1910. In 1890 Duke, the producer of Bill Durham's, founded American Tobacco which regrouped a majority of producers. R.J. Reynolds was one of them. In 1913, R.J.R. launched Camel, a cigarette which looked Oriental but whose mixture and taste was American. One million Camel were sold in 1913, 31 million in 1924.

In Switzerland, until the beginning of the twentieth century, the cigarette remained a privileged item. The most sought after were hand-rolled by the Russian immigrant workers. Out of 7 million kilos of tobacco sold in Switzerland in 1922 one was destined for cigarette making and three and a half for cigars !

In Germany, the Laferme company, in Dresde, was the leading manufacturer of cigarettes around 1862; it was managed by a Russian emigrant, the Baron Joseph Von Huppman. In 1877, the total number of tobacco manufacturers in Germany was 33, 21 of which were situated in Dresde. In 1930 two conglomerates, Jasmatzi-Reemtsma and Haus Neuerburg, represented 75% of the production. Only about a dozen independent manufacturers remained including Muratti, Nestor Gianaclis, Kyriazi Brothers and Abdullah [108]. Jasmatzi had acquired Constantin and Kreyssel in 1927. Reeemtsma had taken over Frigo in 1917, Manoli in 1924, Pfozzheim and Liby in1927, while Cavalos and the Laferme Co had joined them in 1926. From 1929, Neuerburg owned Waldorf- Astoria, Zuban and Halphaus.

In 1883 the Turkish government instituted the sales monopoly of tobacco; numerous Greek producers (Aravantinos, Gianaclis...) whose names we can find on their boxes, were exiled to Germany or Egypt.

From 1880, the Régie's cardboard boxes, which had scarcely changed over the years were slowly

219 • [✪ 5].

220 • [✪ 2].

221 • En haut,
à gauche et à droite
[✪ 2].
En bas : [✪ 6].

222 • [✪ 4].

220

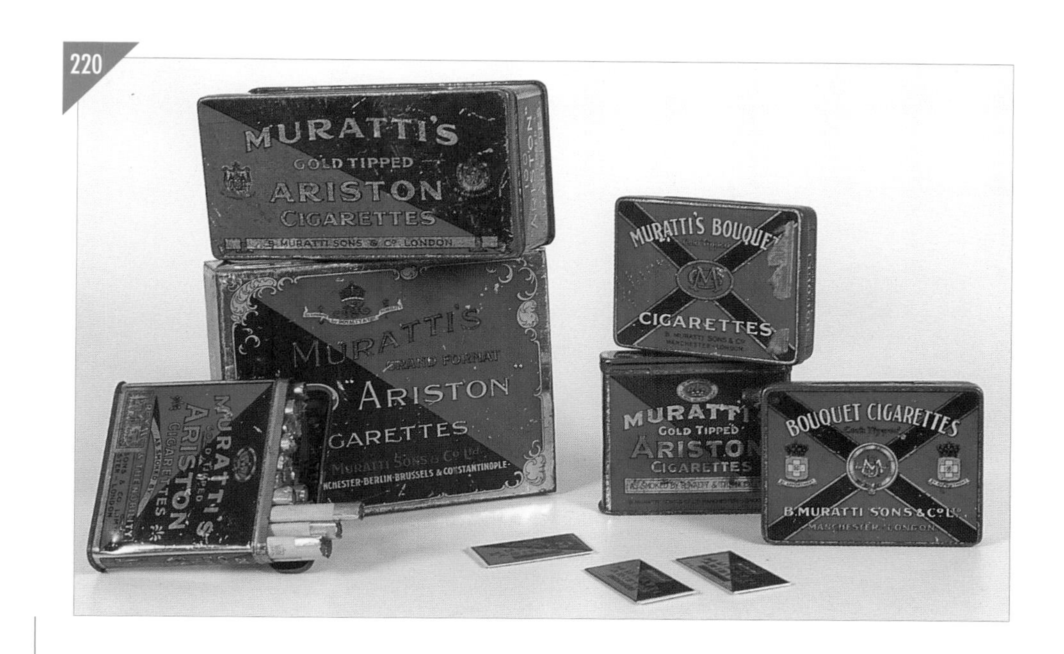

but surely being replaced by metal boxes which were labeled and pressurised to preserve the tobacco aromas. From 1890, the decorative drawings on most cigarette boxes were printed directly on the metal.
From 1880 to 1930, Egyptian and Turkish cigarettes which were very popular, inspired the drawings on hundreds of boxes. A whole book could be devoted to them.
From the begining of the 1914-1918 war the sales of Scaferlati continued to decrease in favour of the ready rolled cigarette. In the twenties, SEIT launched new brands and organised advertising campaigns with catchy slogans for all brands. The results were positive for Gitane, with the slogan "No smoking, not even Gitane !", and sales rose from 19 million in 1925 to 1 billion cigarettes in 1932.
In the thirties, Oriental drawings were out of fashion and new more stylized drawings like Giot's for Gitane became popular. The sensuality of women's faces [1] or manliness (see the Gauloise by Max Ponty) reappeared.
Balto's or Week End's images evoked travel and relaxation.
The forties were the war years and there were restrictions of available brands, as well as in the size of the cigarettes and the quality of the packaging. Of course the arrival of the American army with their blond tobacco cigarettes, tasting of freedom also changed the history of the cigarette in Europe. The next decade is the decade of the filter-tipped cigarettes (1953) and also the American taste, more gentle mixtures of a Virginia, Orient and Burley tobacco. ●

221

222

223

224

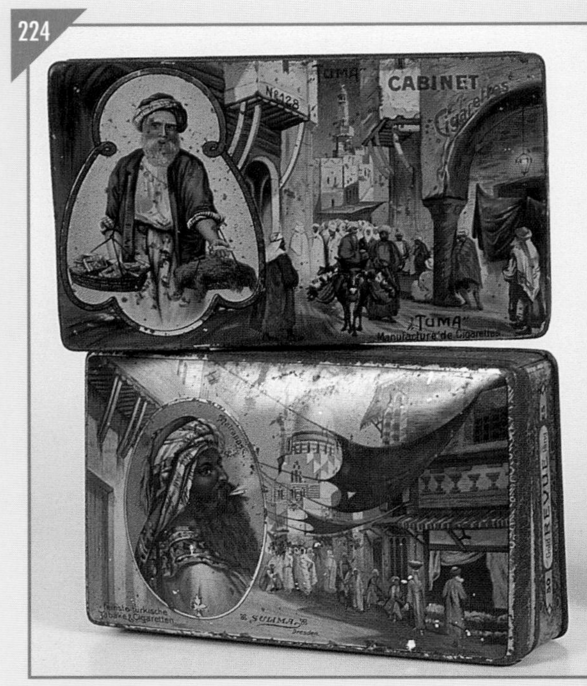

223 • [✪ 2].

224 • [✪ 5].

225 • [✪ 6].

226 • [✪ 5].

225

226

227

228

Pall Mall

Louis Rothmans ouvre, en 1900, une boutique de tabac dans Pall Mall, la rue la plus chic de Londres, et adopte ce nom comme marque de cigarette. C'est un symbole de raffinement et d'élégance qu'il associait ainsi à son entreprise et à ses produits. Pour la petite histoire, Pall Mall était un jeu de croquet très apprécié de l'aristocratie anglaise. ●

In 1900 Louis Rothman opened a tobacco shop in Pall Mall, the smartest street in London, and gave its name to a brand of cigarettes. It is a symbol of refinement and elegance, and this is the image he gave to his firm and his products. It so happens that Pall Mall was in fact a game of croquet, greatly cherished by the English aristocracy. ●

229

227 • [✪ 2 à 4].

228 • [✪ 5].

229 • [✪ 3].

SANTÉ ET BEAUTÉ
health and beauty

« On a beau avoir une santé de fer, on finit toujours par rouiller. »
(Jacques Prévert).

Hommes et femmes ont utilisé parfums, pommades et onguents depuis la plus haute Antiquité. Au Moyen Âge, les bains, réprouvés par l'Église, étaient rares et chers et il était plus aisé de masquer les mauvaises odeurs que de les éviter. L'adduction d'eau courante au cœur des villes fera lentement évoluer cet état d'esprit.

SANTÉ

Le besoin de soins étant probablement éternel, le médicament mettra de nombreux siècles à évoluer depuis l'onguent miracle ou le remède secret [43], qui ont certainement fait plus de victimes qu'ils n'ont sauvés de malades, jusqu'au médicament contemporain dont la mise sur le marché fait aujourd'hui l'objet d'une dizaine d'années de recherches et d'études cliniques.

La transformation va se produire entre la fin du XIXe siècle et la Première Guerre mondiale : l'industrie chimique connaît des progrès considérables – on découvre, par exemple, l'aspirine – alors qu'évolue une législation de plus en plus contraignante.

La publicité du médicament suit le même cheminement. Elle est longtemps libre de tout contrôle et donc obligatoirement fallacieuse et excessive, ses acteurs pouvant promettre tout et n'importe quoi. Toute exagération conduisant à des corrections, elle est aujourd'hui très sévèrement réglementée, le législateur faisant une nette distinction entre la molécule ordonnée par le médecin, et le produit accessible au consommateur sans prescription préalable.

Le conditionnement pharmaceutique connaîtra, lui aussi, sa période boîte métallique. Elle s'étend du milieu du siècle précédent, où la vente en vrac cède, comme ailleurs, la place à l'emballage individuel, jusqu'aux années soixante où le carton et le plastique s'imposent définitivement.

D'une manière générale, on ne peut pas dire que l'industrie pharmaceutique ait montré la même imagination dans la forme et la décoration des boîtes que dans les autres secteurs marchands. Il est vrai que le sujet s'y prête moins ! Les conditionnements sont donc souvent de formes voisines, dans des couleurs discrètes, sans réels efforts de séduction du consommateur. ●

230 • [✪ 1 à 2].

231 • [✪ 3].

232 • Elixir Godineau [✪ 4].

233 • [✪ 1].

234 • Radiophos [✪ 1].

235 • [✪ 1].

Pulmoll

En 1946, Victor Helin (V.H.) élabore des pastilles qui seront commercialisées par les Laboratoires Lafarge, de Châteauroux. La décoration des boîtes Pulmoll n'a que peu évolué depuis. ●

In 1946 Victor Helin (VH) created sweets which were commercialised by the Laboratoires Lafarge from Chateauroux. The decoration on the Pulmoll boxes has more or less remained the same ever since. ●

health and beauty
SANTÉ ET BEAUTÉ

« *No matter how good our health is one day we'll all rust.* »

(Jacques Prévert).

Men and women have used perfumes, creams and moisturisers since ancient times. In the Middle Ages baths which were not approved by the church, were rare and expensive and it was easier to hide bad smells than to avoid them. When running water came to city centres this state of mind slowly evolved.

HEALTH

The need for health care products is probably eternal and medicine takes centuries to evolve ; from miracle ointments or secret remedies [43] which maybe made more victims than actually saved sick people, to contemporary medicine which can now take anything up to ten or more years of research and clinical studies.

The transformation took place between the end of the 19th century and the first world war. At this time the chemical industry progressed considerably. This was the time when aspirin was discovered and it was also the time when the legislation became more and more restrictive. Medicine advertising followed a similar evolution. For a long time it was relatively uncontrolled and therefore often excessive and fallacious and everything and anything could be promised by these medicines so there was a lot of exaggeration which lead to a lot of mistakes. Today it is severely controlled and there is a strict difference between the medicine that is prescribed by the doctor and the product that is accessible to the consumer without any prescription. Pharmaceutical packaging also had its metal box period. It goes back to the middle of the last century when loose sales ceased and individual packaging took over until the 60's when cardboard and plastic became the most common form of packaging.

Generally speaking, we cannot say that the pharmaceutical industry showed much imagination in the form and decoration of boxes and definitely not as much as in other sectors. Perhaps it is true that the product itself is the cause of this ! Packaging is therefore often in regular shapes and in discreet colours and there is no real effort to seduce the consumer. ●

Urgo

Le pansement existe probablement depuis le Moyen Âge. Le pansement adhésif remonte à 1930, avec la mise au point par les laboratoires Fournier, de Dijon, d'un sparadrap Urgoplast, pratique et économique. Il y avait urgence ! ●

Bandages have probably existed since the Middle Ages. The adhesive bandage goes back to 1930 when the Laboratoires Fournier made a bandage called Urgoplast which was practical and economical. At the time this product was badly needed- it was an emergency ! ●

236

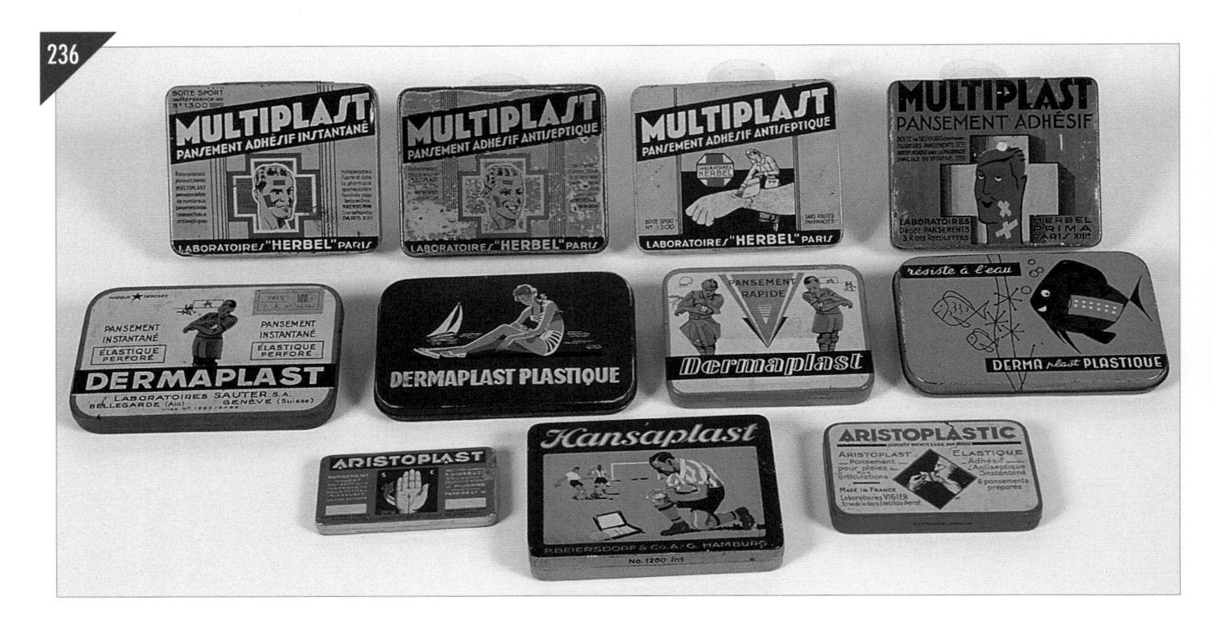

237

236 • [✪ 2].

237 • [✪ 1].

238 • [✪ 2].

239 • [✪ 3].

Zan

L'usine de réglisse d'Uzès fut créée en 1862 par Henri Lafond. Son gendre, Paul Aubrespy, dépose la marque Zan en 1884, en entendant paraît-il zézayer un jeune garçon : « Maman, z'en veux. Redonne-moi-z'en. » ●

This liquorice factory in Uzes was created in 1862 by Henry Laffont. His son in law Paul Aubrespy registered the brand name Zan in 1884, when he heard a young boy with a lisp saying "Maman, zan veux, redonnez-moi zan". ●

238

239

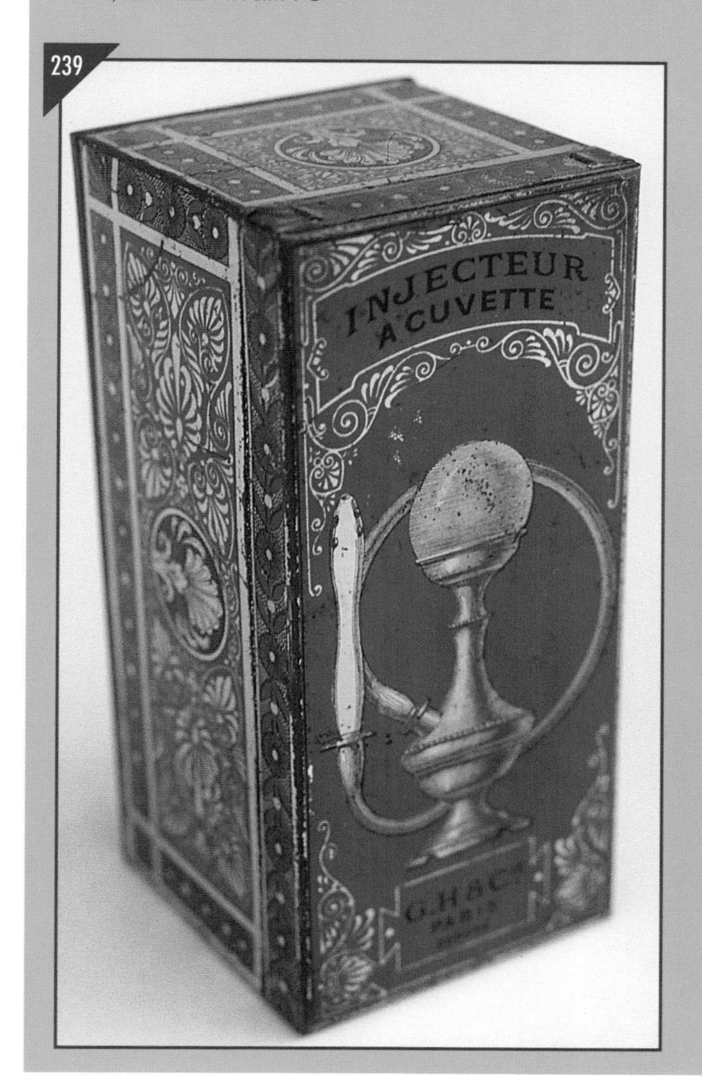

BEAUTÉ / *BEAUTY*

240

Nivéa

Traduction de neige, en latin, la crème Nivéa aurait été mise au point par un certain Oskar Troplowitz, à Hambourg en 1911. Une crème portant le même nom est déjà commercialisée depuis 1875 par la maison Guerlain. Il ne s'agit probablement pas du même produit : « Crème cosmétique Pour blanchir la peau », elle était vendue en petits pots de porcelaine, nichés dans des coffrets rouges cylindriques. Une longue série de procès l'opposera à l'inventeur du sparadrap, Paul Beiersdorf, qui lance, en France en 1942, le produit que nous connaissons aujourd'hui. Vendue dans une boîte jaune jusqu'en 1925, elle est ensuite proposée dans sa version bleue qui connaît un grand succès. ●

Translated from the Latin word meaning snow, Nivea cream was apparently created by a certain Oskar Troplowitz in Hamburg in 1911. A cream bearing the same name had already been commercialised in 1875 by Guerlain. It probably was not the same product. A cosmetic cream to whiten the skin, it was sold in little porcelain jars generally placed in red cylinder boxes. A long series of losses opposed the firm and the inventor of Sparadrap (Band-Aid) Paul Beiersdorf who in France in 1942 launched the product which we know today. Sold in a yellow box until 1925 it was then proposed in its blue colour and was a great success. ●

241

240 • Rondes : [✪ 1].
Rectangulaires : [✪ 3].

241 • [✪ 2].

Gibbs

À sa création, en 1712, la maison anglaise Gibbs était une savonnerie. Les ventes de Gibbs explosent en 1906 grâce, en particulier, à son slogan « Avec le savon à barbe Gibbs, se raser devient un plaisir. » ●

When it was created in 1712, the English firm Gibbs, was in fact a soap making firm. Gibbs sales exploded in 1906 thanks in particular to its slogan "With Gibbs Beard Soap shaving becomes a pleasure". ●

242

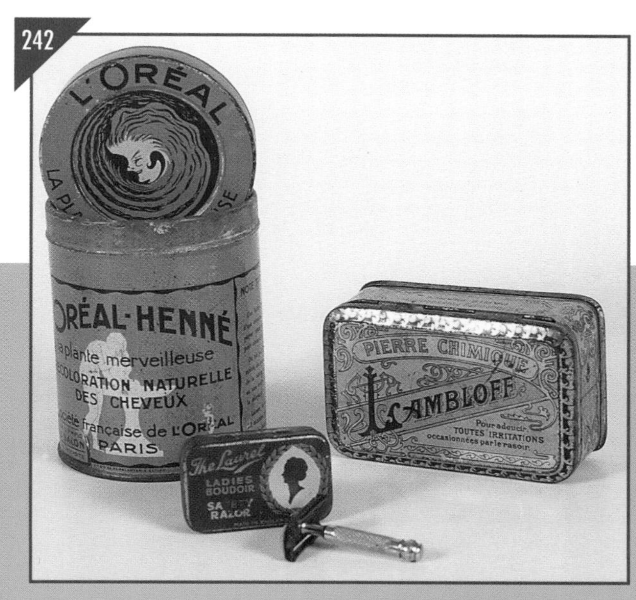

L'Oréal

En 1908, Eugène Schueller dépose la marque l'Oréal sous laquelle il commercialise les premières teintures capillaires de synthèse. Son entreprise, la Société française de teintures inoffensives pour cheveux, deviendra la première société mondiale de cosmétiques. ●

In 1908 Eugene Schueller registered the brand name "L'Oréal" and used it to commercialise the first hair dyes. His firm the "Société Française de Teintures Inoffensives pour Cheveux" became the leading world-wide cosmetics firm. ●

243

Le savon

Le premier savon conditionné dans un emballage en carton, fut créé en 1884 par William Lever aux États-Unis, sous le nom de Sunlight. Il faut attendre la Belle Époque pour qu'apparaissent des boîtes métalliques, commercialisées à l'origine dans les boutiques de luxe. ●

The first soap packed in cardboard was created in 1884 by William Lever in the United States and he used the name Sunlight. We had to wait until the Belle Époque for soap to be presented in metal boxes and commercialised in luxury boutiques. ●

244

242 • [✪ 2].

243 • [✪ 3].

244 • [✪ 3].

245 • [✪ 3].

246 • [✪ 2].

247 • [✪ 2].

246

245

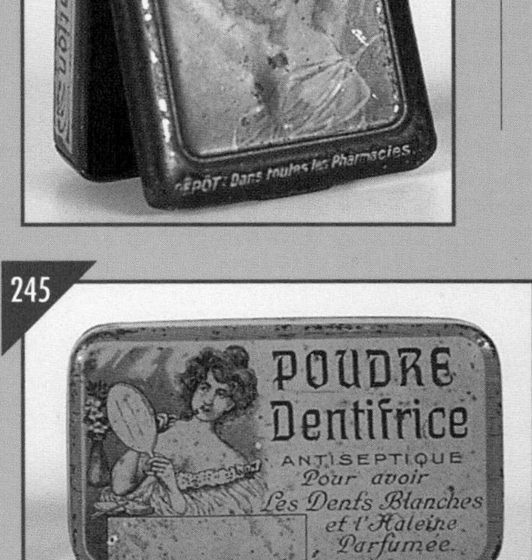

Mennen

Gerhard Mennen a mis au point un système de bouchage qui évite la dispersion du talc pendant l'application. ●

Gerhard Mennen invented a corking system which avoided talc been spilt everywhere while applying it. ●

247

248

248 • [✪ 2 à 3].

249

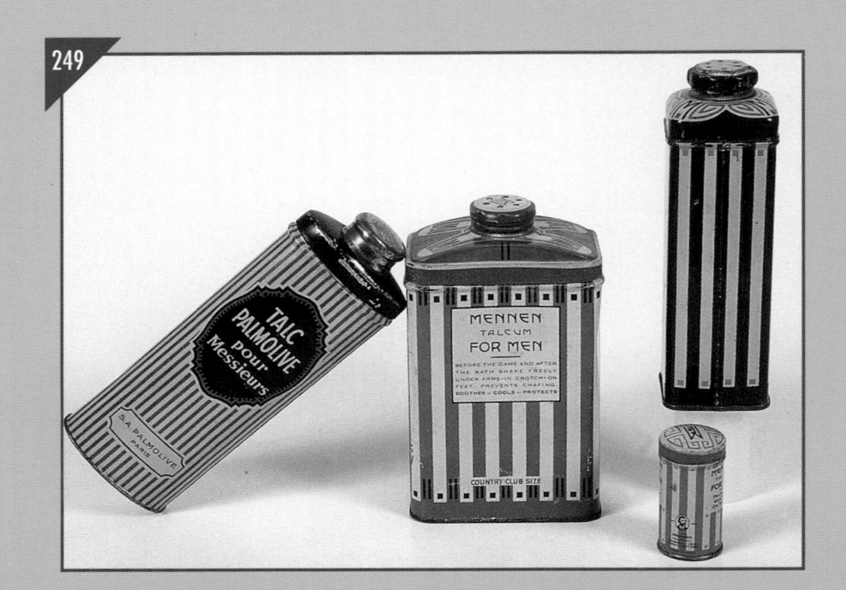

249 • [✪ 2].

250

250 • [✪ 2].

251

251 • [✪ 2].

Le talc

Le conditionnement du talc en boîtes métalliques remonte à la fin du siècle dernier. Les fabricants porteront d'autant plus de soin à la mise en scène de la marque et à la qualité de la décoration que le produit et les formes des boîtes présentent beaucoup de similitudes. ●

Packaging talc in metal boxes goes back to the end of the last century. The manufacturers really promoted the name of the talcs on these boxes and the quality of the decoration was a lot more researched sometimes than the product itself. The shapes of the boxes were often very similar. ●

la maison
the home

Shell

Les héritiers de Marcus Samuel, bimbelotier de son état à Londres en 1833, ne peuvent qu'aimer les coquillages. Samuel eut un jour l'idée de vendre, dans de ravissantes petites boîtes, les coquillages que ses enfants récoltaient sur les plages. Il les importe ensuite d'Extrême-Orient, à travers une société qui commercialise également des produits pétroliers. En 1897, les enfants avaient certes grandi, mais on peut penser qu'ils aimaient toujours la mer et les bateaux, lorsqu'ils acquirent leur propre flotte pour acheminer le pétrole. Ce furent les débuts de la Shell Transport & Trading Compagnie, avec, bien sûr, un coquillage comme emblème. ●

In 1833 Marcus Samuel was a fancy goods manufacturer from London. His descendants couldn't but love shells. One day Samuel had the idea to sell shells that children collect on the beach in pretty boxes. He imported them from the Far East and through a firm, commercialised them with petroleum products. By 1897 of course the children had grown up but we could be lead to think that they still loved the sea and boats since they acquired their own fleet to transport oil. This was the beginning of the Shell Transport and Trading Company with of course, the shell as its emblem. ●

252 • [✪ 2].

253 • Carnets publicitaires [✪ 1].

254

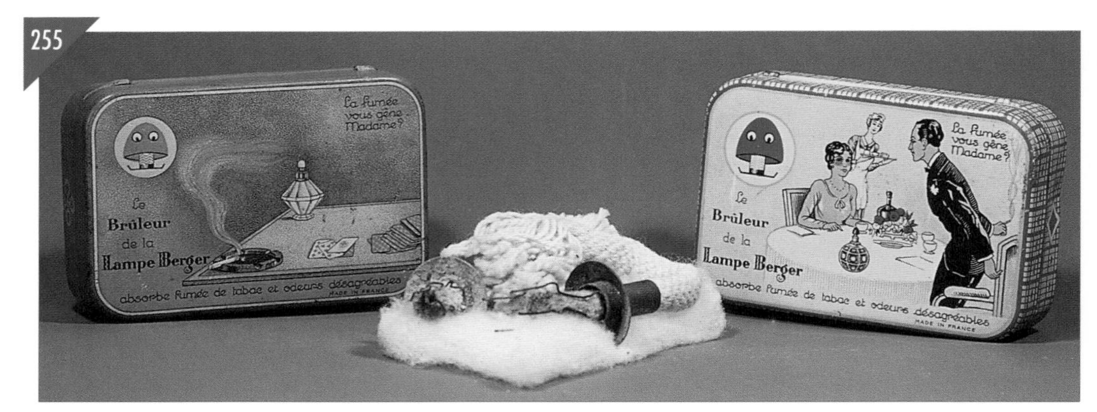

255

Lampe Berger

La lampe Berger fut créée en 1897 par le pharmacien Marcel Berger, pour lutter contre les mauvaises odeurs. Ces boîtes métalliques étaient utilisées comme objets publicitaires, alors que la lampe Berger est toujours en verre ou en porcelaine. ●

The Lampe Berger was created in 1897 by a pharmacist Marcel Berger, to try and eradicate bad smells. These metal boxes were used as advertising objects and the Lampe Berger in either glass or porcelain is still popular today. ●

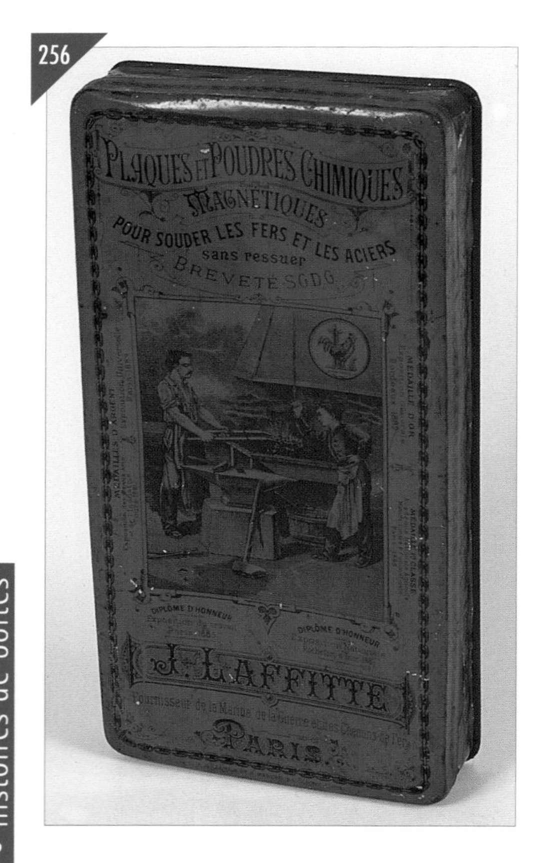

256

257

254 • [✪ 1].

255 • [✪ 2].

256 • [✪ 3].

257 • [✪ 3].

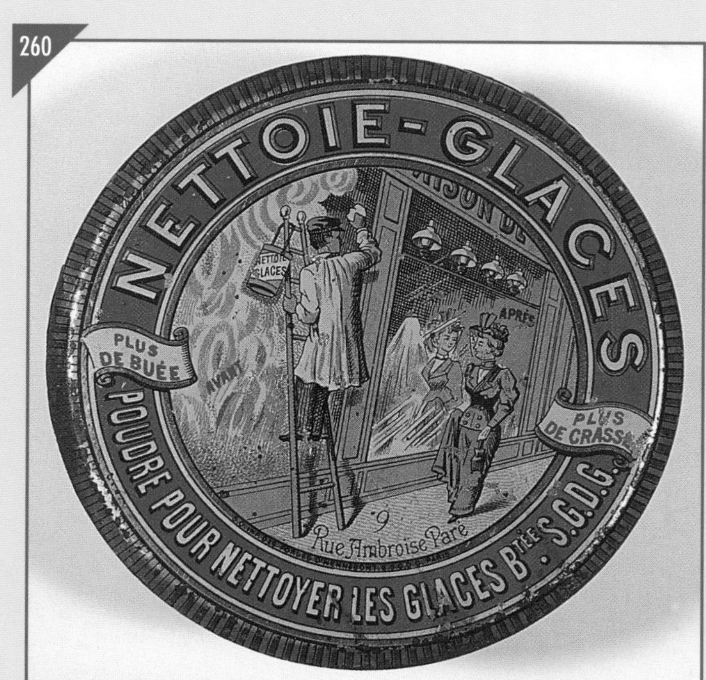

258 • [✪ 1].

259 • [✪ 1].

260 • [✪ 1].

261 • [✪ 3].

262 • [✪ 3].

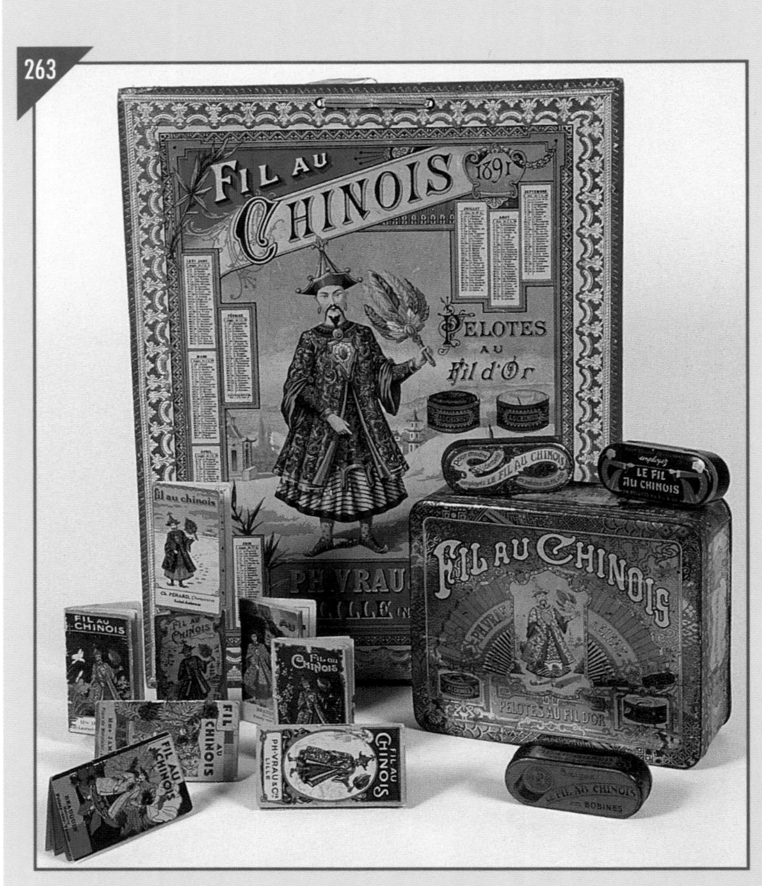

263 • [✪ 2].

264 • [✪ 1].

265 • [✪ 2].

266 • [✪ 2].

267 • [✪ 1].

268

268 • [✪ 2].

269 • [✪ 2].

270 • [✪ 5].

271 • [✪ 4].

269

270

271

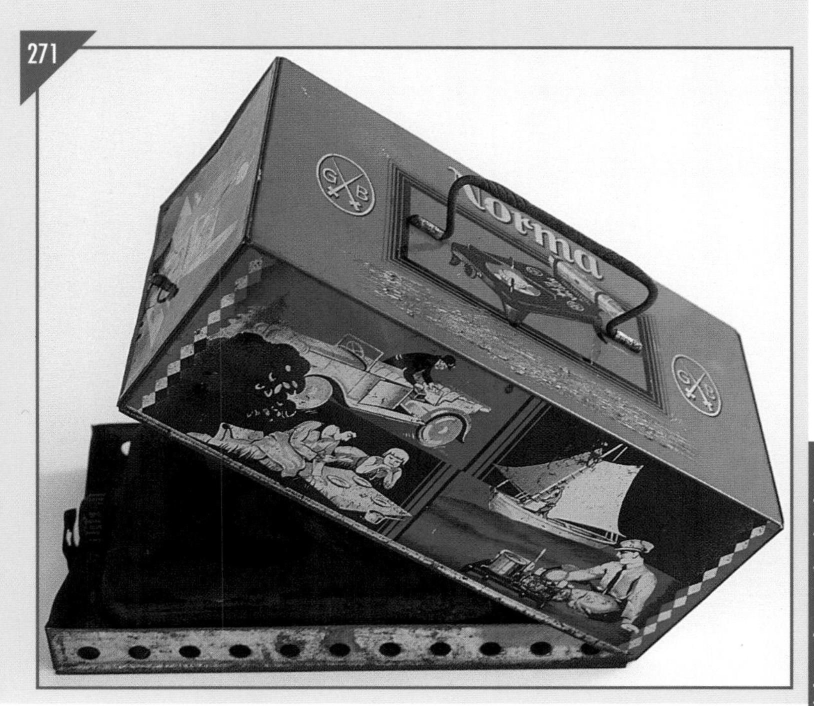

CIRAGES
polish

La composition d'un cirage doit se lire comme une ordonnance [48].

Bigre ! (a) ; l'histoire écrite du cirage ne brille pas de mille éclats puisque aucun ouvrage ne lui est spécifiquement consacré et que dans ceux sur la chaussure il y a tout au plus un paragraphe.

Et pourtant en sus de son utilité indéniable, le cirage a été si merveilleusement promu en ce début de siècle par les dessinateurs auxquels les fabricants avaient fait appel pour décorer leurs boîtes, qu'il mérite qu'on s'y attarde.

Même si le cirage est un produit mis au point au XIXe siècle, ses origines sont ancestrales. En effet, à partir du moment où l'homme s'est revêtu de peaux de bête et a mis des sandales, il va chercher et trouver les moyens de les faire durer le plus longtemps possible. Au Moyen Âge, les tanneurs, corporation prospère et respectée, utilise la graisse d'animaux pour l'entretien de ses produits tandis que les cordonniers jusqu'aux guerres napoléoniennes se servent d'huile et de noir de fumée pour l'entretien des bottes. La cire anglaise importée par les armées de Wellington a lentement remplacée ce mélange [100].

Parallèlement dès l'Antiquité, la cire, produit dérivé du miel, a été utilisée pour faire des chandelles et à un moindre degré comme produit d'entretien. Quelques siècles plus tard, la cire se voit confiée aux mains des fabricants de cirages qui devront pour en obtenir d'abord l'épurer, la transformer en feuilles de cires gaufrées et enfin la mélanger à de l'essence de térébenthine [56] pour arriver à leur fin (l'essence de térébenthine provenant de la résine de pin, sapin ou mélèze).

Pendant les deux premiers tiers du XIXe, le cirage utilisé est un cirage liquide alors que lorsque apparaît à la fin de ce même siècle le cirage en pâte solide, ce dernier finira par prédominer. En 1885 un certain Demeyer met sur le marché un cirage à la cire et à l'essence de térébenthine pure et sans acide [37]. Fernand George, qui avait crée à Montrouge la Société Le Lion Noir cinq ans auparavant, s'associe avec Demeyer (b) pour déposer en 1896 la marque Lion Noir et commercialiser ce cirage.

En s'appuyant sur les innombrables documents publicitaires ou internes des fabricants de cirage, on peut avancer qu'en ce début de siècle leur industrie est très fragmentée. Une multitude de fabricants aux tailles fort diverses se partagent le marché. Comme l'écrit Anne Claude Lelieur certains fabricants d'encre faisaient également des cirages et des encaustiques [19]. C'est le cas de la Boston Blacking Co ou de la maison Antoine créée en 1840 ou encore de la Société générale des cires françaises de Montluçon propriétaire entre autres des marques Jacquot, Incroyable et Populaire.

D'autres fabricants ne manufacturent pas d'encres mais que des produits d'encaustique et de cirage. Tel est le cas de Bisseuil & Huet fondé en 1872 à Billancourt et qui lui exploite les marques Electra, Sans Rival, Cirage de Paris, Cirage des Dames, etc. C'est l'époque où les fabricants anglais sont très présents sur le marché français à travers d'agents ou de filiales : dernière solution adoptée par E. Brown & Son pour commercialiser le cirage Meltonian. De leur côté certains fabricants français n'hésitent pas pour faire chic à choisir un nom à consonance britannique à certains de leurs produits.

En ce qui concerne la mise en boîte du cirage, les fabricants ont jusqu'à l'entre deux guerres soit fabriqués eux-mêmes leurs boîtes – par exemple en 1905 P. Bisseuil indique sur ses lettres de change « Manufacture de Cirages et de Boîtes métalliques « – soit ils ont fait appel aux fabricants de boîtes de l'époque tels que Béthune, Carnaud, la Cie Parisienne de ferblanterie, etc. Dès l'ouverture des hostilités de 1914, l'emballage des cirages est comme les produits de luxe ou pharmaceutiques interdit par les autorités afin que le fer blanc soit uniquement utilisé pour les produits nécessaires aux efforts de guerre [120].

Une fois fabriquée, les boîtes étaient vendues de différentes manières selon la taille des fabricants

(a) Nom donné au XIVe à l'ancêtre de notre garde forestier qui avait la charge de récolter le miel et la cire des essaims sauvages des abeilles [76].

(b) *L'Annuaire du commerce Didot-Bottin* de 1906 indique le nom de Delage et non celui de Demeyer.

(c) Un crépin est le grossiste du cordonnier ou bottier où ces derniers peuvent se procurer clouterie, peaux et autres produits d'entretien. Ils ont fait place aux droguistes, marchands de couleur et autres quincailliers.

et l'importance de leur palette de produits. Les petits vendaient localement aux magasins de tout et aux quincailliers alors que les plus gros utilisaient des grossistes et/ou un réseau d'agents.
Certains fabricants de chaussures ou de cirage éditaient leurs catalogues dans lesquels ils incluaient des produits complémentaires aux leurs. Ils servaient ainsi eux-mêmes d'agent régional ou de concessionnaire. Certaines marques passaient des marchés à 12 ou 15 mois avec les syndicats régionaux des marchands crépins (c). Dans ce contrat une valeur globale de marchandises étaient garanties par l'acheteur alors qu'en contrepartie le fournisseur s'engageait confidentiellement sur un taux d'escompte.
En ce qui concerne les noms de marque de cirage et le décor des boîtes, ce sont là encore les événements politiques, sociaux ou culturels qui ont influé leur choix. Ainsi au moment de l'amitié Franco-Russe, on a trouvé la pâte Kremlin ; au moment de la guerre 14-18 le cirage Le Poilu. Une multitude de thèmes seront choisis par les dessinateurs comme le Noir, les animaux, la femme, l'Orient, les transports, etc.
Les grandes marques fabricants de cirage telles que Kiwi, Lion Noir, Cirages Français, n'ont rien à envier à leurs homologues du chocolat quant à l'utilisation inventive et intensive de la réclame. Pour faire connaître leurs produits, ils ont ainsi eu recours à la publicité et à la distribution de multiples objets promotionnels : P.L.V., cartons, plaques émaillés, présentoirs, buvards, protège-cahiers, etc.
Reste à leurs souhaiter qu'ils ne s'éclipsent jamais. ●

272 • [✪ 1].

273 • [✪ 2].

274 • [✪ 1].

André

« André, Un chausseur sachant chausser. » C'est ainsi que Marcel Bleustein-Blanchet célèbre, en 1932, le groupe créé par Albert et Jérôme Levy. Leurs débuts datent de l'année 1896. En 1904, ils baptisent leurs deux acquisitions suivantes de l'enseigne André qu'ils étendirent à toutes leurs boutiques. ●

"A shoemaker knowing how to shoe" that is how Marcel Bleustein Blanchet celebrated, in 1932 the group created by Albert and Jérôme Levy. They started in 1896 and in 1904 their two acquisitions were called André, a name they decided to give all their shops. ●

polish
CIRAGES

Shoe polish ingredients should be read like a prescription [48].

Bigre ! (a) No written story of shoe polish sparkless. No book is devoted to it and those dealing with shoes grant it at most a paragraph. Yet shoe polish is worth some attention since on top of its undeniable usefulness it has been promoted so magnificently by draughtsmen whom the makers had called upon to embellish their boxes.

Though shoe polish has been perfected during the 19th century, its origin goes back to our distant forefathers. As soon as men put on fur skins on their back and sandals on their feet they sought and found ways to make the latter last as long as possible. During the Middle Ages the tanner's prosperous and respected corporation used animal grease to keep up its goods whilst shoe makers made do with oil and smoky black for their boots. This blend was slowly replaced by English wax used by Wellington's armies.

Concurrently from ancient times, wax derived from honey was used to make candles and not as often for maintenance. Some centuries later wax came to be handled by shoe polish makers who had to purify it, mould it into wax comb sheats and finally mix it with crude turpentine coming from resin of larch, pine or fir trees.

Liquid shoe polish, used during the first two thirds of the century, there after give place to solid paste. A Mr Demeyer brought to the market in 1895 a wax and pure turpentine shoe polish without acid [37]. Fernand George, who five yearl ealier had established in Montrouge the Lion Noir Company, entered into partnership with Demeyer (b) to register and commercialize the Lion Noir trade mark.

Refering to countless shoe polish makers's publicity and working documents, one can stake their industry to be very much divided. Indeed a host of firms, large and small, shared the market. As written by Anne Claude Lelieur some ink makers would also produce shoe polish and furniture polish [19]. So did the Boston Blcking Co, the Antoine firm and la Société Française des Cires de Montluçon, owner among other of Jacquot, Incroyable and Populaire trade marks.

Others would only produce furniture ans shoe polish. So was it for Bisseuil & Huet started at Billancourt in 1872 which owned such trademarks as Electra, Sans Rival, Cirage de Paris, Cirage des Dames, etc.

At this time British makers were very active on the French market by way of agents or subsidiaries, the later choice being that of Brown & Son to commercalize its Meltonian shoe polish. On the other hand some French makers did'nt hesitate to give English sounding names to some of their products for smartness sake.

Shoe polish makers up to the inter-war period of 1918-1939 either producted themselves their own boxes, inscribing on them their own name as P. Bisseuil did in 1905 on his bills of exchanges («maker of shoe polish and metal Boxes») or would make use of tin makers of the time such as Béthune, Carnaud, la Cie Parisienne de Ferblanterie... From the outbreak of hostlities the packaging of shoe polish, as well as those of luxury articles and medecines, was forbidden by the authorities to keep tin solely for products serving the war effort [120].

Shoe polish boxes, once made, were sold in different ways according to the maker's size and richness of offered choice. Small business sold locally either to general stores or hardeware dealers whilst the largest would use wholesalers or a network of agents.

Some shoe makers or shoe polish makers edited their own catalogue, including complementary products to their own. In this way they themselves served as regional agents or licencees. Certain brands would pass 12 or 15 months contracts with regional associatons of leather merchants (crepins (c)) who would guarantee the total value of the goods they bought whilst as a counterpart they confidentially guaranteed a definite discount rate.

a) Bigre : the name was given to the ancestors of our forest keeper in charge of picking up honey and wax from storms of wild bees [76].

b) Didot Bottin Commmercial Year Book of 1906 mentions the name of «Delage» and not of «Demeyer».

c) «Crepins» are wholesalers from whom shoe and boot makers could buy nails, hides and cleaning products. They have been superseded by general store keepers, ironmongers and hardware merchants.

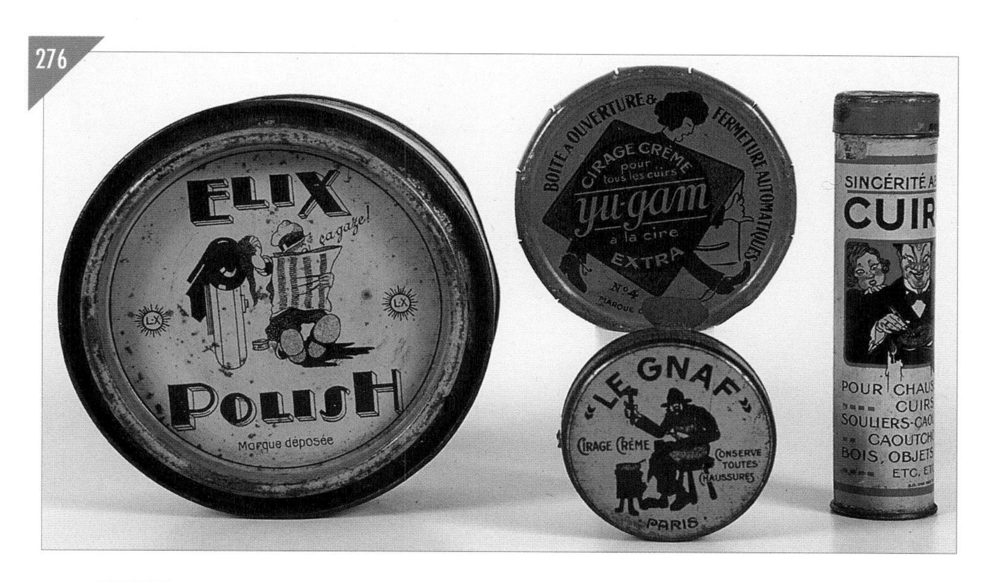

Political, social and cultural events influenced the choice of names of shoes polish and the decorative pattern on the boxes. Thus came to be the Kremlin Paste at the apex of Franco-Russian friendship and one the Shaggy Infantry Man at the time of World War One.
Famous shoe polish firms like Kiwi, Lion Noir, Cirages Français had nothing to envy their chocolate opposite numbers as regards the imaginative and intensive use of advertising. To familiarize their products they gave out cardboard, enameled plates, wooden stands, blotting papers and exercise book covers...It remains to wish they are never outshone. ●

275 • [✪ 2].

276 • [✪ 2].

277 • [✪ 1].

Lion Noir

En 1885, un certain Derreger lance un cirage à l'essence de térébenthine pure et s'associe à Fernand George, de la société Lion Noir, dont le cirage adopte le nom en 1896. Dix ans plus tard, l'usine de Montrouge en fabrique déjà 500 000 boîtes par jour ! L'objet de la SA Lion Noir, constituée en 1917, sera non seulement la fabrication de produits chimiques, et en particulier de produits d'entretien, mais également la fabrication et l'impression sur métaux de boîtes, bidons et tableaux réclames. ●

In 1885 a certain Derreger launched a polish made from pure turpentine and associated with Fernand Georges from the Lion Noir company and the polish took the same name in 1896. Ten years later the factory in Montrouge was already making 500,000 boxes a day! The object of the Lion Noir S.A., constituted in 1917, was not only the manufacturing of chemical products and in particular cleaning products, but also the manufacturing and printing on metal boxes, containers and advertising panels. ●

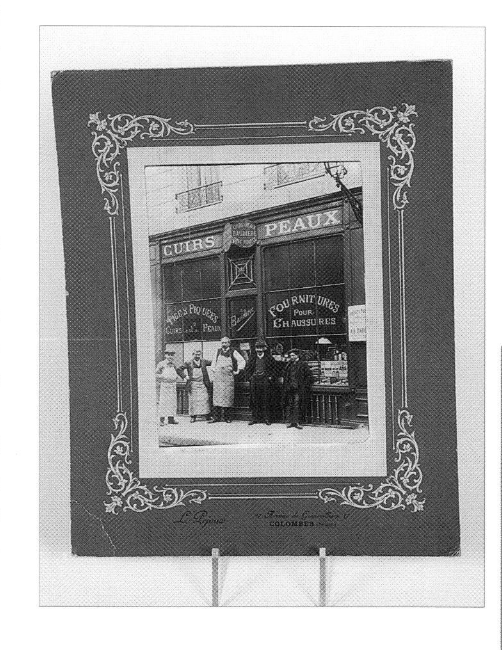

La Maison Baudière

Au 15 rue Tupin à Lyon se trouve vraisemblablement le dernier crépin au détail. La maison fut fondée en 1875 par les sieurs Roux & Martin et ne semble pas avoir été modifiée depuis. De 1895 à 1940 Jacques Alfred Baudière développe l'affaire que son fils George poursuivra jusqu'en 1995. Sachant que George y était entré en 1926 à l'âge de treize ans, cela fait 69 ans de loyaux services. Depuis c'est Jacques, le fils de George, qui vous y proposera ces trésors d'autrefois : vieux boutons, peaux, clous de chaussure de montagne ou encore parce qu'on ne peut pas tout citer des clous à galoche et à sabot. ●

At 15 rue Tupin in Lyon there remains what is probably the last wholesale and retail dealer in France, established in 1875 by Misters Roux and Martin and never changed ever since. From 1895 to 1940, Jacques Alfred Baudière developped the firm that his son Georges then took over up to 1995. As Georges started workiing in 1926 at the age of thirteen, it means no less than 69 years of faithful services. Ever since it is his son Jacques who offers his treasure trove : old fashion buttons, hides, mountain shoe's galosh's and clogs nails not to mention the rest. ●

278

279

278 • [✪ 1].

279 • [✪ 6].

En 1878 le jeune Écossais John Ramsay, originaire de Glasgow, débarque avec sa famille en Australie, à Melbourne. En 1906 son fils William (1867-1914) met au point un cirage de très grande qualité. Il le conditionne dans un boîte ronde et noire ornée d'un kiwi en hommage à sa femme qui, comme cet oiseau, est originaire de Nouvelle-Zélande (le kiwi est également l'emblème de l'équipe nationale de rugby de la Nouvelle-Zélande). À ses débuts, William fait tout lui-même, de la fabrication à la vente. Peu à peu, la demande grimpe pour atteindre dès 1916 le chiffre impressionnant de 30 millions de boîtes vendues. En 1937 le cirage Kiwi est fabriqué sous licence en France par la Société rouennaise de cirages. Elle charge la Société Pierre Paul Zecchini (PPZ) de le distribuer, ce qu'elle fera jusqu'en 1960 date à laquelle Kiwi France est créé. Durant la Deuxième Guerre mondiale, les soldats américains découvrent le cirage Kiwi et c'est la consécration en 1948 lorsque s'ouvre à Philadelphie la première usine Kiwi sur le sol américain. En 1984, Kiwi est intégré dans le groupe Sara Lee. Aujourd'hui Kiwi est la première marque mondiale de cirage. Elle est présente dans 118 pays et réalise un chiffre d'affaires d'environ 280 millions de dollars (1,5 milliard de francs). Le cirage Kiwi est une mine d'or pour les amateurs de publicité ancienne, tant il séduit par les très nombreux objets promotionnels qu'il a façonnés à travers ce siècle : non seulement des boîtes mais aussi des cartons, buvards et protège-cahiers. ●

Le Kiwi fait son nid

"The Kiwi makes its"

In Australia, in 1906, William Ramsay (1867-1914), originally from Scotland, invented a very high quality shoe polish. He presented it in a round black box decorated with a Kiwi in honour of his wife who, like the bird, was from New Zealand; the Kiwi being also the national rugby team's emblem. In the beginning, William covered himself the whole round from fabrication to sales. Gradually, demand for shoe polish grew till sales reached the impressive figure of 30 million units. In 1937, Kiwi was made in France under licence by the Société Rouennaise de Cirage, which put Société Paul Zécchini in charge of its distribution until 1960 when Kiwi France was created. During the 2nd World War, the American GIs discovered Kiwi and full recognition came when the first Kiwi factory opened in the US in Philadelphia in 1948. In 1984, Kiwi joined the group SARA LEE. Today, Kiwi is the leading brand of shoe polish in the world, present in 118 countries with a turnover of about $280 million (1,5 billion FF). Kiwi shoe polish is a treasure trove for admirers of old style advertising thanks to the great number of promotional objects it produced throughout this century such as metal and cardboard boxes, blotting paper and exercice book covers. ●

- GRAISSES POUR CUIRS ET CHAUSSURES -
- CUIRS & CRÉPINS -
Maison fondée en 1866
V. ARTHAUD-BOUILLET
TANNEUR
St-CLAUDE (Jura)

CHÈQUES POSTAUX, DIJON : 94-20
TÉLÉPHONE N° 1.83

Le 1° JANVIER 1938

M

DETAILLANTS

J'ai l'honneur de vous adresser ci-dessous le tarif de mes Graisses pour cha[…]
garanties sans acide.
Graisse spéciale pour Ballons et Chaussures . . . . la Boite : 1.20
Graisse spéciale pour Chaussures de Ski. . . . . . — 2.20
Boite n° 1, pesant environ 125 gr. :
n° 2 — — 250 gr. :
n° 3 — — 500 gr. :
— — 1 kilog.
Paiement à 30 jours fin de mois
je vous prie d'agréer,
mes sincères
V. ARTHAUD-BOUILLET

280

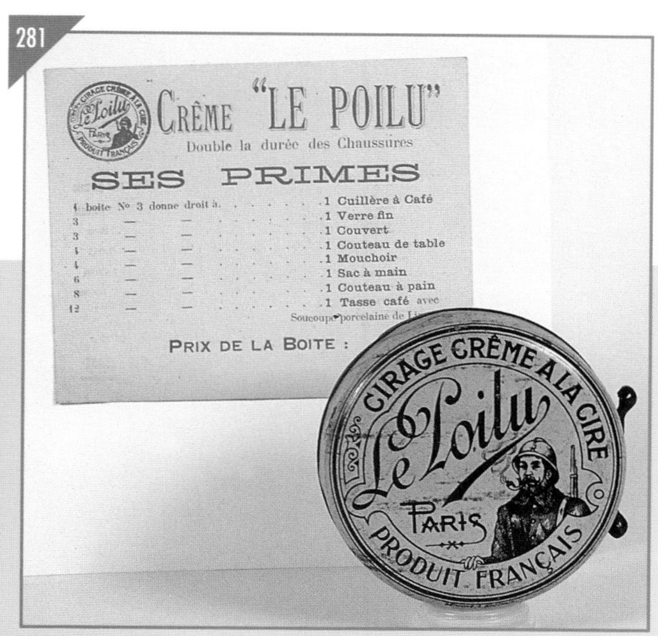
CRÊME "LE POILU"
Double la durée des Chaussures
SES PRIMES
4 boite N° 3 donne droit à. . . . . .1 Cuillère à Café
3 — — . . . . .1 Verre fin
3 — — . . . . .1 Couvert
4 — — . . . . .1 Couteau de table
4 — — . . . . .1 Mouchoir
6 — — . . . . .1 Sac à main
8 — — . . . . .1 Couteau à pain
12 — — . . . . .1 Tasse café avec
Soucoupe porcelaine de Li[…]
PRIX DE LA BOITE :

281

EXPOSITION UNIVERSELLE GRAND PRIX PARIS 1900
Adresse télégraphique : LUSTORIA-St DENIS (Seine)
BOSTON BLACKING COMPANY
MARQUE DE FABRIQUE
FABRICANTS D'ENCRES, COULEURS, CEMENTS, DRESSINGS, CIRES
ET TOUTES FOURNITURES pour le Finissage des Chaussures.
USINES A
BOSTON U.S.A. — MONTREAL U.S.A.
CHICAGO — LEICESTER Angleterre
St LOUIS — FRANCFORT S/MEIN Allemagne
CINCINNATI — St DENIS (Seine) France
TÉLÉPHONE N° 104
Monsieur J. A. Baudière à Lyon
les marchandises suivantes prises et payables dans St Denis et voyageant AUX RISQUES DU DESTINATAIRE
Nos mandats ou l'acceptation de Couvertures ne constituent pas une dérogation au mode de règlement de nos factures qui restent toujours payables dans St DENIS
N°
StDENIS-sur-SEINE, le 190
10 litres Acmé Cément à Fr 1.65 16.50
1 bidon 3.70
1 panier 0.70
1 postal 10 Kilos Gare à Lyon St Paul 1.25
22.15
Nos fûts, Bidons et Emballages sont facturés au prix coûtant et seront repris pour le prix facturé, rendus franco Gare St DENIS (SEINE)

282

283

Société générale des cirages français et Forges d'Hennebont

Comme pour le Lion Noir, cette société, constituée en SA en 1881, avait pour vocation la fabrication et la vente de cirages, encres et vernis ainsi que de produits de ferblanterie, dont des boîtes métalliques, D'après l'*Annuaire* des valeurs admises à la cote officielle, elle exploite en 1909 des unités de fabrication dans ses forges d'Hennebont, à Lyon, Saint-Ouen, et dans ses usines à Moscou, Odessa et Santander. Elle est propriétaire d'un grand nombre de marques, telles Jacquot, Jacquand, Dubois, Végétal, Incroyable, Populaire, Bee's Polish... Elle fusionne, en 1955, avec la société des Forges d'Hennebont. ●

Like the Lion Noir this company became an S.A. in 1881 and its main activity was the production and sale of polishes, inks and varnishes as well as tin products like metal boxes. According to the Directory of officially quoted values in 1909 it has units in Hennebont, Lyon, Saint-Ouen and in factories in Moscow, Odessa and Santander. It also owns numerous brands like Jaquot, Jacquand, Dubois, Vegetal, Incroyable, Populaire and Bees Polish... In 1955 it merged with the Forge d'Hennebont.●

280 • [✪ 2].

281 • [✪ 3].

283 • Grande boîte à droite : [✪ 5]. Petites : [✪ 2].

PNEUMATIQUES
tyres

Rustine

Comme messieurs Godillot et Poubelle, Louis Rustine en inventant en 1903 ses petits bouts de caoutchouc, était loin de se douter que rustine deviendrait un nom commun en matière de réparation des chambres à air ! ●

As for Mr Godillot and Poubelle, Louis Rustine invented these little bits of rubber in 1903 and at the time, must never have thought that this tyre patch would become so famous ! And that using his name, it would still be used today for repairing tyre tubes ! ●

285

284

286

284 • [✪ 1].

285 • [✪ 3].

286 • [✪ 1].

287 • Bouchtout [✪ 4].

287

288

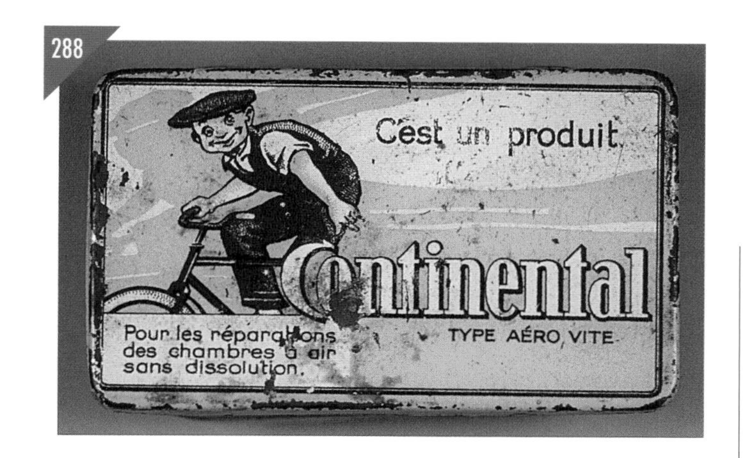

288 • [✪ 2].

289 • [✪ 1].

290 • [✪ 2].

291 • [✪ 4].

289

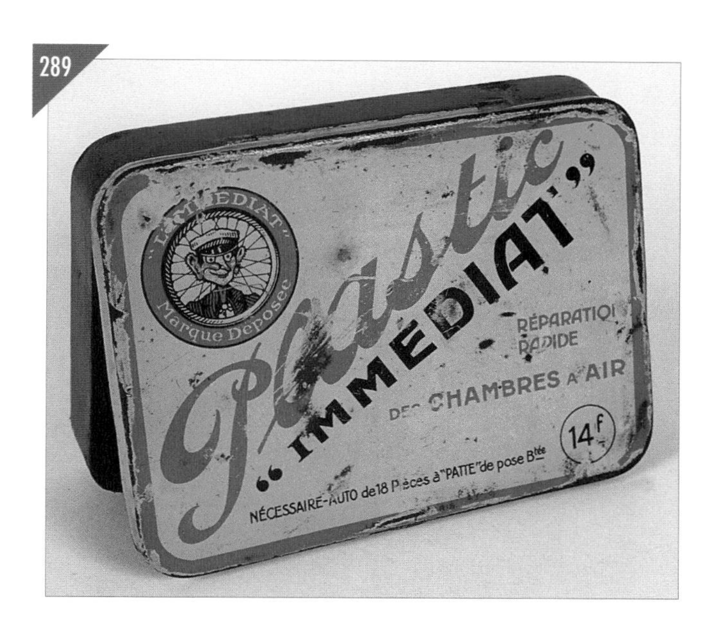

290

291

Dunlop

Rien ne prédestinait le vétérinaire écossais John Dunlop à la création d'une multinationale de pneumatiques : en 1888, il invente et installe une chambre à air sur la bicyclette de son fils, compétiteur de courses cyclistes. Et le reste suivra. ●

Nothing could have really indicated that this Scottish vet John Dunlop would have created a multinational tyre firm : in 1888 he invented and installed a tube in his son's bicycle and at that time his son was competing in cycle races. ●

Michelin

Figure de proue des camions, Bibendum est né en 1898 d'une réflexion commune à Édouard Michelin, à l'illustrateur O'Galop et au coureur automobile Thery. Si sa silhouette initiale a évolué avec les années, gageons qu'il a su boire tous les obstacles pour rester le guide amical de nos voyages. ●

A figure head on trucks, Bibendum was born in 1898 the fruit of a common reflection by Edward Michelin and the designer O'Galop and the automobile race driver Thery. If its initial shape has evolved over the years it is still certainly one of the most friendly symbols associated with road travel. ●

BALAIS
brushes

Casino

En 1879, Paul Perruche hérite de l'ancien casino de Saint-Étienne, fermé vingt ans auparavant et transformé en un grand magasin d'épicerie. Dix ans plus tard, il s'associe à son neveu Geoffroy Guichard auquel il finira par céder la totalité de l'entreprise. En 1898, Casino est l'emblème d'un groupe succursaliste, la société des Magasins du Casino, où l'on trouve toutes sortes de produits conditionnés sous la marque maison. ●

In 1879 Paul Perruche inherited an old casino in St Etienne. It had been closed twenty years before and transformed into a very big grocery. Ten years later he associated with his nephew Geoffrey Guichard and in the end he gave him the whole firm. In 1898 this Casino became the emblem of a big group of small shops "La Société des Magasins du Casino" where we were able to find all sort of products packaged under the own brand name, Casino. ●

292

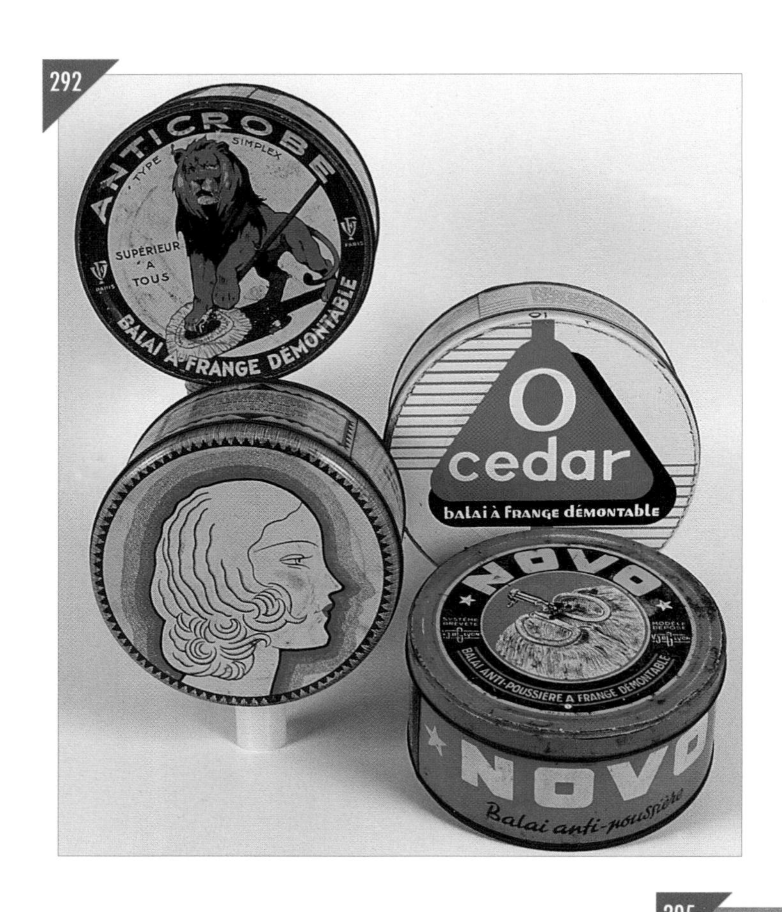

293

294

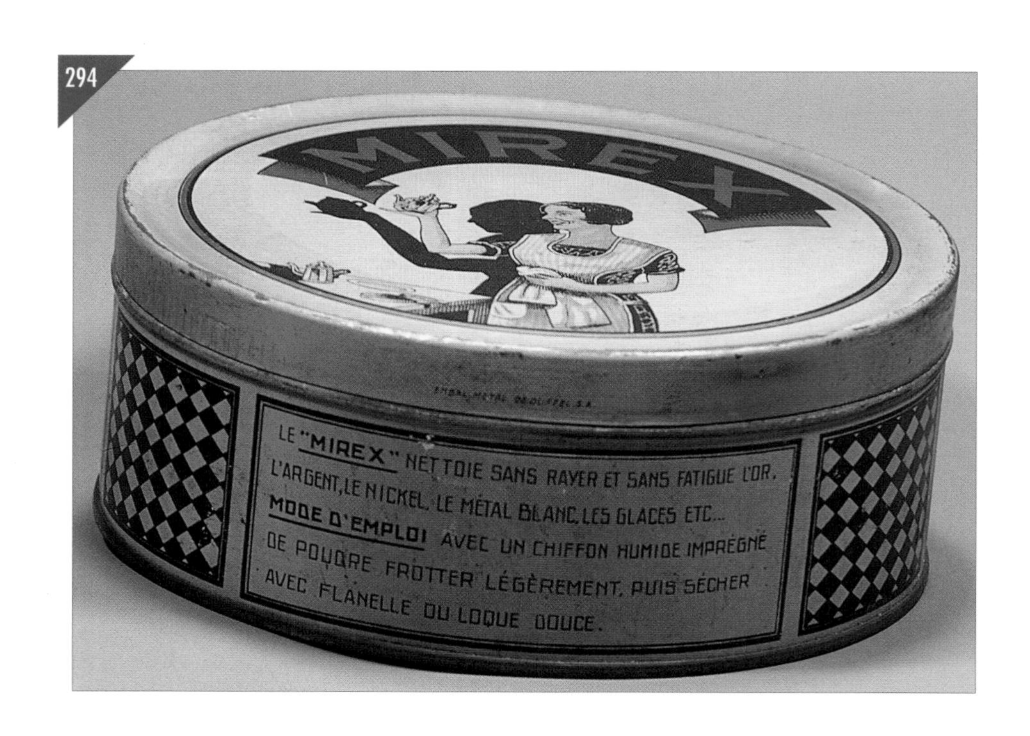

295

O'Cedar

O'Cedar, le balai à franges, existe depuis 1916. Ce nom, à consonance anglo-saxonne, a pour origine l'huile de cèdre qui entre dans la composition de l'agent polisseur dont il est imprégné [107]. ●

The sweeping brush has existed since 1916. The name-O'Cedar, which sounds Anglo-Saxon finds its origin in Cedar oil which became part of the composition of the polishing agent with which it is impregnated [107]. ●

296

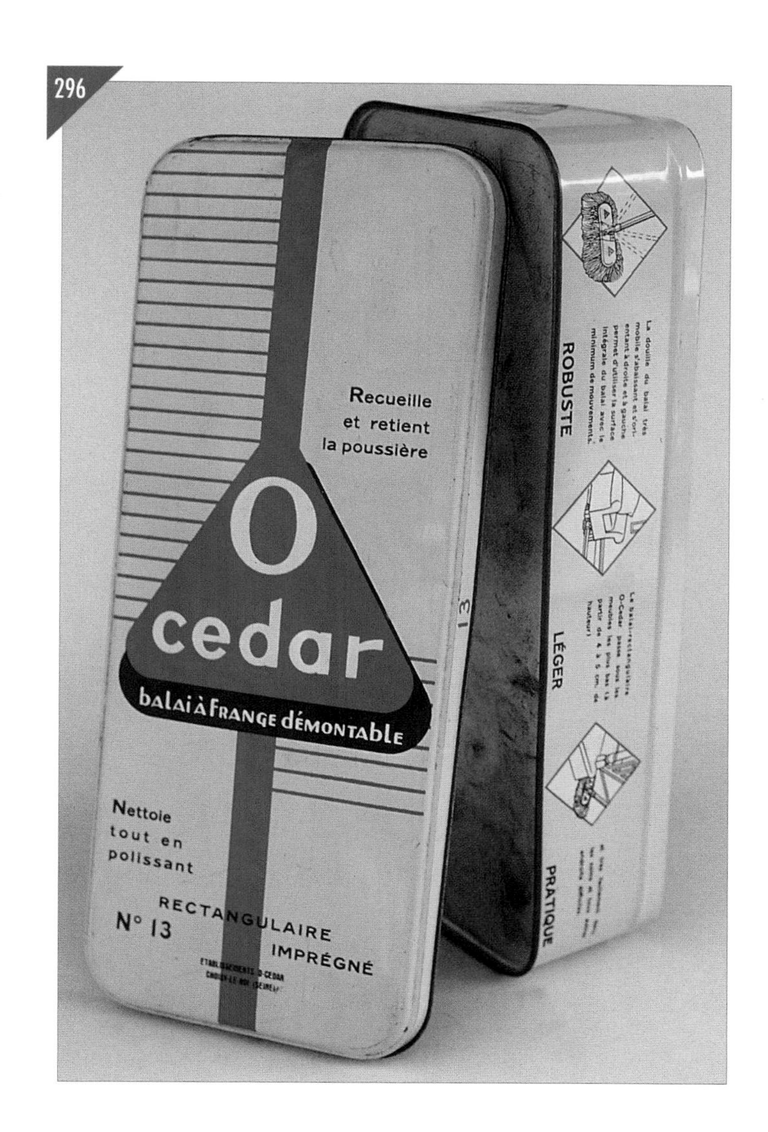

297

292 • [✪ 1].

293 • [✪ 1 à 2].

294 • [✪ 1].

295 • [✪ 1].

296 • [✪ 1].

297 • [✪ 1].

AIGUILLES DE PHONOGRAPHE
gramophone needles

L'histoire des boîtes à aiguilles se confond avec celle des phonographes [72]. En 1877, Charles Cros (1842-1888), énonce, dans une lettre adressée à l'Académie des sciences de Paris, le principe du phonographe qu'il appelle paléophone, ce qui signifie voix du passé.

299

298

Bohin

Jusqu'au rachat de leur entreprise en 1996, cinq générations de Bohin ont transformé ce qui n'était, dans les années 1830, qu'un atelier de menuiserie, en la plus importante fabrique française d'aiguilles de phonographe, de machine à coudre et d'épingles de sûreté. Si la fabrication des aiguilles de phonographe, et de leurs boîtes, a été arrêtée depuis longtemps, que les amateurs se rassurent : Bohin en a encore beaucoup en stock. ●

La même année, Thomas Edison (1847-1931), construit un phonogramme réalisé à partir d'un cylindre recouvert d'une feuille d'étain et réussit ainsi à reproduire la voix humaine. Pour fabriquer ces appareils, Charles Tainter et Alexander Bell créent, en 1886, la société Volta Graphophone Co, dans le district de Columbia (d'ou le label Columbia Co), ainsi que l'American Graphophone Co dans l'État du Connecticut. L'année suivante, Charles Tainter met au point un cylindre en cire qui améliore fortement la qualité d'enregistrement du son et remplace également la pointe lectrice, jusqu'alors en métal, par un saphir.

En 1888, Émile Berliner, un jeune Allemand émigré aux États-Unis, dépose la marque Gramophone en utilisant un disque plat en zinc, qui ne sera commercialisé qu'en 1897. Les disques seront alors améliorés grâce à l'utilisation d'ébonite et donneront naissance aux premiers disques à aiguilles. Les premières boîtes à aiguilles sont en carton, et ne deviendront métalliques qu'au tournant du siècle.

En 1889, Thomas Edison présente son phonographe aux 25 millions de visiteurs de l'Exposition universelle de Paris : le succès est immédiat avec plus de 600 appareils fabriqués dans l'année. En France, l'horloger Henri Lioret (1848-1938), fabrique le premier phonographe français en faisant parler une poupée d'Émile Jumeau, d'où son nom de « bébé phonographe ». À l'affût d'idées nouvelles, le chocolatier Menier fera réaliser, en 1896, une colonne Morris de 48 cm de haut vantant la célèbre tablette. C'est déjà la réclame parlée. Des aiguilles en bambou furent testées, mais rapidement abandonnées ainsi que des pointes taillées dans des épines de cactus ou des poils de porcs-épics.

En entendant, en 1894, une ballade diffusée dans une fête foraine, Charles Pathé (1863-1957), décide d'importer d'Angleterre le procédé Edison. Il produit les cylindres dont il diffusera déjà 8 902 références en 1907. Avec son frère Émile, il crée la société Pathé Frères en 1896 et adapte les gramophones américains au public français. Il choisit l'emblème du coq et le slogan « Je chante haut et clair ». La décoration des pavillons subira, comme dans d'autres pays européens, l'influence de l'art nouveau.

La Graphophone Co crée des filiales en Angleterre, en France et en Allemagne à partir de l'année 1898. Le peintre anglais Francis Barraud leur cède le portrait de son chien Nipper écoutant la musique qui sort du pavillon : ainsi naît His Master's Voice, la célèbre Voix de Son Maître.

Lancement, en 1906, des disques Pathé, dont les cylindres seront fabriqués jusqu'en 1910 et pourront être convertis sur disque grâce au procédé du pantographe. Les premiers disques plats d'Edison datent de 1913, mais la fabrication de leurs cylindres ne sera arrêtée qu'en 1929. Premiers disques à aiguille chez Pathé la même année.

Pour se différencier d'une concurrence agressive, les marques associent à leurs appareils des accessoires dont les boîtes à aiguilles illustrées d'une grande variété d'images. Les plus populaires montrent des animaux, des enfants ou des femmes, ainsi que des personnages ou des lieux connus. Les similitudes d'une marque à l'autre sont fréquentes comme par exemple le thème du chien et de l'enfant repris par des concurrents de la Voix de son Maître.

Pour les mélomanes, le choix des aiguilles était important, car s'il fallait en changer obligatoirement après lecture de chaque face pour éviter de détériorer les sillons, leur degré de dureté ou de souplesse influait grandement sur la qualité de

299 • [✪ 1].

300 • [✪ 2].

301 • [✪ 2].

302 • [✪ 2].

303 • Lames de rasoir.

300

reproduction et le niveau sonore. Les modèles les plus courants étaient classés en doux, moyen, fort et extra fort, les boîtes pouvant contenir 25, 75, 100, 200, voir 600 aiguilles. Ainsi une multitude de boîtes métalliques étaient vendues par chaque fabricant, tel Songster dont on connaît au moins 42 modèles.

Les Allemands et les Anglais [3] seront les fabricants les plus pointus de ces petites têtes d'acier. Parmi les firmes anglaises, on relévera Sonster (de J. Stead, à Sheffield), Decca, Columbia, Edison Bell, Embassy (de The British Needle Co, à Redditch) et His Masters Voice (de Gramophone Co). Au départ, les boîtes d'aiguilles étaient offertes lors de l'achat du phonographe. Ensuite, certaines boîtes ou aiguilles furent également produites par des accessoiristes comme Bohin en France, Herold ou Marschall en Allemagne.

À la fin de la guerre 39-45, les aiguilles sont peu à peu remplacées par un saphir réversible, utilisable avec les disques 78 tours comme avec ceux qui leur succèderont, les microsillons.

Jusque dans les années 1960, Marschall a eu des clients dans trois régions du Tiers Monde : l'Afrique utilisait en effet des aiguilles de phonographe pour tuer les poux, le Mexique en achetait pour décorer des bottes. Quant à la Chine elle les importait à des fins d'acupuncture ! [125]. ●

301

302

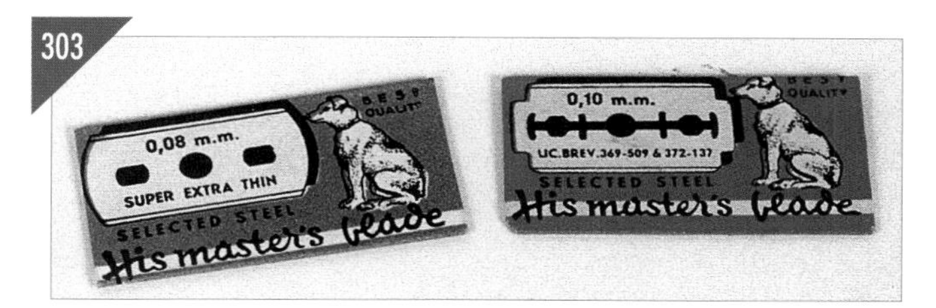

303

gramophone needles
AIGUILLES DE PHONOGRAPHE

The history of needle boxes linked to that of the phonograph or gramophone. [72] : In 1877 Charles Cros (1842-1888) wrote to the Academy of Sciences in Paris describing the principle of the phonograph that he named paleograph, meaning voice of the past.

Bohin

Until the purchase of their company in 1996 five generations of Bohins transformed what was in the 1830's a carpentry workshop into the most important French manufacturing of gramaphone needles, sewing machine needles and safety pins. If the manufacturing of gramaphone needles and their boxes stopped a long time ago Bohin still has many of them in stock. So if there are any amateurs out there, don't worry. ●

In the same year Thomas Edison (1847-1931) built a phonograph with a cylinder covered with tinfoil and was successful in recording the human voice. In 1886 Charles Tainter and Alexander Bell founded companies to manufacture phonographs: the Volta Graphophone Co in the District of Columbia (hence the Columbia label) and the American Graphophone Co in Connecticut. The following year, Charles Tainter perfected a wax cylinder that greatly improved the quality of the recording and replaced the metal needle by a sapphire. The young German, Émile Berliner, emigrated to America in 1887 [8] and registered the trade name Gramophone for his invention of a flat disc phonograph that was not marketed until 1897. The discs were improved with the use of ebonite. The needles were sold in cardboard boxes and at the turn of the century in metal boxes.

Thomas Edison successfully presented his phonograph to the 25 million visitors at the Paris World Fair in 1889 and 600 were made in the year. In France clock maker Henri Lioret (1848-1938) made the first French phonograph, when he made one of Émile Jumeau's dolls talk, hence the name baby phonograph. Always on the look out for new ideas chocolate maker, Menier commissioned a 'talking' publicity column, the Morris column, in 1896.

Various natural products such as bamboo, cactus spines or those of the porcupine were unsuccessfully tested for making needles.

Charles Pathé (1863-1957) heard a ballad at a funfair in 1894 and decided to import the Edison invention from England. He reproduced the cylinders and sold 8902 phonographs in1907. In 1896 he founded Pathé Brothers with his brother Émile and adapted the American gramophones to the French public. He chose the cock as an emblem and the slogan "I sing loud and clear". As in other European countries loudspeaker horns were decorated in the Art Nouveau style.

Graphophone Co. created subsidiaries in England, France and Germany from 1898. The English painter Francis Barraud sold them the famous painting of his dog Nipper listening to the music coming from the loudspeaker horn : the birth of His Master's Voice.

Pathé records was launched in 1906, the cylinders were made until 1910 and could be converted to flat disc by the pantograph method. The first flat records by Edison were made in 1903 and their cylinders were made until 1929.

Pabté made their first flat records in the same year.

Competition in the field was agressive and to show some difference all companies promoted accessories for their machines including needle boxes illustrated with a wide variety of pictures. The most popular showed animals, children or women, or even well known people or places. There were many similarities between the boxes of the different makes, for example, the theme of a dog or a child was taken up by competitors of His Masters Voice.

The choice of needle was primordial for music lovers as the needle had to be changed after each side of the disc had been played. This was to protect the grooves from deterioration and their degree of hardness or flexibility influenced the quality of the reproduction. The needles came in several categories, soft, normal, hard and extra hard and the boxes contained 25, 75, 100, 200 or even 600 needles. This led to a multitude of tins being sold by each manufacturer, the make Songster has at least 42 models.

The Germans and the English [3] were the specialists in the manufacture of these needles. Among

305 • [✪ 1 à 2].

306 • [✪ 2].

307 • [✪ 1].

308 • [✪ 3].

309 • [✪ 3].

the English companies were Songster (J. Stead, Sheffield), Decca, Columbia, Edison Bell, Embassy (the British Needle Company, Redditch) and His Masters Voice (Gramophone Co.). Originally needle boxes were given to clients when they purchased a phonograph. Later Bohin in France or Herold or Marschall in Germany made some of the boxes or needles.
At the end of the 1939-1945 War a reversible sapphire stylus progressively replaced the needle used with the 78 r.p.m. and later our long playing records. Marschall had customers in three areas of developing world countries until the sixties; Africans used the needles to kill lice, Mexicans bought them to decorate their boots and the Chinese imported them for acupuncture ! [125]. ●

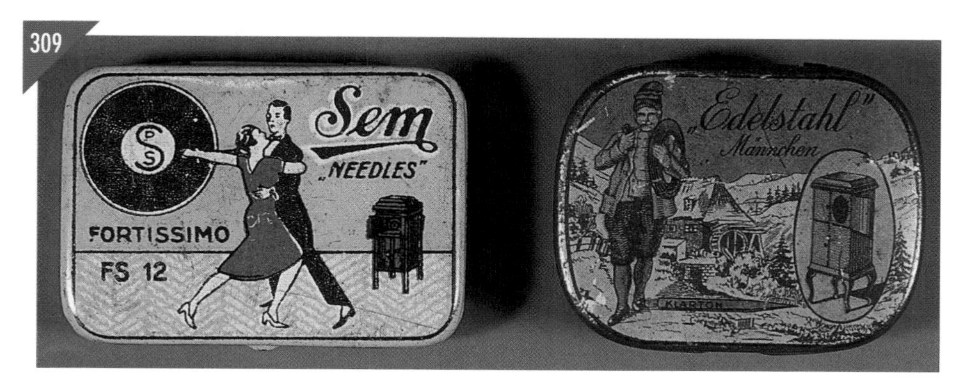

BOÎTES DE COULEURS
coloured boxes

La peinture et l'écriture sont plus que millénaires, si l'on se réfère aux fresques murales des grottes préhistoriques et aux scribes de l'ancienne Égypte. Le mot crayon, selon Béatrice Cornet [19], trouve son origine dans les croions, *nom donné au* XIIIᵉ *siècle, à l'ancêtre de nos portemines. Ces* croions *étaient faits de craie entourée d'une enveloppe de protection d'abord en papier, puis en cuir et enfin en métal.*

« QUAND JE N'AI PAS DE BLEU, JE METS DU ROUGE. »

PABLO PICASSO

Au milieu du XVIᵉ siècle, les Anglais en découvrant les vertus du graphite, produisirent les meilleurs crayons qui soient. De nos jours, bien des boîtes de couleurs sont encore d'origine anglaise.

La découverte de graphite en Bavière au XVIIᵉ permet aux fabricants allemands d'en faire de même. Deux d'entre eux, situés à Nuremberg, haut lieu de l'imprimerie, sont à l'origine des célèbres maisons qui portent encore leurs noms : Frédéric Staedler (1662) et Kaspar Faber (1761).

Le blocus continental napoléonien de 1792, va réveiller les fabricants français qui ne pouvaient plus compter sur la matière première d'origine britannique. En 1795, Jacques Nicolas Conté trouve en l'argile un substitut du graphite. Il dépose un brevet, et ouvre un magasin à l'enseigne du crayon de papier, au Palais Royal, à Paris.

Dès le milieu du XIXᵉ, à la suite de la législation sur la scolarité votée à l'initiative de Jules Ferry, les fabricants d'encre, de papier et de crayons voient leurs débouchés sensiblement augmenter.

À la fin du XIXᵉ, l'industrie de l'écriture est relativement bien segmentée, dans la mesure où les fabricants d'encre, producteurs de produits d'encaustique et les fabricants de plumes sont étrangers au commerce du crayon. Une exception en ce qui concerne Baignol & Farjon, fondée en 1873, à Boulogne-sur-Mer, et rachetée par Conté en 1979. Qui écrit sur le crayon se doit d'évoquer la société Caran d'Ache, dont le nom vient du pseudonyme du caricaturiste français Émile Poiret (1859-1909). D'origine russe, Poiret trouva amusant de choisir un pseudonyme signifiant crayon dans sa langue natale (*karandash*).

En 1924, une firme genevoise qui avait racheté la société Écritor en 1915, adopte, sans autorisation de la veuve d'Émile Poiret, le pseudonyme et la signature du défunt mari. Condamnée à verser des indemnités à madame Poiret, la société conservera néanmoins, la griffe et la marque.

L'apparition des feutres, dans les années cinquante, surprendra certains fabricants qui n'en virent pas toute l'importance. Mais le crayon n'en a pas pour autant disparu, fort heureusement.

Quant à la peinture, par son cérémonial d'utilisation et par ce que l'on pourrait appeler la magie de l'arc-en-ciel, c'est-à-dire les infinies possibilités qu'elle procure de créer des couleurs, elle est un complément plus qu'un concurrent et son existence ne semble pas menacée. ●

310

311

Caran d'Ache

Comme pour le chocolat et l'horlogerie, le label suisse est synonyme de sérieux et qualité. C.D. en utilisant des images de montagnes enneigées et de pâturages fleuris, pérennise ce cliché. Elle permet, en outre, aux familles qui n'avaient jamais voyagé, de rêver et annonce, avant l'heure, une préoccupation écologique. ●

Like for chocolate and watch-making, the Swiss seal is synonymous with efficincy and quality. C. D. using images of snow covered mountains and flowery meadows, perpetuated this cliché and enabled families who had never travelled, to dream. It was also a very early precursory of the green movement. ●

312

313

314

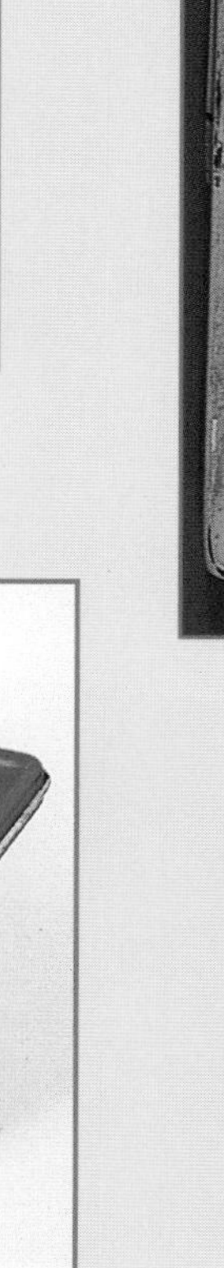

310 • [✪ 2].

311 • [✪ 1].

312 • [✪ 1].

313 • [✪ 1].

314 • [✪ 2].

coloured boxes
BOÎTES DE COULEURS

Painting and writing are thousands of years old, if we look at the mural frescos in the prehistoric caves and at the ancient Egyptian scribes.
The word crayon (US), (pencil GB), according to Béatrice Cornet [19], originally comes from "croions", the name given to the first propelling pencils in the XIIIth century. These "croions" were made from chalk and wrapped first in paper, then in leather and finally in metal.

"WHEN I DON'T HAVE BLUE, I USE RED."

PABLO PICASSO

In the middle of the XVIth century, on discovering the virtues of graphite, England produced the best crayons ever. Even today, many crayon and paint boxes are English. When graphite was discovered in Bavaria in the XVIIth century, German manufacturers were able to do just as good. Two of them founded in Nuremberg, the Mecca of printing works, famous firms which still bear their names: Frédéric Stardler (1662) and Kaspar Faber (1761).
Napoleon's continental blockade in 1792 compelled French crayon manufacturers to wake up since they could no longer count on British raw materials. In 1795, Jacques Nicolas Conté found in clay a substitue for graphite. He patented it and opened a crayon shop at Palais Royal in Paris.
From the middle of the XIXth century, following the laws on education initiated by Jules Ferry, the market for ink, crayon and paper expanded significantly.
At the end of the XIXth century, the writing industry was relatively well divided in as far as ink, wax and pen manufacturers were not involved in the crayon market. Baignol and Farjon founded in Boulogne-sur-Mer in 1873 was an exception. It was bought by Conté in 1979.
Who ever writes about crayons, has to mention Caran d'Ache, which is the pen name of the French caricaturist, Emile Poiret. Poiret (1859-1909), who was of Russian origin, found it amusing to choose a pen name meaning crayon in his native language (karandash).
In 1924, a Genevan firm that had bought Ecritor in 1915, used his pseudonym and his signature without the authorization of Emile Poiret's widow. The company was forced to compensate Mrs. Poiret but nevertheless kept the signature and brand.
The arrival of felt-tip pens on the market in the fifties surprised some manufacturers who had underestimated their importance. Fortunately, crayons did not disappear.
As for paint, thanks to the ceremonial practice its use implies, and its infinite possibilities to liven up, like a magical rainbow, various colours, it is more a complementary product than a competitor and its future looks bright. ●

315

316

317

318

315 • [✪ 1].

316 • [✪ 1].

317 • [✪ 1].

318 • [✪ 1].

319 • [✪ 3].

319

LES TIRELIRES
piggy banks

320 • [✪ 2].

321 • Crawford : Fairy Tree, 1935 [✪ 7]. HP : The Elves Penny in the Slot, 1936 [✪ 6].

322 • [✪ 4].

323 • [✪ 5].

324 • [✪ 4].

MACHINES À SOUS / *SLOT MACHINES*

Le mot pourrait venir d'une onomatopée tire-lire, le bruit de la pièce qui tombe évoquant le chant de l'alouette. Son usage est très ancien et l'amélioration des techniques de traitement du fer blanc et de sa décoration permettront la fabrication de toutes sortes de jouets, dont les distributeurs de chocolat et, à une époque où on ne connaît pas encore le mot inflation, les tirelires. Offrir une tirelire à un enfant n'est pas un cadeau sans arrière-pensée : c'est lui apprendre des rudiments d'économie. Son heure de gloire passée, elle sera concurrencée par le moderne livret d'épargne ! La tirelire, c'est un coffre-fort avec un parfum d'enfance, une machine à sous dont la pluie d'or est à portée de main. ●

The word could come from the onomatopoeia 'tirelire' (piggy banks), the sound of a coin falling into the box that reminds us of the cry of a seagull. It is a very old word and it has been used for a long time and the improvement made to techniques in tin manufacturing and decorating enabled firms to make all sorts of toys, like chocolate distributors, and at a time when nobody was talking about 'inflation'; "Piggy Banks". To give a child a piggy bank was not a thoughtless present : it was part of a teaching process to get the child to understand how the economy functions. Its hour of glory now gone, the piggy bank came into competition with the now very popular savings account book. The piggy bank is a kind ofsafe with a childhood aura, a kind of a slot machine which enables you to get the gold spill – the jackpot -very, very quickly. ●

320

321

322

323

324

changement de décor

« La signification d'un objet est dans une large mesure attachée à son utilité... Reste à le considérer en tant que médiateur... L'objet est un moyen de communication et une source d'inspiration artistique. » H. Desmel-Grégoire [32].

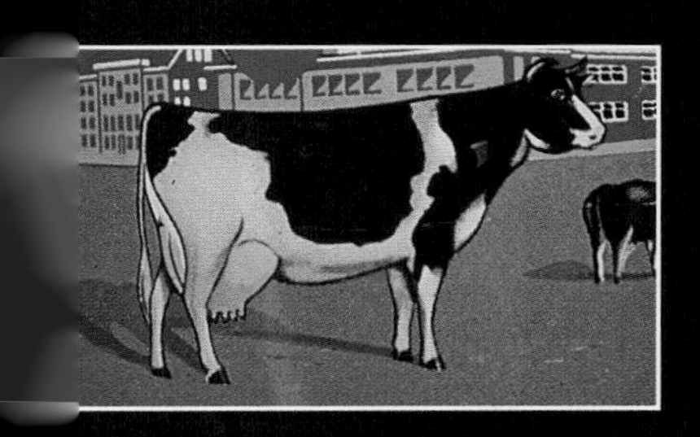

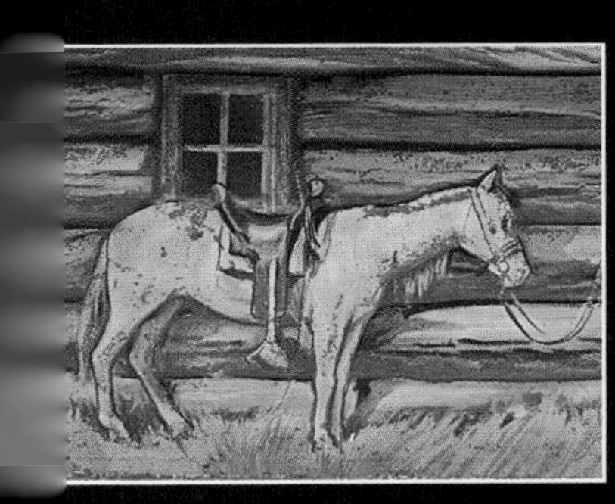

- le diable et le bon dieu
- paysages
- la femme
- les animaux / la vache
- la maternité / l'enfant
- le père noël
- bandes dessinées
- noir c'est noir
- far-west
- jeux
- boîtes à forme
- les arts / le sport
- militaires
- usines
- les moyens de locomotion
- régionalisme
- stations thermales et balnéaires
- la route de l'orient
- sites connus

change of scenery

« The signifiance of an article is in large mesure tied to its utility. It remains to considerate it as a mediator. Articles are a mean to communicate and a source of artistic inspiration. » H. Desmel-Grégoire [32].

LE DIABLE
the devil

Tout le monde croit au Diable, même ceux qui ne croient plus en Dieu.
Everyone believes in the Devil, even those who no longer believe in God.

325

ORIGINE ET HISTOIRE

Le Diable serait né vers le VIe siècle avant notre ère, en Iran [117], où le polythéisme védique est pratiqué jusqu'à la réforme de Zoroastre (Zarathoustra) : plusieurs dieux y étaient vénérés sans que l'on éprouve la nécessité d'inventer une sorte de contre dieu. Hostile aux sacrifices d'animaux au cours de cérémonies spectaculaires, Zoroastre sera le fondateur d'une religion monothéiste : avec le soutien d'un clergé qui y voit le moyen de renforcer son pouvoir, il apportera la notion de salut et donc de damnation, c'est-à-dire du diable Ormazd : le dieu du bien est opposé à Ahriman, dieu du mal.

Dans la tradition juive, le Diable apparaît à la fin du IIIe siècle avant notre ère (*Livre d'Enoch*), à une époque particulièrement éprouvante de la domination romaine dont les Juifs imputeront la responsabilité à une faute originelle commise envers Dieu.

Dans la religion chrétienne, Satan est un ange qui aurait succombé au mal sans que l'on puisse savoir s'il en est lui-même la cause ou l'effet. L'influence qu'on lui a toujours prêtée a permis à maints pouvoirs de s'exercer sans discernement ni partage sur le bon peuple !

Dans le Coran, le prophète Mahomet définit le diable Shaïtan comme l'ennemi du Créateur : celui qui ne croit pas et n'abdique pas son individualité au profit d'Allah, en sera la proie et ne connaîtra jamais le Jardin Éternel.

Comme dans la religion chétienne, le Diable y est un instrument essentiel de pouvoir !

LA SYMBOLIQUE DU DIABLE

Le Diable représente les forces qui troublent et assombrissent la conscience. C'est le centre de la nuit par opposition à Dieu, centre de lumière [18]. Le Diable est le méchant et le bourreau. Il est le tentateur, particulièrement lorsqu'il s'agit de sexe et de luxure. Ainsi, en raison de son intervention dans *Tintin au Tibet*, Milou ne résiste pas à la tentation de quelques gouttes de whisky !

Dans la publicité, au début du siècle, le Diable est présent sur de nombreuses affiches de boissons alcoolisées comme l'apéritif Maurin Quina, l'armagnac Clos des Ducs [42], le cognac Gélas [59], la bière Michel Heim [66] ou l'Elixir Godineau [94].

Dans le non-alimentaire, il accompagne le savon Faune [17], le gant Perrin [59], le chauffage Godin [17], la boîte d'allumettes Lucifer [84] ou encore des marques d'encres comme Conté ou Antoine [19].

Lorsqu'il sert de décor à des boîtes lithographiées, le Diable est souvent présent dans les produits d'entretien à usage domestique : une préparation pour ramonage, une marque de colle, un produit à faire briller, évocation probable du contraste de la lumière et de l'obscur. Une boîte de poil à gratter également, dont les propriétés démoniaques n'échappent à personne et surtout poisons et insecticides, intercesseurs, comme l'est le Diable, d'un au-delà !

Le vocabulaire publicitaire n'est pas en reste avec une multitude de synonymes qui vont du classique Faust à Vulcain, Satanic, Satanyl, Diablotin, Méphisto ou un curieux Dianoir [98]...

La couleur, enfin, vient au secours de l'argumentation avec un usage immodéré d'un noir évocateur de ténèbres ou d'angoisse, d'un rouge couleur du sang et du feu, accessoire indispensable de tout enfer qui se respecte ! En contraste, parfois, des plages d'un blanc évocateur probablement de vide ou encore la couleur jaune à laquelle on prête éternité et convoitise ! ●

326

327

ORIGINS

The idea of the Devil originated around the 6th century BC in Iran [117] where Vedic polytheism was practised until the reforms by Zoroaster (Zarathustra). Several gods were worshipped without anyone feeling the need to create a counter-god. Zoroaster was opposed to the sacrifice of animals during wild ceremonies. He founded a monotheist religion. He was supported by the clergy and saw a way to increase his power. He introduced the idea of salvation and therefore of damnation with Ormazd, the God of Good opposed to the Devil represented by Ahriman, the God of Evil.

According to the Jewish book of Enoch the devil appeared around the end of the 3rd century BC. This was a difficult time when the Jews were particularly dominated by the Romans and they put this down to the fact that they had committed a sin in the eyes of God.

Christian religion depicts Satan as an angel who has succombed to evil but does not tell us if he was the cause or the effect. The influence attributed to the devil has enabled many to exercise power indiscriminately over the people.

The prophet Mohammed calls the devil Shaitan the enemy of the creator in the Koran. It is he who does not believe and refuses to renounce his individuality before Allah and therefore will never enter the Garden of Eden.

In all religions the devil is essentially an instrument of power !

SYMBOLISM OF THE DEVIL

The Devil represents forces that trouble and darken the conscience. The Devil is the centre of darkness as opposed to God who is the centre of light. [18] The Devil is wicked and a tormentor. He is the tempter particularly in matters of sex and lust. Due to his intervention even Milou in Tintin au Tibet *does not resist a few drops of whisky !*

At the beginning of the century the Devil was present in numerous advertisements for alcoholic drinks such as aperitif Maurin Quina, armagnac Clos des Ducs [42], cognac Gélas [59], beer Michel Heim [66] or Elixir Godineau [94].

He was also found in advertisements for Faune soap to be [17], Perrin gloves [59], heating by Godin [17], Lucifer matches [84] and for the inks made by Conté or Antoine [19].

The Devil was often depicted on lithographed tins containing domestic cleaning wares, such as products for sweeping the chimney, glue or polish; he doubtless was there to evoke the contrast between light and obscurity. He was also present on a box of itching powder with obvious reason ! And on containers of poison and insecticides as the intermediary with the other world !

The vocabulary used in advertisements had a variety of synonyms for the devil, from the classic Faust and Vulcan to Satanic, Satanyl, Diablotin, Mephisto or a curious Dianoir [98]...

Colour was also used to underline the idea with an excessive use of black evoking anguish and darkness, or red for blood and fire, indispensable to the image of hell ! By contrast there were occasionally white spaces to conjure up emptiness or yellow the colour of eternal covetousness. ●

325 • [✪ 3].

326 • [✪ 3].

327 • Carton.

ET LE BON DIEU
and god

328

329

330

328 • [✪ 2].

329 • [✪ 1].

331 • [✪ 1].

332 • [✪ 2].

333 • [✪ 1].

334 • [✪ 1].

335 • [✪ 2].

336 • [✪ 1].

337 • [✪ 1].

331

Utilisées longtemps comme abris naturels, les grottes ont été souvent des lieux de recueillement comme si leurs eaux étaient miraculeuses [27]. ●

Of course, caves were used as natural shelters but they are also the place of gatherings as sometimes people believe their waters are miraculous [27]. ●

332

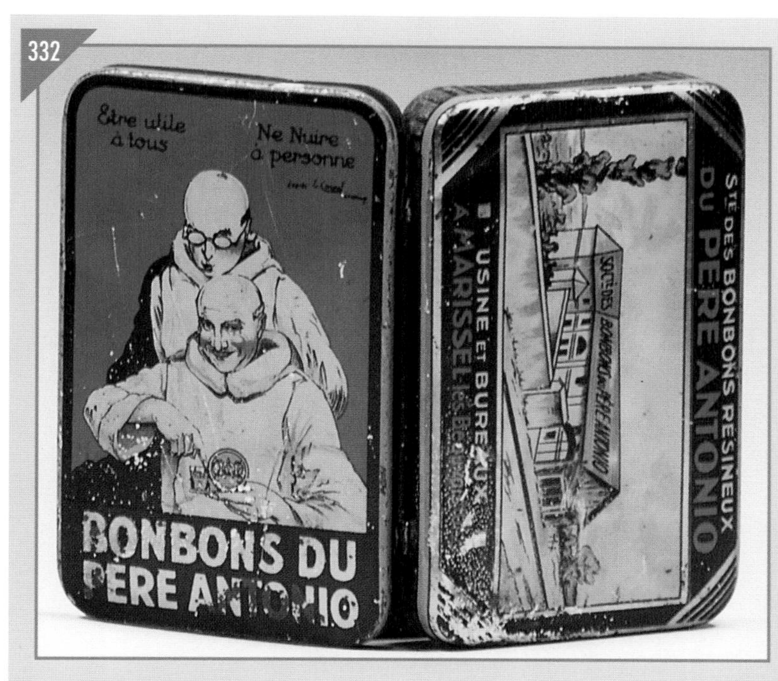

333

334

335

336

337

PAYSAGES
scenery

« La nature est là qui t'invite et qui t'aime. » (Lamartine).
« Nature is there with open arms. » *(Lamartine).*

338

339

340

341

342

343

338 • [✪ 2].

339 • [✪ 1].

340 • [✪ 1].

341 • [✪ 2].

342 • Grande boîte : [✪ 2].
Lune : Polvos Gai [✪ 4].
Croissants : Lackerli [✪ 1].

343 • À gauche de haut en bas : Frontier [✪ 2], et [✪ 4].
À droite de haut en bas : Confiserie des Alpes [✪ 2], Pascall [✪ 2], et [✪ 2].

PAYSAGES
scenery

344

345

346

347

348

344 • À gauch : [✪ 3].
À droite, de haut en bas : HP Riviera [✪ 4], R.J. Collins [✪ 3].

345 • [✪ 3].

346 • À gauche : Blegermiel [✪ 2].
À droite, de haut en bas : Marquisette [✪ 2], [✪ 1].

347 • À gauche : [✪ 4]
À droite : [✪ 3].

348 • [✪ 2].

349 • [✪ 1].

349

LA FEMME
woman

« L'homme seul est en bien mauvaise compagnie. » (Paul Valéry).
« A man on his own is in very bad company. » *(Paul Valéry).*

350 • [✪ 1].

351 • Château Robert [✪ 3].

352 •[✪ 3].

353 • Menier [✪ 4].

LA FEMME
woman

354

355

356

354 • [✪ 3].

355 • [✪ 3].

356 • [✪ 2].

357 • Outremer [✪ 3].

358 à 361 •
Aux Bourgeons de sapin,
Les Quatre Saisons,
Bonbons Henri Rossier,
Lausanne [✪ 4].

357

358

359

360

361

362

363

364

365

366

367

368

362 • [✪ 2].

363 • [✪ 2].

364 • De haut en bas : [✪ 4] et [✪ 6].

365 • [✪ 5].

366 • De haut en bas : [✪ 2] et [✪ 5].

367 • [✪ 2].

368 • [✪ 3].

369 • [✪ 2].

370 • En haut : [✪ 4]. En bas : [✪ 5].

369

370

LES ANIMAUX
animals

« Je me sers d'animaux pour instruire les hommes. » (Jean de La Fontaine).
« I use animals to teach men. » *(Jean de La Fontaine).*

L'ARCHE DE NOË
NOAH'S ARC

Les animaux sont l'un des thèmes d'illustration parmi les plus fréquents, quel que soit le produit ou l'origine géographique des boîtes. Le choix d'un animal ne doit rien au hasard. Il peut évoquer directement le contenu comme, par exemple, le bouillon de bœuf. On trouve souvent, également, une synergie naturelle entre un produit et un animal. Ainsi un pingouin peut évoquer un antigel, le chameau l'exotisme de la cigarette orientale... On constate, enfin qu'à chaque espèce animale peut correspondre une symbolique qui justifie son utilisation.
Quelques exemples :
Le coq. *Gallus* en latin signifie à la fois coq et gaulois. Depuis qu'Henri IV en a fait l'emblème national, il trône aux quatre vents au faîte des clochers de nos villages. Le coq symbolise le courage au combat, la fierté par son maintien, la vigilance et la virilité de celui qui règne sur la basse cour. Cocorico !
À quelle version de Chantecler la boîte fig. 376 fait-elle allusion ? Celle du *Roman de Renard* ou celle de la pièce coquine de Paul Briollet jouée au Bataclan, en 1908, par des artistes... très peu vêtus ?
Le cochon. C'est peut-être l'animal qui a l'image la plus ambivalente. Côté négatif, c'est le symbole de la saleté, de la goinfrerie et de la luxure. En contrepartie Walt Disney en a fait un personnage sympathique, doux, rieur. Les enfants qui l'ont adopté, n'hésitent pas à lui confier leurs économies. L'ours. Naturellement sauvage, impétueux, voire dangereux, il joue ici un contre-emploi avec son abord humain, chaleureux, douillet. Jean-Jacques Annaud a magnifiquement mis en scène les traits communs – gourmand, joueur, cabotin – des deux facettes du personnage (fig. 388). Le cheval. C'est la force, l'impétuosité, la vie... (fig. 201 et 380). Qui n'a pas admiré son allure dans le *Barbarella* de Roger Vadim ? ●

Animals are one of the most used decoration themes no matter what the product or the geographical origin of the tin box. The choice of the animal is not however left to chance. It can be a direct wink to the content of the tin, for example a cow for beef cubes, or an indirect suggestion through a connecting link with the product, for example a penguin for an anti-freeze product or a camel for some oriental cigarette brand. One can also notice that to every animal species there is a corresponding symbol which justifies its use. Here are some examples:
The rooster, gallus in Latin means both rooster and Gaul. Henry IV turned it into the French national emblem and since then, the cockerel sits enthroned on village belfries all over the country. The rooster symbolizes bravery by its fighting spirit, pride by its natural bearing, watchfulness and manliness by its position in the farmyard. Cock-a-doodle-do! To which version of Chantecler does the tin in figure 376 refer to? To Roman de Renard *or to Paul Briollet's mischievious play shown on stage in 1908 at the Bataclan by barely dressed actors?*
The pig; perhaps the animal whose image is most ambivalent. On one hand, it symbolizes dirtiness, guzzleness and lustness. While on the other hand, Walt Disney turned it into a nice, kind and funny character. Children love the pig and use piggy banks to save their pennies! The bear. Naturally wild, impetuous and even dangerous, this animal means the very opposite to us who use the teddy for its softness and cuddling warmth! In his film, Jean-Jacques Annaud magnificently produced these many-sided features of the bear: playful, greedy and rough but also gentle (fig. 388). The horse (fig. 201 & 380). It means strength, vehemence, life... Who did not admire its bearing in Roger Vadim's film Barbarella*?* ●

371

372

373

371 • À gauche : Mc Vittie & Price [✪ 6]. Au centre, de haut en bas : [✪ 4] et Olibet [✪ 3]. À droite, de haut en bas : [✪ 1], Harry Vincent [✪ 3] et [✪ 1].

372 • À gauche, de haut en bas : [✪ 2], [✪ 2], [✪ 4] et [✪ 2]. Au centre, de haut en bas : [✪ 6], [✪ 4] et Crumpsall [✪ 3]. À droite, de haut en bas : [✪ 3], [✪ 4], et [✪ 4].

373 • [✪ 2].

LES ANIMAUX
animals

375

374

376

377

378

374 • [✪ 4].

375 • [✪ 2].

376 • [✪ 2].

377 • [✪ 3].

378 • [✪ 2].

379

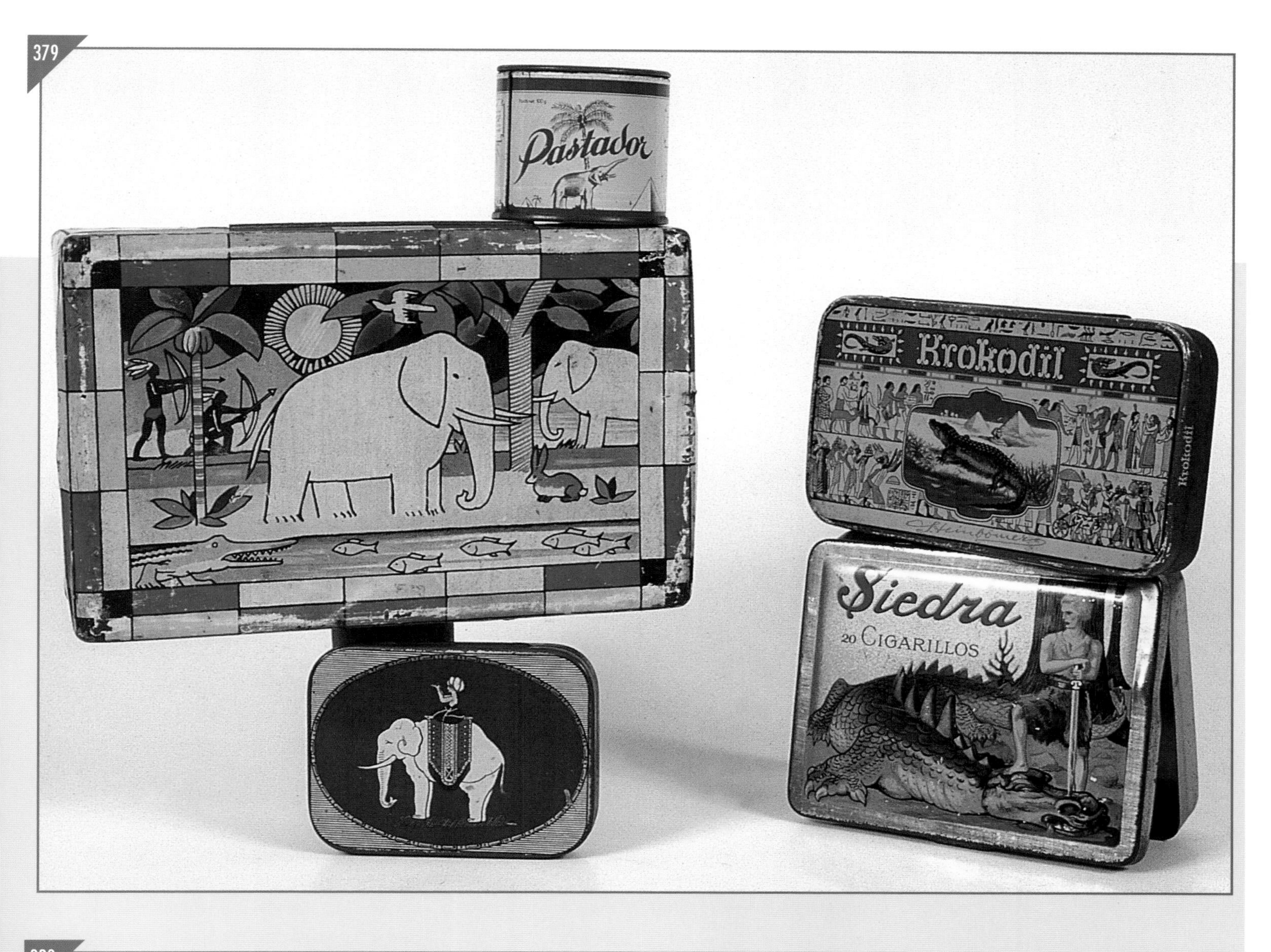

380

379 • À gauche, de haut en bas : [✪ 1], [✪ 4], [✪ 1].
À droite : [✪ 3].

380 • Au centre, en haut : coffret russe des Maisons Raoul [✪ 1 à 2].

LA VACHE ET LES PRODUITS LAIT
the cow and dairy produc

LA VACHE ÉMEUT !

Jusqu'à la révolution industrielle, la France est à 90 % rurale. C'est dire l'importance économique et socioculturelle qu'avait et que représente encore le monde agricole dans notre société. Chaque ferme avait ses vaches au rythme desquelles vivait la maisonnée.
Symbole de la fécondité et de la fertilité la vache, son lait, son beurre et ses fromages, méritaient bien un hommage.
Qui mieux que la Suisse l'a compris en l'affublant d'une surprenante mais sympathique couleur mauve, pour une campagne publicitaire du chocolat Suchard. Ou encore en organisant, pour le 700e anniversaire de la Confédération en 1991, des expositions qui lui furent dédiées, sous le nom fédérateur (et ironique) de « Vache d'utopie [121] ! »

LE LAIT

Le lait frais est un aliment périssable dont la conservation doit être sévèrement contrôlée. La recherche d'un lait plus hygiénique fut donc, dès le XIXe siècle, extrêmement importante sur le plan de la santé comme sur celui de ses implications économiques.
En 1827, Malbec met au point le lait condensé sucré. Au même moment, Nicolas Appert émet l'idée, mais c'est l'Américain Gail Borden qui, en 1860, crée à New York la première usine de conservation du lait. La petite histoire raconte qu'il se serait inspiré de la méthode de cuisson sous vide, utilisée par la communauté religieuse des Shakers pour préparer leurs potions médicinales à base d'herbes. La guerre de Sécession (1861-1865) et les commandes qu'elle entraîne de la part du gouvernement fédéral seront à l'origine de sa fortune et le meilleur ambassadeur de ses produits à travers le pays.
Le lait sec en poudre est fabriqué pour la première fois en 1855, par l'Allemand Grünwald. Sa production industrielle ne commencera qu'un demi-siècle plus tard aux États-Unis.
En 1866, Charles et George Page fondent l'Anglo Swiss Condensed Milk Co qui fusionnera, en 1905, avec la société Nestlé. En 1867, à Vevey sur les rives du lac de Genève, Henry Nestlé, chimiste d'origine allemande, met au point une farine lactée pour nourrissons. La boisson chocolatée et lactée de Tobler (1870) et la tablette de chocolat au lait de Daniel Peter (1875) consacreront l'usage millénaire du lait.

UN FROMAGE

Contrairement à ce qui s'est passé en Hollande et en Suisse, peu de fromages français ont été conditionnés en boîtes métalliques. Seul probablement le roquefort, fils divin de la terre et du soleil, selon le gastronome Curnonsky, y a eu quelquefois recours.
Dans le Rouergue méridional, au pays des grottes du plateau du Comballou, un pâtre fut ébloui par la beauté d'une jeune fille perchée au loin dans les couleurs du crépuscule. Il la suit, laissant son troupeau à la garde de son chien et abandonnant son repas, pain et caillé de brebis, dans une petite grotte à l'abri de la chaleur, court après la belle, sans jamais la rattraper… Lorsqu'il revient auprès de ses brebis, une surprise l'attend. La bergère est là et lui tend son pain et son caillé qui a une belle couleur marbrée de vert… [122].
La production du roquefort est antérieure à l'ère chrétienne. Le contrôle de sa production est très vite pris en main par l'abbaye de Conques et son développement sera assuré grâce au soutien des rois de France. Vers 1830, les fromages exportés vers l'Amérique sont conditionnés dans des boîtes en plomb.
En 1842, les principaux négociants et fromagers forment la Société civile des Caves réunies. Elle dépose la marque Société en 1863 et change son nom en SA des Caves et producteurs réunis, en 1881. ●

381

381 • [✪ 2].

382 • [✪ 1].

383 • [✪ 2 à 3].
À gauche, de haut en bas : H.P., Rabl.
Au centre : Damoiseau.
À droite, en haut : Tetina ; en bas : Alphonse Leroux.

384 • [✪ 3].

382

383

384

Dupont-d'Isigny

En 1894, Louis Dupond ouvre une laiterie à La Cambe dans le Calvados. Quarante ans plus tard, son fils Rodolphe a l'idée astucieuse d'ajouter le nom de son village d'origine, Isigny, à ses caramels, pour en faire, comme le clamera la publicité, le seul bonbon à particule. ●

In 1894, Louis Dupond opened a dairy at La Cambe in the Calvados region. Forty years later, his son Rodolphe has the smart idea to add the name of his native village, Isigny, to his caramels, to make as the advertisement says, the only sweet with a nobiliary particle. ●

the cow and dairy produc
LA VACHE ET LES PRODUITS LAIT

THE COW ROUSES !

Until the industrial revolution, France was 90% rural. This shows the economic and socio-cultural importance that agriculture had in our society. Every farm had its cows and people organised their life around the animal.

Symbol of fecondity and fertility, the cow, its milk, butter and cheese deserved some kind of praise. Who understood it better than the Swiss with their surprising but attractive colour purple advertisement for Suchard chocolate. For the 700th anniversary of the Confederation in 1991, they organised exhibitions on the cow. They were called (ironically): The Utopic Cow [121] !

MILK

Fresh milk is a perishable food and extreme care has to be taken in preserving it. From the beginning of the 19th century research to find a more hygenic milk began. It was important from both the health and economic point of view.

In 1827 Malbec came up with a sweet condensed milk, just when Nicolas Appert had the same idea. In 1860 the American Gail Borden founded the first milk preservation factory in New York. The legend says that he was inspired by the Shakers, a religious community, whose method of vaccum packed cooking for the preparation of their herbal medicinal potions impressed him. During the Civil War (1861-1865) the orders he received from the federal government helped him make his fortune as his products became known all over the country.

Powdered milk was produced for the first time in 1855 by the German Grunwald. Its industrial production did not start until half a century later in the United States.

In 1866, Charles and George Page founded the Anglo Swiss Condensed Milk Co. It merged with Nestlé in 1905. In 1867 in Vevey on the shores of Lake Geneva, Henry Nestlé,a chemist of German origin, invented a powdered milk for babies. Chocolate flavoured drinks and the milky Tobler (1870) and Daniel Peter's milk chocolate bar (1875) sanctioned the thousand year use of milk.

CHEESE

Contrary to what was common in Holland and Switzerland, very few French cheeses were conditionned in metal boxes. Probably only Roquefort divine son of earth and sun, according to the gastronome, Curnonsky, did so.

In southern Rouergue, a land of caves in the Comballou plateau, a shepherd was dazzled by the beauty of a young girl perched in the distant colours of the twilight. He followed her leaving his dog to mind his sheep and abandonning his food, bread and curd in a little cave, to protect them from the heat. Then he ran after the beautiful girl but he never caught up with her... When he came back to his sheep, what a surprise! The maiden was there and she handed him his bread with his cheese which had turned to a lovely marble green colour... [122].

The production of Roquefort dates back to before christianity. It's production was quickly taken over by the Conques Abbey and its development was ensured by the Kings of France. Around 1830, cheese exported to North and South America was conditioned in lead boxes.

In 1842, the main merchants and cheese makers formed the Societé Civile des Caves Réunis. They registered the trademark Sociéte in 1863 and changed their name to S.A. des caves et producteurs réunis in 1881. ●

385

386

385 • [✪ 5].

386 • [✪ 1 à 2].

387 • [✪ 2].

388 • [✪ 2].

387

388

389

390

La Vache qui Rit

Léon Bel voit sourire sa vache pour la première fois en 1921. Benjamin Rabier, qui est l'auteur du dessin, l'affublera par la suite de boucles d'oreilles. Léon Bel rira jaune lorsque, après quelques démêlés judiciaires, il devra racheter à des concurrents, des clones de sa vache qu'avait imprudemment décliné le créateur de Gédéon. ●

The Laughing Cow

Léon Bel first saw his cow smiling in 1921 when Benjamin Rabier drew it and decked her out with earrings. But Léon Bel's laughter no doubt turned sour when he was obliged, after some contention, to buy back the clones of his cow which Rabier had imprudently created. ●

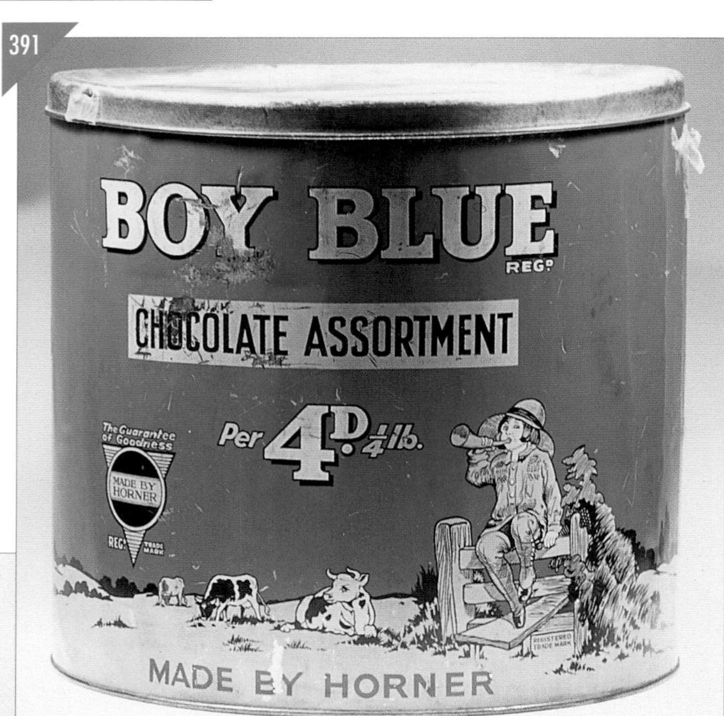

391

392

389 • [✪ 5].

390 • [✪ 2].

391 • [✪ 2].

392 • [✪ 1].

393

393 • [✪ 2].

394 • [✪ 2].

395 • [✪ 2].

394

395

LA MATERNITÉ
motherhood

396

397

Joseph-Léon Jacquemaire et le docteur Miquet composent pour les nourrissons cet aliment léger et reconstituant à base de blé, entre 1881 et 1905. L'illustration des boîtes et le slogan « La seconde maman » aideront la Blédine à se bâtir une immense notoriété. ●

Joseph Léon Jacquemaire and Doctor Miquet made a very light food for babies from wheat between 1881 and 1905. The illustration of the boxes and the slogan "the second mammy" ("la seconde maman") helped Blédine to build a very famous notoriety. ●

396 • [✪ 2].

397 • [✪ 2

398 • [✪ 2].
En haut au centre : Diapasme Pertev. En bas, deuxième à partir de la gauche : R. Emery. Au centre : Aef Pears. En bas de droite à gauche : Nucléa et Mineraseptime.

399 • [✪ 1].

400 • [✪ 1].

401 • [✪ 2].

402 • [✪ 1].

403 • [✪ 2].

398

399

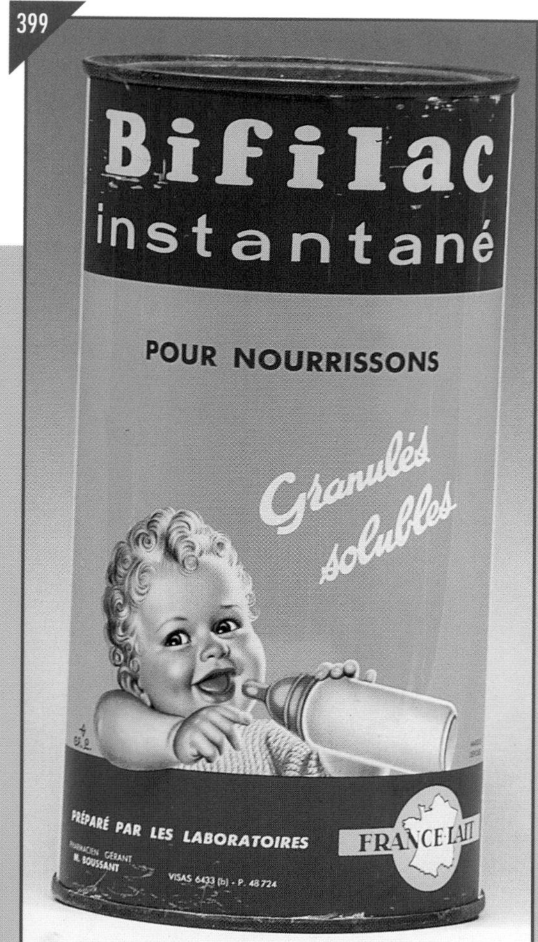

400

401

402

403

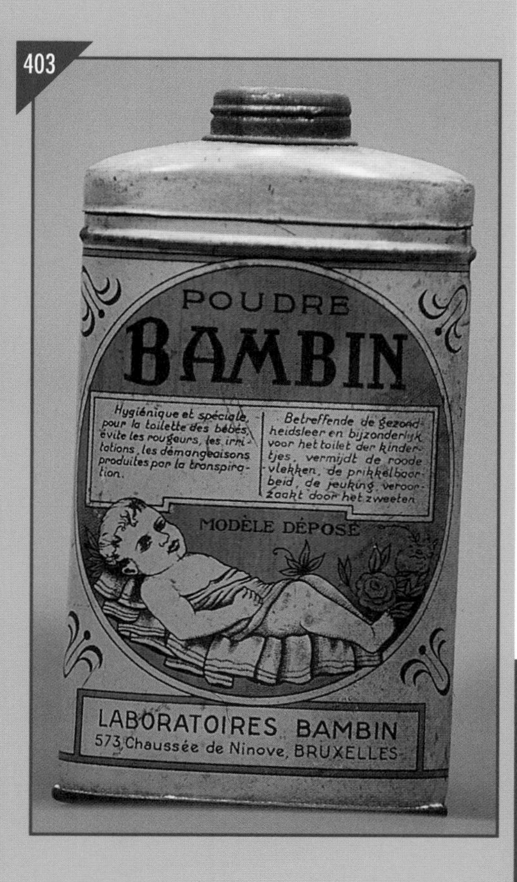

L'ENFANT
children

404

405

406

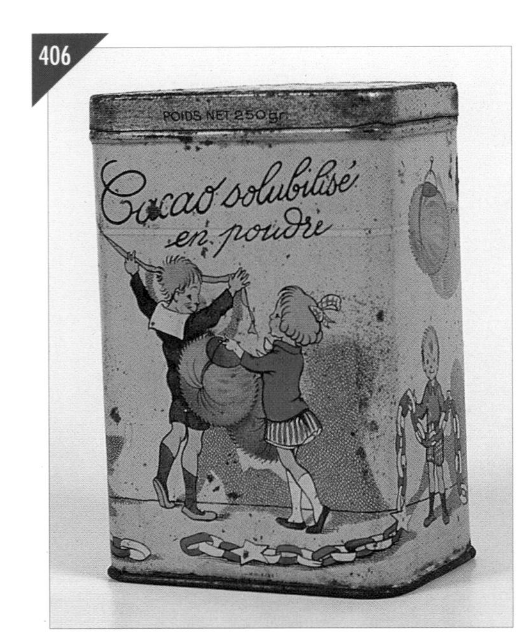

407

408

409

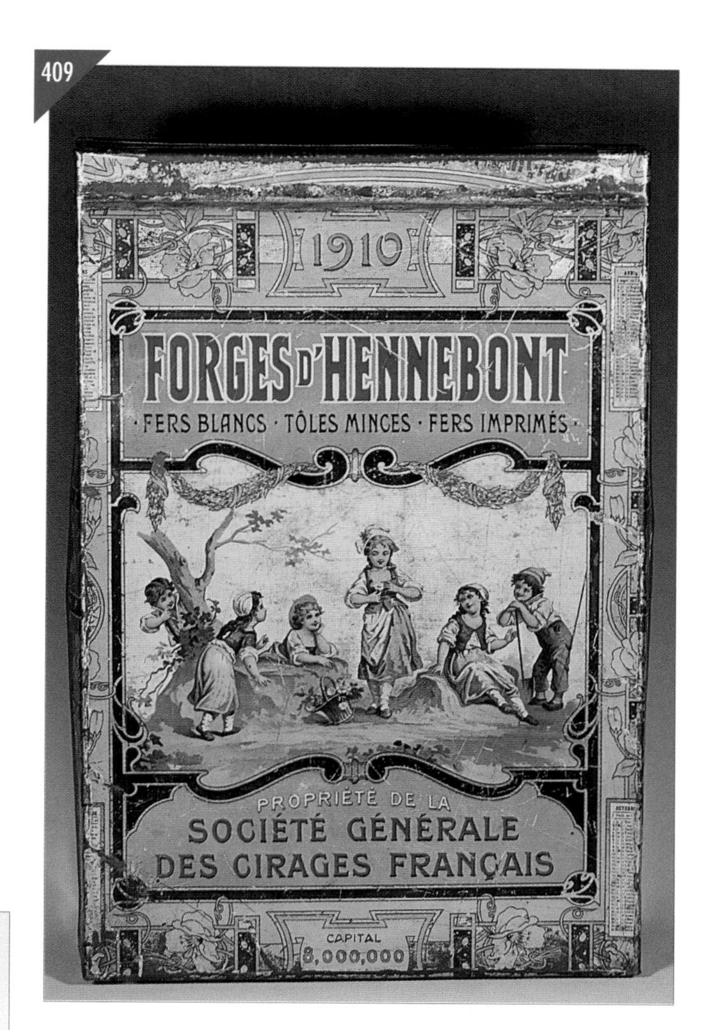

404 • [✪ 6].

405 • [✪ 2].

406 • Au Planteur de Caiffa [✪ 3].

407 • [✪ 2].

408 • [✪ 2].

409 • [✪ 5].

410 • [✪ 2].

411 • [✪ 1].

412 • Carr & Co [✪ 4].

410

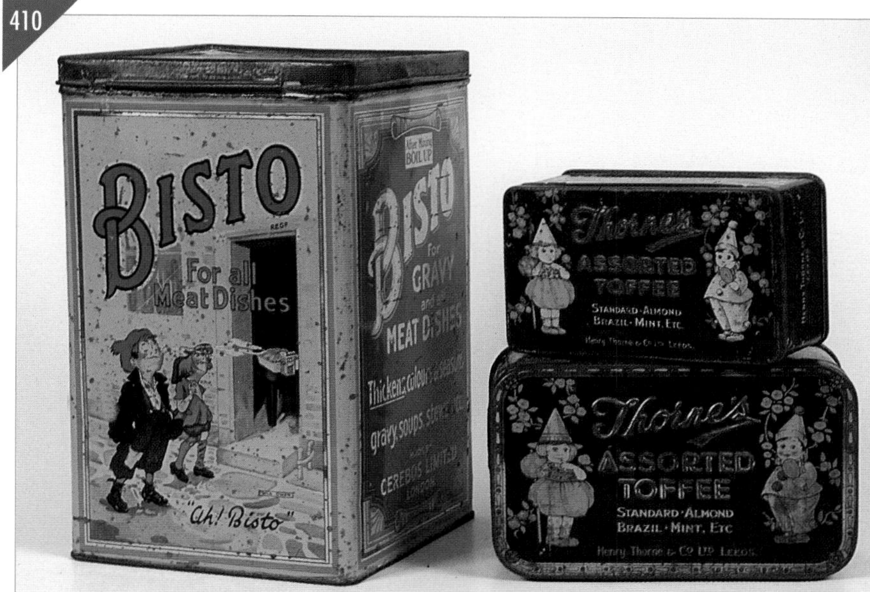

411

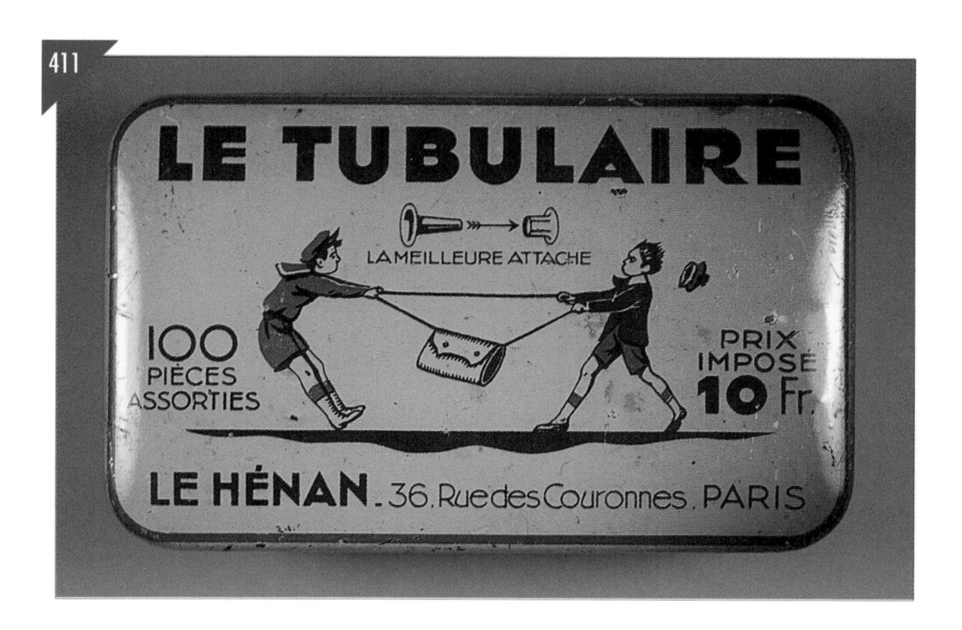

412

414

413

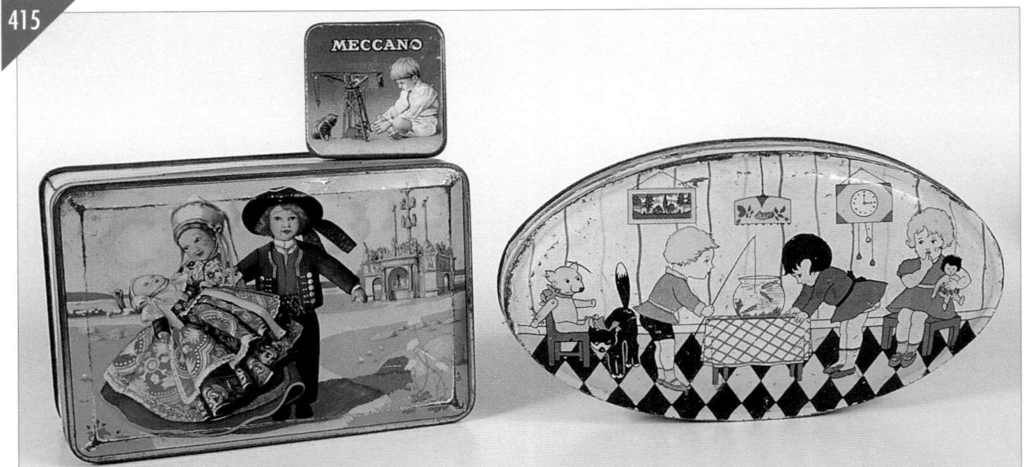

415

413 • [✪ 2].

414 • [✪ 1].

415 • [✪ 2].

416 • [✪ 4].

417 • [✪ 1].

418 • [✪ 3].

419 • À gauche : [✪ 4].
À droite : plumier
des Forges d'Hennebont
[✪ 5].

420 • [✪ 6].

421 • [✪ 2].

Meccano

Baptisé Mechanics Made Easy, en 1901, par son inventeur, l'Anglais Franck Hornby, le jeu ne prit son nom de croisière qu'en 1907. Pour le bonheur de tous, et malgré des changements de capitaine, il vogue toujours. ●
Christened Mechanics Made Easy in 1901 by its inventor, the English man Frank Hornby the game took on its cruising name in 1907 and to everybody's delight and despite the different captains, it is still very fashionable. ●

416

417

Scotch

Le petit Écossais, né en 1930 aux États-Unis, a été souvent utilisé dans sa jeunesse par les peintres carrossiers car les voitures de l'époque étaient souvent à deux tons. ●

The little Scot born in 1930 in the United States in its early stages was often use by coach work painters because the cars at that time were often painted in two tones. ●

418

419

420

421

LE PÈRE NOËL
santa claus

« Petit Papa Noël, quand tu descendras du ciel... »
« Jingle bells... »

Le Père Noël est décrit pour la première fois en 1822 par l'Américain Clément Moore. Thomas Nast le dessine en 1860 en s'inspirant de saint Nicolas dont le culte est très populaire en Lorraine et dans le nord de l'Europe. Débonnaire et justicier, il est censé distribuer des cadeaux dans les bas et les souliers. Ailleurs, ce rôle est tenu par le Petit Jésus, Christkindl en Autriche, le Père Hiver en Russie, le gnome Jultomte en Scandinavie ou la Chauche-Vieille, appelée quelquefois Tante Arié en Suisse [11].
À l'exception d'une boîte métallique française pour la marque Kréma, les boîtes illustrées du Père Noël présentées ici, sont d'origine britannique (a), ce qui donne à penser que ce thème fut peu utilisé par les fabricants de boîtes, sauf peut-être lorsqu'il s'agira de bonbons ou de biscuits. On peut faire un constat analogue dans la communication par affiche (b) sauf de rares exemples pour les bonbons Félix Potin et Château Robert, et pour les produits des sociétés Thomson, Onoto et Automoto. Les boîtes étaient bien sûr mises sur le marché au moment des fêtes de fin d'année : bleu pour le ciel, blanc pour la neige, rouge pour le manteau du Père Noël et parfois jaune pour la gaieté, en composent les principales couleurs. ●

Father Christmas is described for the first time in 1822 by the American Clement Moore. Thomas Nast first draws him in 1860. He was inspired by Saint Nicolas who is popular in Lorraine and in northern Europe. Good-natured and just, he is supposed to put presents in shoes and stockings. In other countries this is the role of baby Jesus, Christkindl in Austria, Father Winter in Russia, the gnome Jultomte in Scandanavia or the 'Bald old Lady', sometimes called Aunt Arié in Switzerland.
Except one French metal box for the Krema brand, the Christmas time boxes shown here are all British which leads us to conclude that the theme was not very common except perhaps for sweets or biscuits. We can draw similar conclusions for posters (b): except some rare examples of sweets with Felix Potin and Chateau Robert, and for products for firms like Thomson, Onoto and Automoto. Of course the boxes were put on the market during the festive season: blue for the sky, white for the snow, red for Father Christmas coat and sometimes yellow for the fun, uniting the main colours. ●

(a) Autres exemples dans *Sweet Memories*, Robert Opie, [82] avec les chocolatiers anglais Rowntree & Cadbury.

(b) Les deux marques de stylo, Waterman et Swan, ont utilisé l'image du Père Noël [17].

(a) Other examples in Sweet Memories, Robert Opie [82], with the English chocolate makers Rowntree and Cadbury.

(b) The pen brands, Waterman and Swan, also used the image of Father Christmas [17].

422 • [✪ 4].

Page ci-contre : [✪ 1 à 6].

KREMA

BANDES DESSINÉES ET DESSINS
comics and cartoons

423 • [✪ 6].

424 • [✪ 2].

425 • [✪ 3].

LA BANDE DESSINÉE

Yellow Kid, le gamin jaune créé par l'Américain Richard Outcault, devint en 1896 le premier personnage de bande dessinée à s'exprimer dans une bulle.

En 1889, *les Aventures de la Famille Fenouillard*, est probablement le précurseur français du scénario illustré et légendé (mais sans bulle). Après lui, les journaux pour enfants populariseront des héros qui seront les complices de plusieurs générations de garçons et de filles : Bécassine et *la Semaine de Suzette* en 1904, les Pieds Nickelés et *l'Épatant*, en 1908, Zig dialoguant en bulles avec Puce dans *le Dimanche Illustré*, en 1925, *le Journal de Mickey* en 1934. Mais également Tarzan, Mandrake le Magicien, Prince Vaillant, Popeye, Dick Tracy… [133].

La génération suivante se passionnera pour l'école belge de la bande dessinée : Spirou d'André Franquin, le célèbre reporter Tintin d'Hergé qui sut s'entourer, pour la rédaction de son journal, de jeunes dessinateurs aussi talentueux que Jacobs (*Blake et Mortimer*), Cuvelier (*Corentin*) ou Jacques Martin (*Alix*).

En France, *Pilote* est fondé en 1959 par les auteurs d'*Astérix le Gaulois*.

La bande dessinée est aujourd'hui un art majeur : elle séduit les grands et les petits de 7 à 77 ans !

LE DESSIN ANIMÉ

En 1892, É. Reynaud présente les premiers dessins animés au théâtre optique du Musée Grévin, à Paris. George Méliès et Émile Cohl lui emboîtent le pas, suivis par l'Américain Stuart Blackton.

Pat Sullivan, Australien émigré aux États-Unis, crée Félix le Chat en 1917, tandis que les frères Fleischer donnent naissance à Popeye.

Les années trente consacrent les créations intemporelles de Walt Disney (1901-1966) et de son dessinateur Ub Iwerks : les trois petits cochons en 1933, Donald en 1934, Blanche-Neige et les sept nains en 1937, Pinocchio en 1939, Bambi en 1941, des personnages intemporels qui étaient des Extra-Terrestres avant l'heure !●

COMICS

Created by an American Richard Outcault, Yellow Kid became in 1896 the first character to speak in a comic bubble. Seven years before, Les Aventures de la Famille Fenouillard, *was propably the French forerunner of cartoons with a caption but without bubbles. Thereafter, children's periodicals popularized heroes who became accomplices of several generations of boys and girls: for instance Becassine in* La Semaine de Suzette *in 1904, Les Pieds Nickelés in* l'Épatant *in 1908, Zig speaking in comic balls with Puce in* Le Dimanche Illustré *in 1925,* Le Journal de Mickey *in 1934. Not to forget Tarzan, Mandrake the Magician, Prince Vaillant, Popeye and Dick Tracy… [133].*

*The next generation was thrilled by the Belgian school of comic strips; not only by Spirou created by André Franquin but also by the famous reporter Tintin whose author Hergé managed to bring into his team such talented cartoonists as Jacobs (*Blake and Mortimer*), Cuvelier (*Corentin*) or Jacques Martin (*Alix*).*

In France the creators of Astérix the Gaul *launched* Pilote *in 1959.*

Comic strips have now matured into a major art and enthrall young ones and grown ups from 7 to 77 years old!

CARTOONS

In 1892, E. Reynaud presented the first cartoons at the optical theatre of Musée Grévin in Paris. Georges Méliès and Émile Cohl followed in his steps and they in turn were followed by the American Stewart Blackton. Pat Sullivan an Australian emigrant to the United States created Felix the Cat in 1917 while the Fleischer brothers created Popeye.

The 30's saw the immortal creations of Walt Disney (1901 to 1966) and of his cartoonist Ub Iwerks : the Three Little Pigs in 1933, Donald in 1934, Snow White and the Seven Dwarfs in 1937, Pinochio in 1939, Bambi in 1941 all of these who were, in fact, Extra-Terrestrials before time! ●

423

424

ENCAUSTIQUE LIQUIDE
VERNIS
Bril
PRODUITS
Noyama
ENCAUSTIQUE
LIQUIDE
1 LITRE
PRODUIT NOYAMA

425

DISNEYLAND
DISNEYLAND
DISNEYLAND
DISNEYLAND

426

Zorro

En 1919, le personnage de Don Diego de La Vega fut inventé par l'Américain J. Mac Cully qui s'inspira de la vie de José Marca Avilla. Zorro est bien arrivé, sur son cheval Tornade, et il n'a plus jamais quitté le cœur de nos enfants. ●

In 1919 the character Don Diego de la Vega was invented by the American J Mac Colley who used the like of Jose Marca Avilla as an inspiration. Zoro came riding on his horse Tornade and never left the heart of our children. ●

427

428

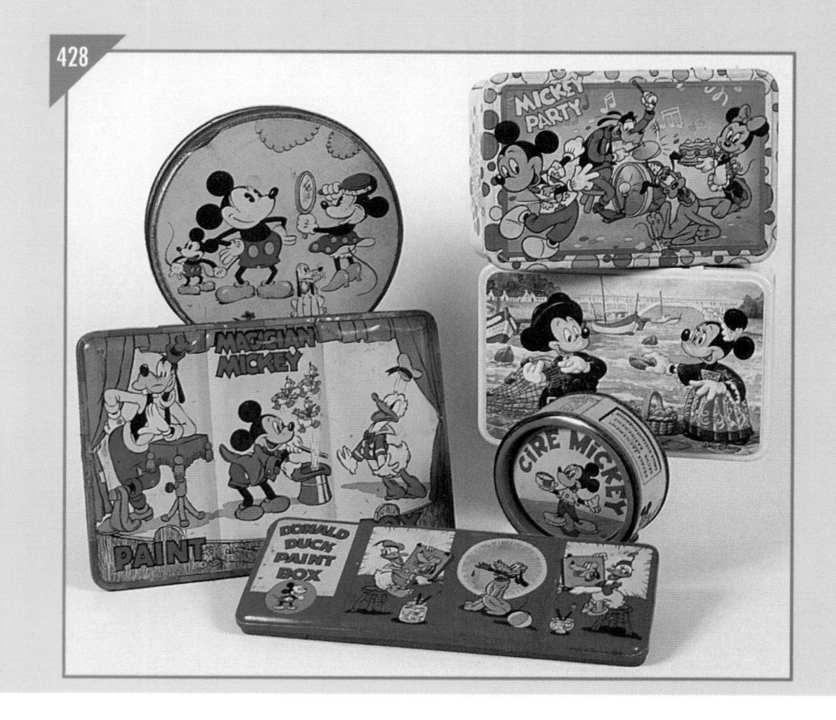

429

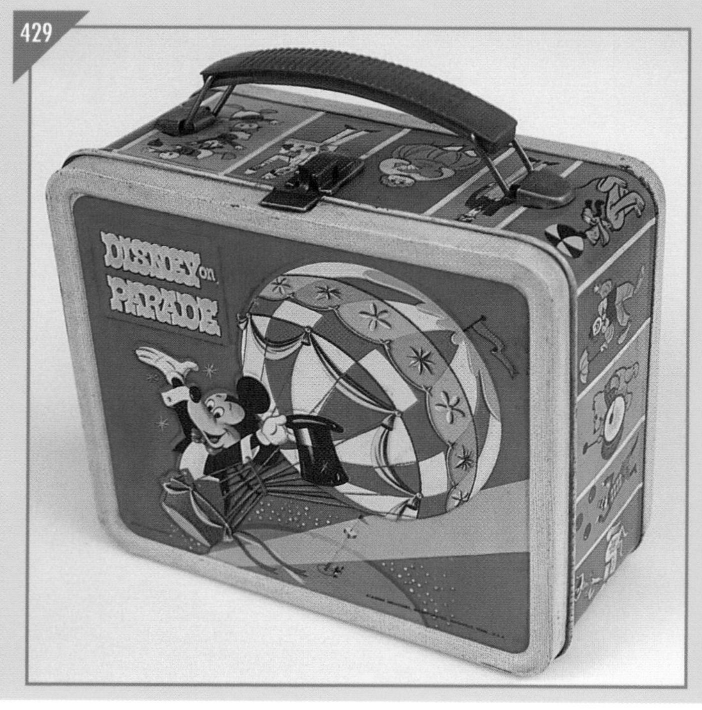

430

431

426 • [✪ 2].

427 • [✪ 1 à 3].

428 • Rondes [✪ 4].
Plates [✪ 2].

429 • [✪ 3].

430 • [✪ 2].

431 • [✪ 2].

NOIR C'EST NOIR
black is black

L'utilisation du Noir dans l'art publicitaire est une expression graphique occasionnelle et relativement marginale [3] et il en est de même dans l'univers des boîtes métalliques.

Un inventaire par pays, à travers les ouvrages consacrés aux Noirs (a), laisse une confortable avance à la France et même à la Belgique, probablement en raison de leur passé de puissance coloniale ! Les goûts des Britanniques penchent de même, pour des scènes orientalistes et des décors d'inspiration indienne. Paradoxalement, les boîtes américaines (b) ne montrent que très rarement des Noirs.

Du milieu du XIXe siècle à la Première Guerre mondiale, les conquêtes coloniales françaises sont une source inépuisable de rêve et de fascination et l'on voyage avec bonheur à travers les récits de Jules Verne ou de Paul d'Ivoi. La réclame suit et se met au goût de l'exotisme avec de nombreux exemples comme la margarine Végétaline ou le déjeuner Supra-Cao. Le domaine de prédilection de cette imagerie demeure tout de même le produit alimentaire d'origine exotique comme le café, le cacao ou les confiseries.

Les grandes expositions de la fin du XIXe contribueront à développer un mythe entretenu par l'Exposition coloniale de Marseille en 1906 et surtout la triomphale Exposition universelle de Paris en 1931, où 33 millions de visiteurs s'aglutineront devant les pavillons africains. La boîte créée à cette occasion est un reflet fidèle de cette ambiance.

L'image du Noir, durant cette période, est largement empreinte de paternalisme, voire de mépris. Pour beaucoup de Français de la Belle Époque, l'homme noir est avant tout un primitif qu'il s'agit d'évangéliser et de domestiquer [38].

La participation souvent héroïque des bataillons de tirailleurs sénégalais aux deux guerres mondiales, fera certes quelque peu évoluer les mentalités, mais il faudra attendre les années trente pour que le Noir soit présenté autrement qu'en domestique ou cireur de chaussures. L'affiche de Paul Colin pour la *Revue Nègre*, en 1925, marque un changement dans la représentation du Noir, même si, là aussi, l'artifice des lèvres rouges n'est pas évité.

Cette attitude s'exprime, par exemple, par une exagération du caractère négroïde : lèvres épaisses, sourires béats et une présence astucieuse de la couleur blanche contrastant avec des cheveux rouges, pour en accentuer la dérision.

Il y a une petite, et rare exception, pour le Noir américain, évocateur de jazz et de rythme dont l'image est utilisée à bon escient sur des boîtes d'aiguilles de phonographe de la marque Bohin. Comme sur les affiches, l'homme est plus souvent présent que la femme que l'on ose moins, semble-t-il, caricaturer et dont la représentation est plus fidèle à la réalité. ●

(a) *Tins decorative Printed* [45], *Cigaretten Recclame* [107] et *Die dreidimensionale Verführung* [97], ne montrent aucun Noir. *Tin Dreams* [20], n'en représente qu'une seule fois sur une boîte à cirage de la marque Sénégal.

(b) Dans *Tobacco Tins* [6], la boîte à tabac Nigger est illustrée par un Noir portant des anneaux dans l'oreille et le nez. Dans *Food & Drink Containers* [5], Luzianne et Welcome Guest sont des boîtes à café illustrées d'une femme noire de forte corpulence et d'un Noir stylé, servant le café. Dans *Drugstore Tins & Their prices* [123] il n'y en a aucun.

432

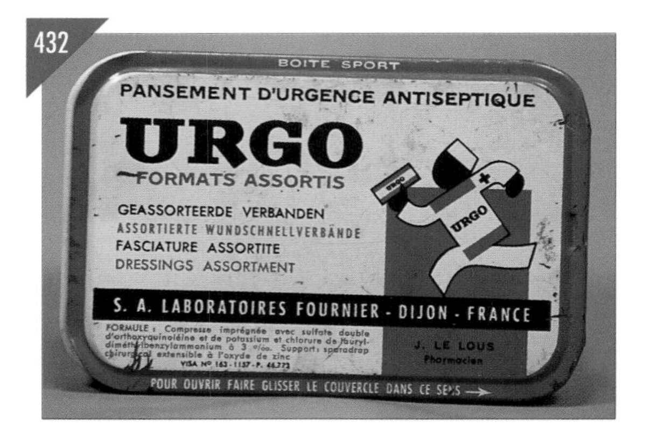

433

434

435

436

432 • [✪ 2].

433 • [✪ 2].

434 • [✪ 2 à 3].

435 • [✪ 2].

436 • [✪ 5].
Dessin de Eugène Ogé.

L'évolution des slogans publicitaires sur les boîtes est riche d'enseignements, car peu de marques peuvent être étudiées sur une aussi longue période que celles de cacao.

• Pour la période bleue (1914-1949) :
- « Suralimentation Intensive, Reconstituant, Énergétique, Contenant toutes les matières indispensables à la vie » (période 14-18).
- « Le Meilleur de Tous les Déjeuners du Matin. Fabrication Française ».
- « 1er Déjeuner Sucré ».
- « Y'a Bon » (apparaît en 1924, avec le tirailleur).
- « Formule Médicalement Contrôlée. Tout un régime dans une Tasse. » (à partir de 1930).
- « Petit Déjeuner Reconstituant. À la farine de Banane. »
- « Le Meilleur de Tous Les Déjeuners Sucrés » (1925-1935).
- « Le Trésor des Familles. »
- « En vente dans toutes les bonnes Maisons d'Alimentation, drogueries, pharmacies, etc. »
- « Puissant Reconstituant. »

• Pour la période jaune (depuis 1949) :
- « Le Petit Déjeuner Familial. »
- « Le Petit Déjeuner Chocolaté. »
- « Le Petit Déjeuner Dynamique. » (1967).
- « Le Plus nourrissant des Aliments Français. » C'est la réplique de l'affiche de De Andreis de 1915.
- « Un Repas le Matin. » (1977).
- « Le Bon Petit déjeuner équilibré. » (début des années 80). ●

black is black
NOIR C'EST NOIR

Black people are used marginally in graphic art [3] and the same applies to the world of tins.

A survey on the use of Black people by country shows France and Belgium in the fore front, doubtless a reflection of their past as colonial powers. For the same reason, the British favoured oriental scenes and designs inspired by India. Paradoxically, American tins (b) very rarely depicted Blacks.

The French colonial conquest from the middle of the 19th century until the first World War was an inexhaustible source of dreams and fascination and people happily travelled in these countries with the tales of Jules Verne and Paul d'Ivoi. Advertising followed this trend for the exotic, for example, the margarine Végétaline or the breakfast drink Super-Cao. But the Black theme was predominately used to promote food of exotic origins such as coffee, cocoa or confectionary.

The large exhibitions of the end of the 19th century contributed to the myth and this continued with the Colonial Exhibition of 1906 in Marseille and particularly the highly successful World Fair of Paris in 1931 when 33 million people crammed in the African stands. The tin created for the event faithfully reflects the ambiance. The image of the black people was largely marked by paternalism or even mockery. The majority of French people thought that Black people needed to be domesticated and converted to the Christian faith [38].

The heroic actions of the Senegalese infantry in the two World Wars helped to change opinions but it was the thirties before black people were thought of as other than servants or shoeshiners. The poster by Paul Colin for the Negro Revue in 1925 showed a certain evolution in attitudes even if the artifice of red lips was not avoided.

This attitude was also expressed by the exaggeration of negroid characteristics such as thick lips and wide smile contrasting astutely with white skin and red hair to accentuate the irony.

The exception is that of black American jazzmen judiciously used on the tins of phonograph needles by Bohin.

As with posters, men are shown more often than women, for it was not right to caricature women who were depicted in a more realistic manner. ●

(a) Tins decorative printed [45] Cigaretten Recclame [107] and Die dreidimensionale Verführung [97], do not show any black people. Tin Dreams [20] have one example on a tin of polish for the make Senegal.

(b) In Tobacco Tins [6] the illustration on the tobacco tin Nigger shows a blackman with rings in his nose and ear. In Food & Drink Containers [5] Luzianne and Welcome Guest are coffee tins illustrated with a large black woman and a black man serving coffee. There are none in Drugstore Tins & Their Prices [123].

437

438

439

440

437 • [✪ 1].

438 • [✪ 5].

439 • [✪ 2 à 4].
En bas à gauche : Café Le Succulent de Bertout.
En bas à droite : Bensdorf.

440 • [✪ 1].

441 • [✪ 2 à 4].

Page suivante : [✪ 2].

441

Slogans

Few brands of cocoa have existed for such a long period of time and it is interesting to see the evolution of the advertising slogans.

The Blue Period (1914-1949):

Extremely nourishing, tonic, energy giving, contains everything you need (1914-1918).

The Best sweetened breakfast.

Ya Bon (first appeared in 1924 at the same time as the infantryman).

Medically controled formula. All you need in a cup (from 1930).

Breakfast tonic with banana flour.

The Best of all the sweetened breakfasts. (1925-1935).

The Family treasure.

Sold in all the best foodstores, drugstores and pharmacies.

A powerful tonic.

The Yellow Period (since 1949):

The family breakfast.

The chocolate flavoured breakfast.

The dynamic breakfast (1967).

The most nourishing French food. With reference to the poster by De Andreiss in 1915.

A meal in the morning (1977).

A good well balanced breakfast (beginning of the 80's). ●

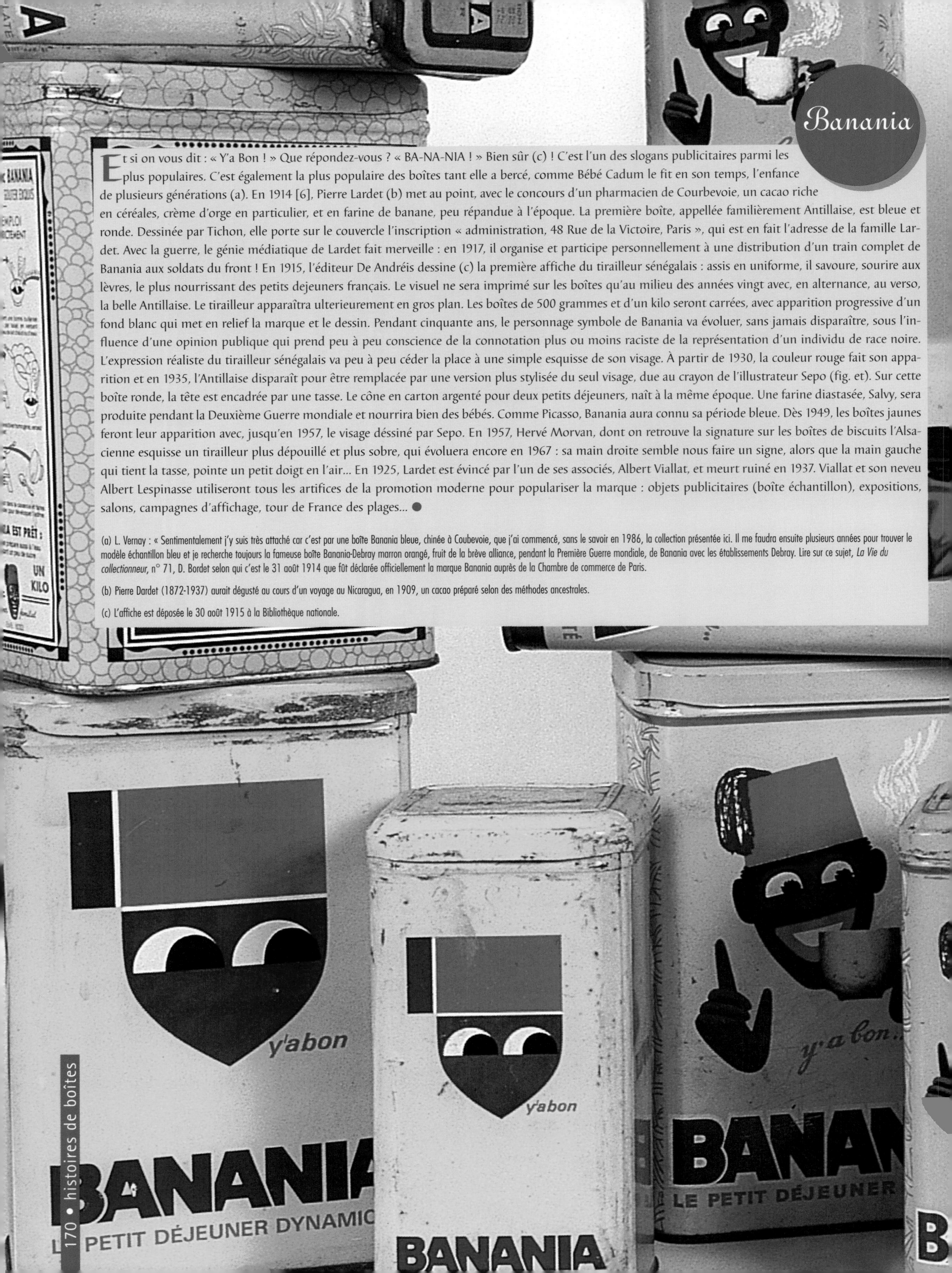

Banania

Et si on vous dit : « Y'a Bon ! » Que répondez-vous ? « BA-NA-NIA ! » Bien sûr (c) ! C'est l'un des slogans publicitaires parmi les plus populaires. C'est également la plus populaire des boîtes tant elle a bercé, comme Bébé Cadum le fit en son temps, l'enfance de plusieurs générations (a). En 1914 [6], Pierre Lardet (b) met au point, avec le concours d'un pharmacien de Courbevoie, un cacao riche en céréales, crème d'orge en particulier, et en farine de banane, peu répandue à l'époque. La première boîte, appellée familièrement Antillaise, est bleue et ronde. Dessinée par Tichon, elle porte sur le couvercle l'inscription « administration, 48 Rue de la Victoire, Paris », qui est en fait l'adresse de la famille Lardet. Avec la guerre, le génie médiatique de Lardet fait merveille : en 1917, il organise et participe personnellement à une distribution d'un train complet de Banania aux soldats du front ! En 1915, l'éditeur De Andréis dessine (c) la première affiche du tirailleur sénégalais : assis en uniforme, il savoure, sourire aux lèvres, le plus nourrissant des petits dejeuners français. Le visuel ne sera imprimé sur les boîtes qu'au milieu des années vingt avec, en alternance, au verso, la belle Antillaise. Le tirailleur apparaîtra ulterieurement en gros plan. Les boîtes de 500 grammes et d'un kilo seront carrées, avec apparition progressive d'un fond blanc qui met en relief la marque et le dessin. Pendant cinquante ans, le personnage symbole de Banania va évoluer, sans jamais disparaître, sous l'influence d'une opinion publique qui prend peu à peu conscience de la connotation plus ou moins raciste de la représentation d'un individu de race noire. L'expression réaliste du tirailleur sénégalais va peu à peu céder la place à une simple esquisse de son visage. À partir de 1930, la couleur rouge fait son apparition et en 1935, l'Antillaise disparaît pour être remplacée par une version plus stylisée du seul visage, due au crayon de l'illustrateur Sepo (fig. et). Sur cette boîte ronde, la tête est encadrée par une tasse. Le cône en carton argenté pour deux petits déjeuners, naît à la même époque. Une farine diastasée, Salvy, sera produite pendant la Deuxième Guerre mondiale et nourrira bien des bébés. Comme Picasso, Banania aura connu sa période bleue. Dès 1949, les boîtes jaunes feront leur apparition avec, jusqu'en 1957, le visage déssiné par Sepo. En 1957, Hervé Morvan, dont on retrouve la signature sur les boîtes de biscuits l'Alsacienne esquisse un tirailleur plus dépouillé et plus sobre, qui évoluera encore en 1967 : sa main droite semble nous faire un signe, alors que la main gauche qui tient la tasse, pointe un petit doigt en l'air... En 1925, Lardet est évincé par l'un de ses associés, Albert Viallat, et meurt ruiné en 1937. Viallat et son neveu Albert Lespinasse utiliseront tous les artifices de la promotion moderne pour populariser la marque : objets publicitaires (boîte échantillon), expositions, salons, campagnes d'affichage, tour de France des plages... ●

(a) L. Vernay : « Sentimentalement j'y suis très attaché car c'est par une boîte Banania bleue, chinée à Coubevoie, que j'ai commencé, sans le savoir en 1986, la collection présentée ici. Il me faudra ensuite plusieurs années pour trouver le modèle échantillon bleu et je recherche toujours la fameuse boîte Banania-Debray marron orangé, fruit de la brève alliance, pendant la Première Guerre mondiale, de Banania avec les établissements Debray. Lire sur ce sujet, *La Vie du collectionneur*, n° 71, D. Bordet selon qui c'est le 31 août 1914 que fût déclarée officiellement la marque Banania auprès de la Chambre de commerce de Paris.

(b) Pierre Dardet (1872-1937) aurait dégusté au cours d'un voyage au Nicaragua, en 1909, un cacao préparé selon des méthodes ancestrales.

(c) L'affiche est déposée le 30 août 1915 à la Bibliothèque nationale.

Banania

If I say Ya Bon ! What do you say? BA-NA-NIA ! Of course (c)! This was one of the most popular publicity slogans and an equally popular tin, as was that of Bébé Cadum soap in its time, bringing back memories of childhood to several generations (a). In 1914 [6] Pierre Lardet (b) with the help of a pharmaceutical chemist from Courbevoie perfected a cocoa enriched with cereals, particularly barley and the little known banana flour. The first tin known familiarly as the Antillaise was round and blue. The design was by Tichon and the lid had the inscription administration, 48 Rue de la Victoire, Paris, the address of the Lardet family.

In 1917 Lardet brought off a great publicity stunt when he personally accompanied and helped to distribute a trainload of Banania to the soldiers at the front. In 1915 the editor De Andreiss designed (c) the poster featuring the Senegalese infantryman. He was seated in his uniform and with a smile on his lips enjoying the most nourishing of French breakfast drinks. The picture was not used on tins until the twenties and was alternated with a beautiful West Indian woman on the reverse side. Later the infantryman was in the foreground. The 500 gr. and one kilo tin were square and progressively the background became white to highlight the tradename and the picture. Public opinion changed and people became aware of the racist signification of using the image of African people and as a result, over the next fifty years, the Banania symbol changed. A sketched outline of his face replaced the realistic expression of the Senegalese infantryman. The tin was round and red from 1930 and in 1935 the West Indian was replaced by a drawing by the illustrator Sepo of more stylised face framed by a cup. At the same time a silvered cardboard cone containing two servings was produced. During the Second World War many babies were fed on a diastasic flour named Salvy. As did Picasso, Banania had a Blue Period; from 1949 on wards the tins were yellow and decorated with Sepo's drawing until 1957. In 1957 Hervé Moran, whose work is also found on the Alsacienne biscuit boxes, drew an infantryman in a more restrained style and in 1967 there were more changes, the soldiers right hand apparently waving and the left hand holding the cup has the little finger raised. His associate Albert Viallat in 1925 supplanted lardet who died bankrupt in 1937. Viallat and his nephew Albert Lespinasse skilfully used all opportunities such as trial size boxes, exhibitions and trade fairs, publicity campaigns and even touring the French seaside resorts to promote their brand. ●

(a) L. Vernay : I am very attached to a blue Banania tin discovered in Courbevoie in 1986 which was the beginning of the collection shown here. It took me several years to find the blue sample size and I am still looking for the brownish-orange Banania-Debray box from the short time during the First World War when the two companies were associated. According to an article by D. Bordet in La Vie du Collectioneur, No 71, the trademark Banania was registered with the Paris Chamber of Commerce on 31st August 1914.

(b) Pierre Lardet (1872-1937) is thought to have savoured cocoa prepared from an ancient recipe when he visited Nicaragua in 1909.

(c) The poster was deposited at the National Library on the 30th August 1915.

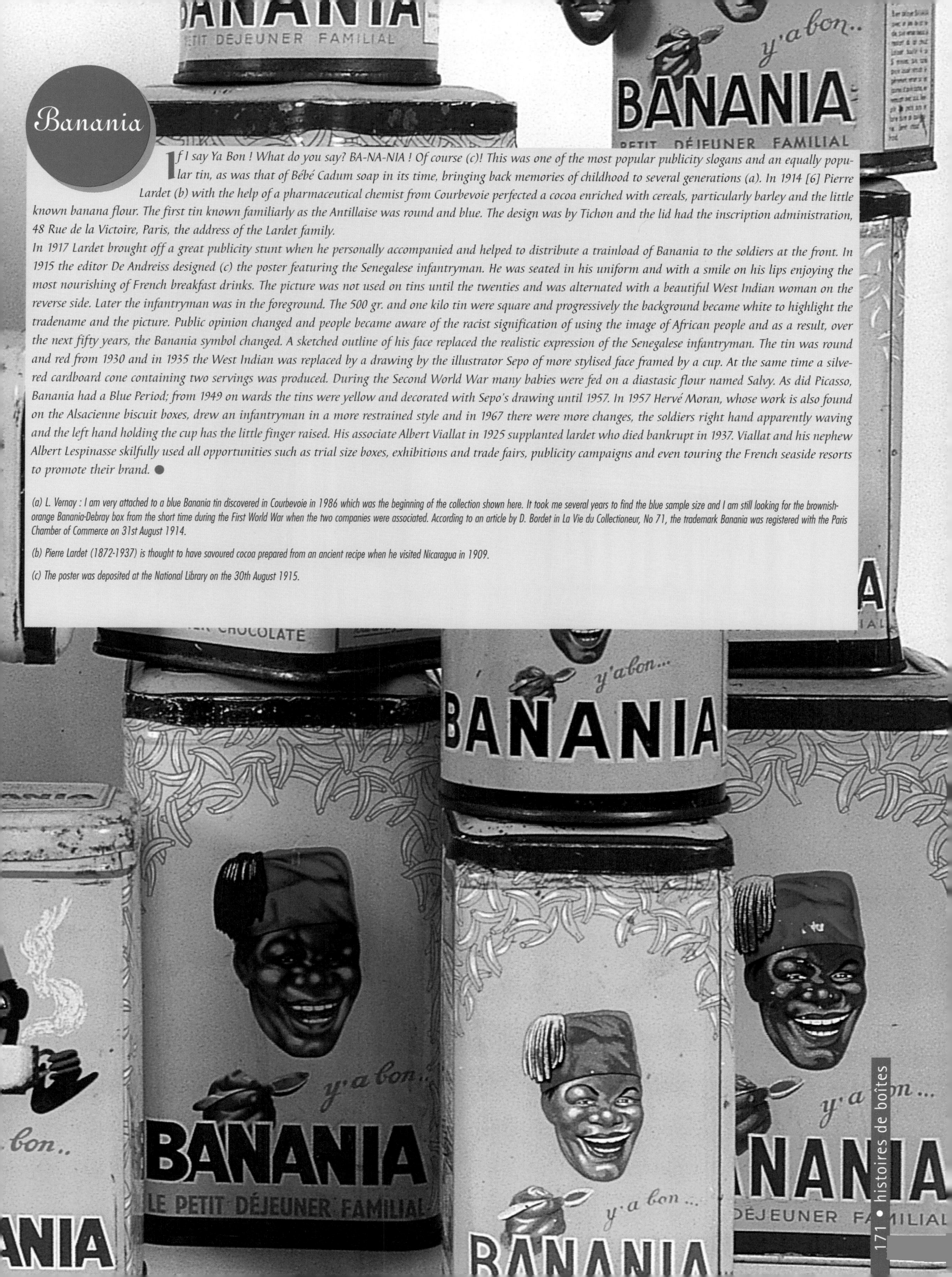

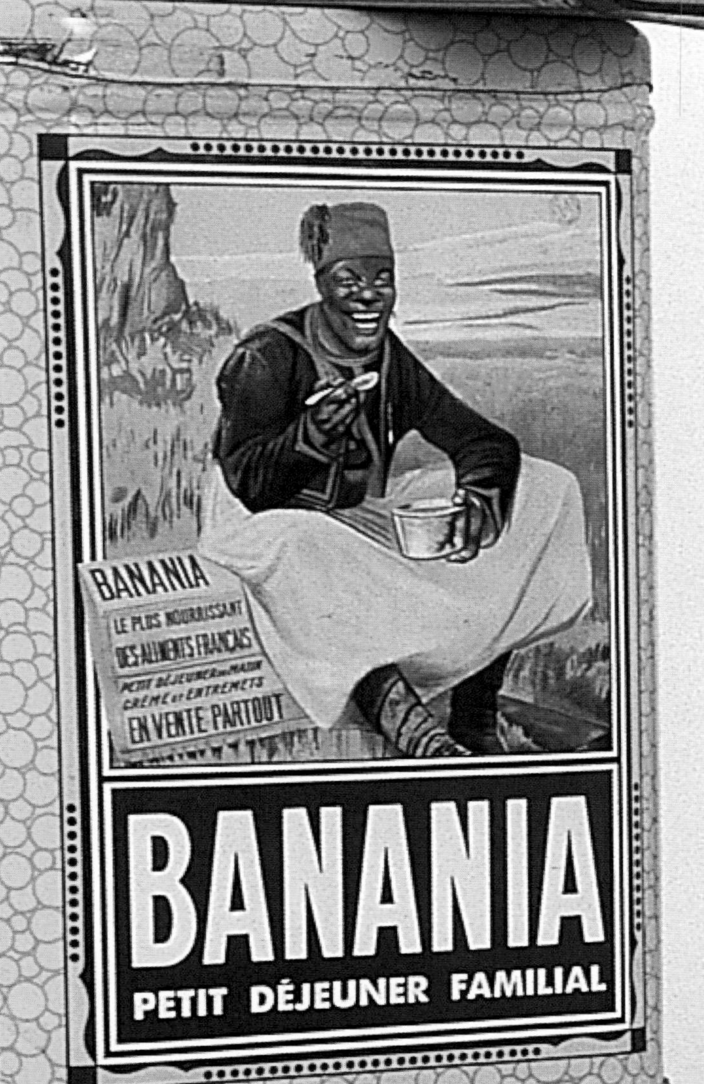

442 • [✪ 2 à 3].

443 • [✪ 5].

444 • [✪ 2].
En haut : [✪ 5].
En bas à droite : [✪ 5].

446 • [✪ 2].

442

443

44
BANANIA
PETIT DÉJEUNER FAMILIAL
y'a bon..
LE MEILLEUR DE TOUS LES DÉJEUNERS
CRÈMES & ENTREMETS DÉLICIEUX
Poids Net 250 Gr
FARINE SALVY
LACTÉE DIASTASÉE
ALIMENTATION RATIONNELLE DE LA PREMIÈRE ENFANCE
M. J. VIRMAUX
POIDS NET 250 Gr
TOUT UN RÉGIME DANS UNE TASSE
POIDS NET:
250 Gr
PETIT DÉJEUNER RECONSTITUANT
PUISSANT RECONSTITUANT
y'a bon...
PETIT DÉJEUNER CHOCOLATÉ
25 FR.
445
SURALIMENTATION INTENSIVE
RECONSTITUANT ÉNERGIQUE
CONTENANT TOUTES LES MATIÈRES INDISPENSABLES À LA VIE
4.50
LE MEILLEUR DE TOUS LES DÉJEUNERS DU MATIN
446
ALIMENT COMPOSÉ DE CACAO, SUCRE, FARINE DE BANANE ET CRÈME D'ORGE
MODÈLE DÉPOSÉ
2f.75
bon...

FAR-WEST
the far-west

LE RÊVE AMÉRICAIN
THE AMERICAN DREAM

Dès le milieu du siècle dernier, les États-Unis ont représenté, pour des millions d'Européens, l'espoir de meilleures conditions d'existence. L'Ouest américain, où tout semble possible, devient le mythe de ce devenir pour eux comme pour les Américains auxquels le président Théodore Roosevelt lance à la jeunesse, en 1903, la fameuse apostrophe : « Go West, young men. »
Le cinéma s'en empare la même année, lorsque Edwin Porter réalise *Le Vol du rapide* et inaugure un nouveau genre cinématographique, le western, qui connaîtra le succès mondial que l'on sait.
Dans le décor des boîtes, les principaux utilisateurs de ce thème furent d'abord les fabricants de tabac et cigarettes. Mais les cow-boys chevauchèrent beaucoup d'autres boîtes et l'on retrouvera le Far-West dans le monde des biscuits, des produits d'entretien, des graisses et cirages, des boîtes de couleurs et même des médicaments. Des deux cotés de l'Atlantique, le rêve est toujours vivant ! ●

From the middle of the last century the United States represented, for millions of Europeans, the hope of better living conditions. Out West, where everything seemed possible, became a myth of this dream-like future and the President of the United States, Theodore Roosevelt, said to them in 1903 "Go West Young Men" and these famous words became a catch phrase.
Then, in the same year, the cinema also put on a movie by Edwin Porter and it started off a new kind of a cinema genre, the Western, which as we know, became successful and well known world-wide.
In the decoration of metal boxes the main illustrators and users of this theme-the Western- were first the makers of tobacco and cigarettes. But the cow-boys also became part of many other boxes and the Far West became a theme that we can find in boxes for biscuits, household products, polish, grease, coloured boxes and even medicine. On both sides of the Atlantic this dream is still with us today! ●

447 • À gauche : [✪ 5].
À droite : [✪ 2].

448 • [✪ 3].

449 • [✪ 2].

451 • [✪ 1].

452 • [✪ 2].

447

448

449

450

451

452

FAR-WEST
the far-west

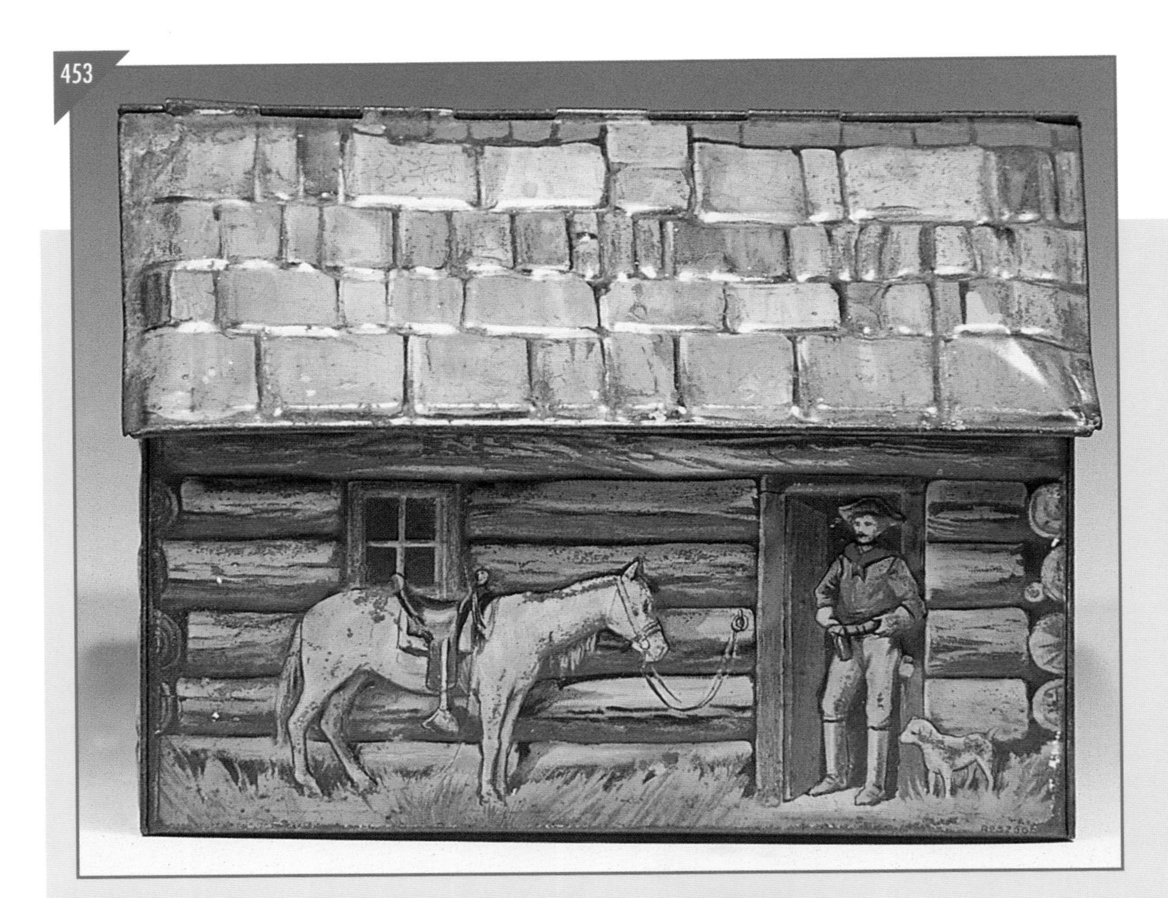

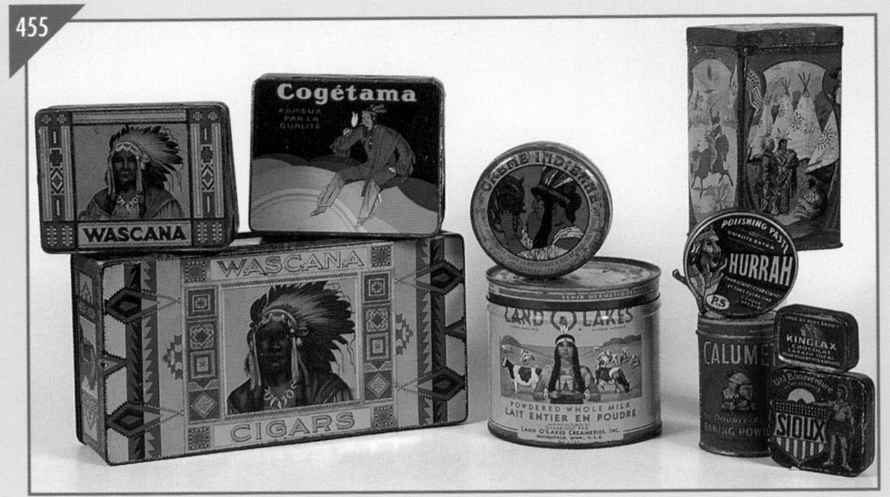

453 • Olibet [✪ 5].

454 • [✪ 2].

455 • [✪ 2 à 3].

456 • [✪ 2].

JEUX
games

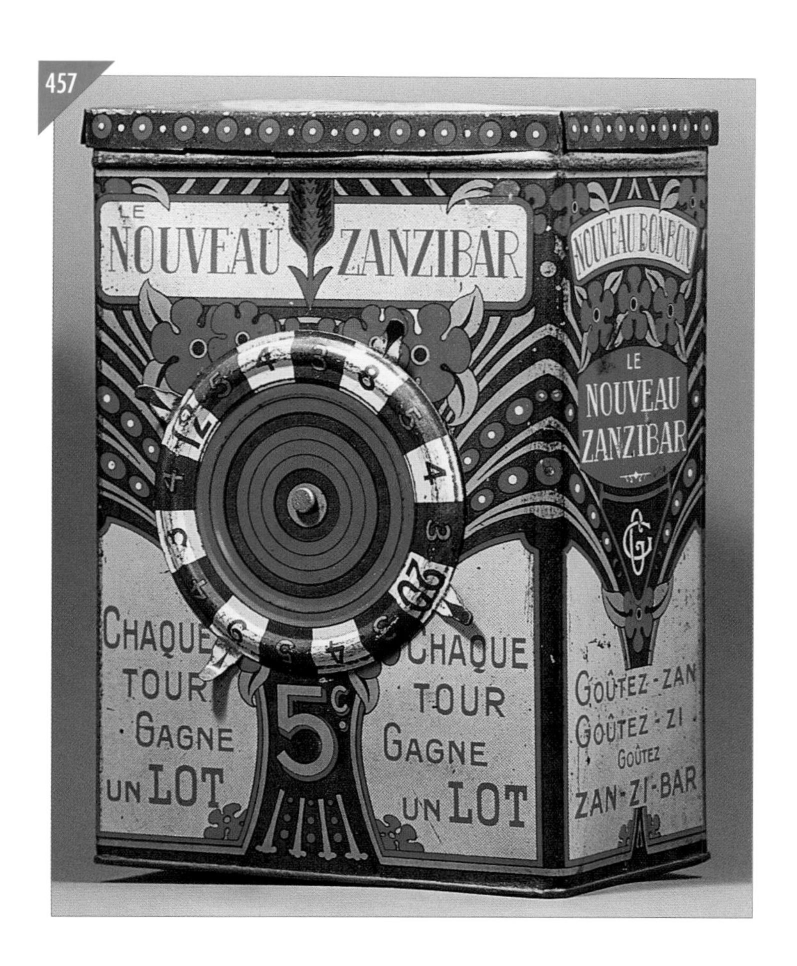

457 • [✪ 5].

458 • Château Robert
[✪ 2].

459 • Confiserie Martel
[✪ 4].

460 • Casiez-Bourjeois
[✪ 4].

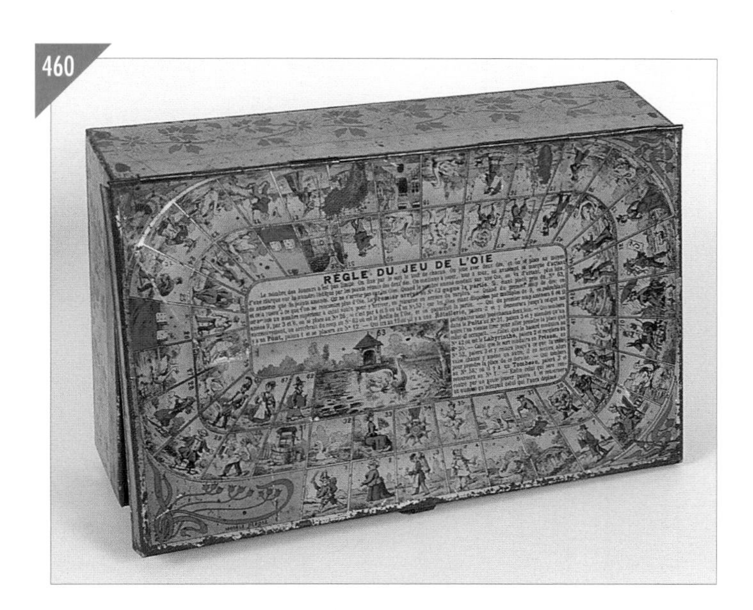

461

462

463

464

465

461 • [✪ 4].

462 • Monte-Carlo Lefèvre Utile [✪ 6].

463 • [✪ 4].

465 • [✪ 5].

BOÎTES À FORME
unusual shaped boxes

466

467

468

467 • Geslot & Voreux [✪ 6].

468 • Galettes Saint-Michel [✪ 6].

469 • [✪ 6].
À gauche : Té Puro de Horniman [✪ 8].

BOÎTES À FORME
unusual shaped boxes

469

470

471

472

473

469 • Biscuits Flor [✪ 3].

470 • Pérugina, 1930 [✪ 7].

471 • Olibet [✪ 8].

472 • Lune Polvos [✪ 3].

473 • [✪ 9].

474

475

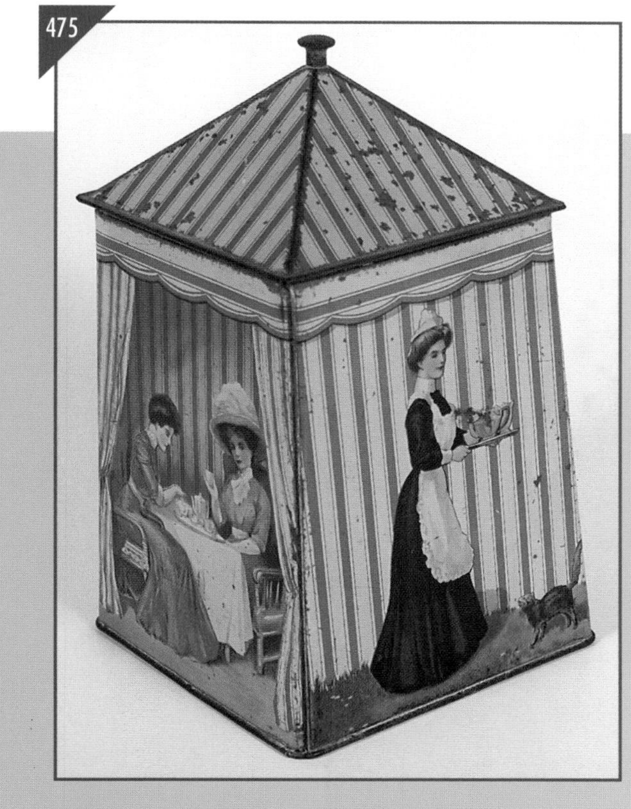

476

477

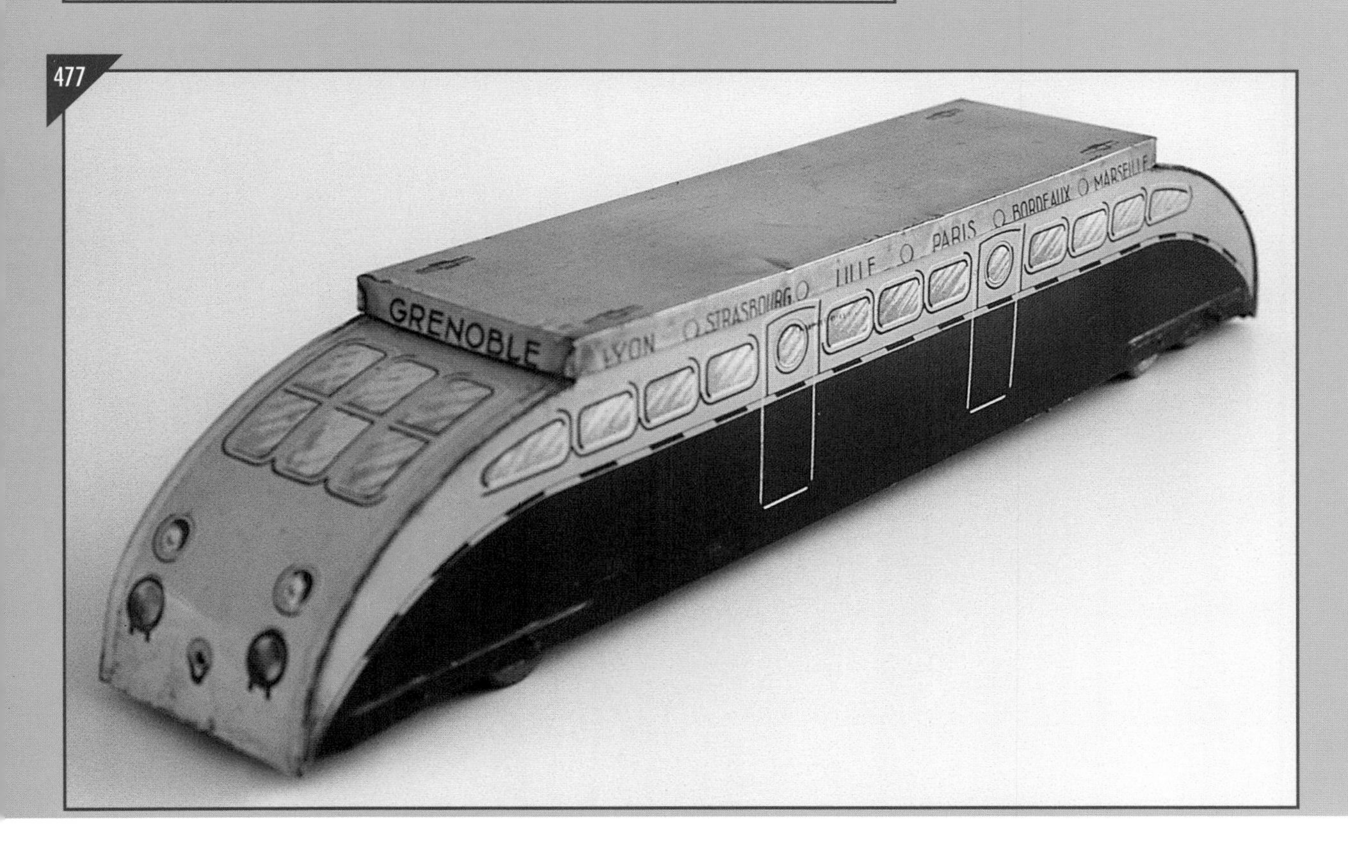

474 • [✪ 6].

475 • Olibet [✪ 6].

476 • [✪ 8].

477 • Brun [✪ 6].

BOÎTES À FORME
unusual shaped boxes

478

479

478 • Lefèvre Utile.
Dessin Mucha [✪ 6].

479 • [✪ 6].

480 • Aladin[✪ 5].

481 • Carr [✪ 8].

480

481

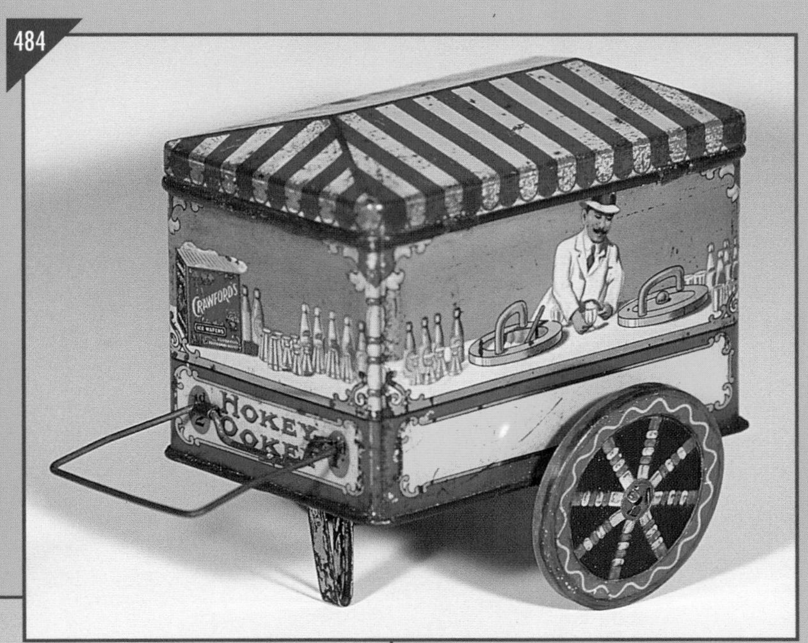

482 • Victory [✪ 6].

483 • Jog [✪ 6].

484 • Hokey Pokey de W. Crawford [✪ 8].

485 • Pierrot Gourmand [✪ 3].

LES ARTS
the arts

Rythme sans blues. / Music without blues.

486

486 • [✪ 3].

487 • Sans nom [✪ 2].

488 • [✪ 6].

489 • Manufactura Martinho [✪ 3].

490 • Société générale des biscuits français [✪ 4].

491 • [✪ 1].

492 • [✪ 1].

487

488

489

490

492

491

493

494

495

496

497

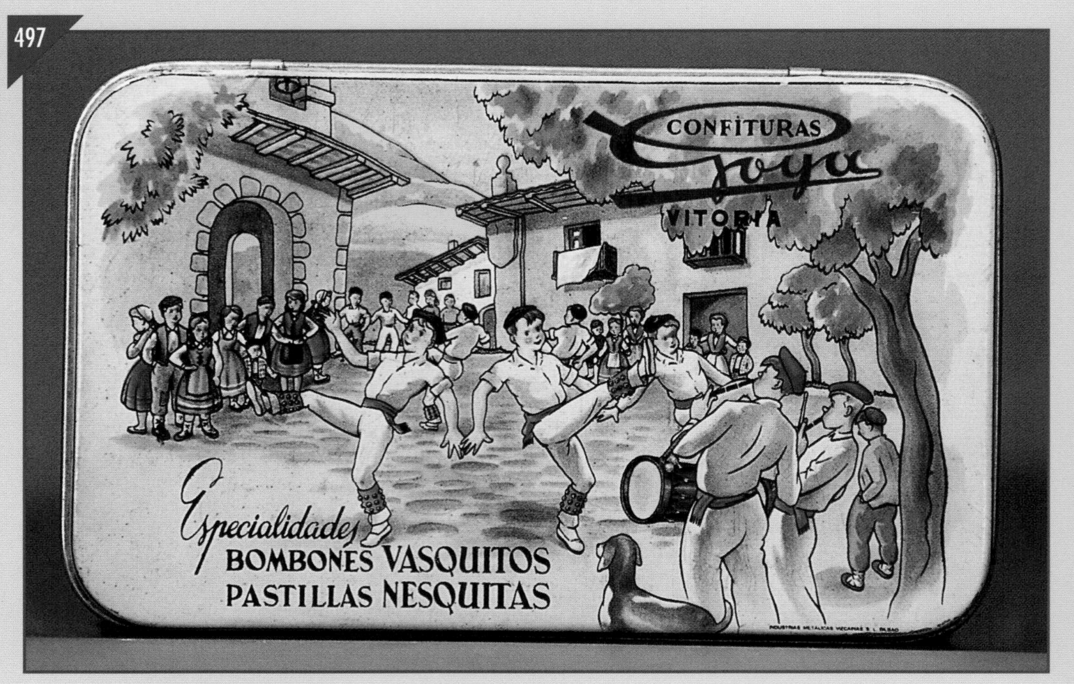

493 • [✪ 4].

494 • [✪ 2].

495 • [✪ 1].

496 • [✪ 1].

497 • (Angleterre) [✪ 1].

498

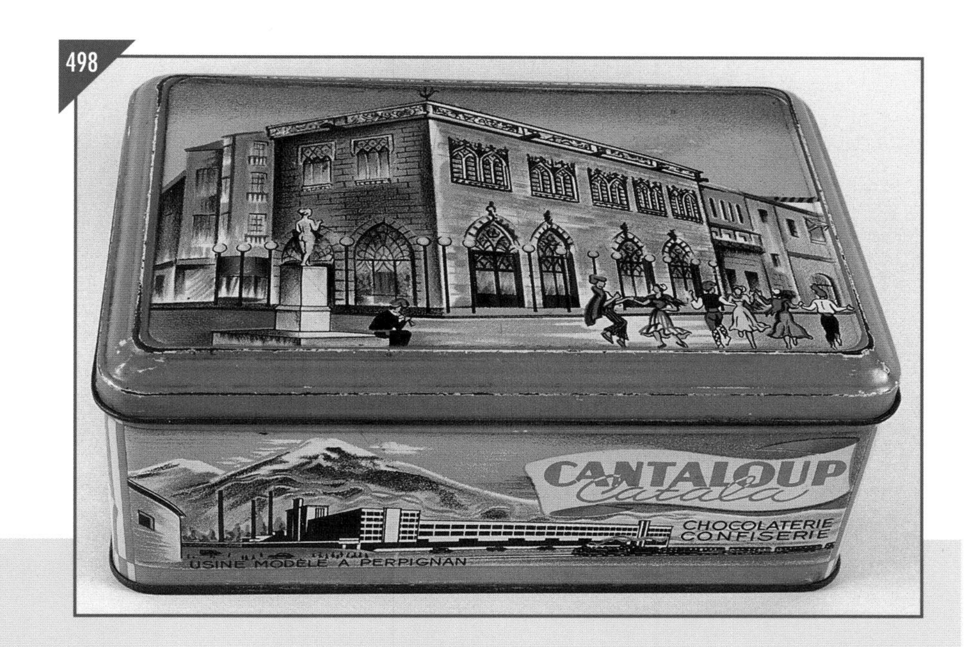

499

498 • [✪ 2].

499 • [✪ 6].

LE SPORT
sport

« L'important est de participer. » (Pierre de Coubertin).
« The most important thing is to participate. » *(Pierre de Coubertin).*

LE GLADIATEUR DES TEMPS MODERNES

THE MODERN GLADIATOR

Le mot vient du vieux français *desport* qui signifiait s'ébattre et par extension s'amuser [130]. Les Anglais raccourcissent le terme et introduisent la notion de compétition. Dans les années 1870, le *Littré* définit le sport comme un mot anglais employé pour désigner tout exercice de plein air, tel que courses de chevaux, canotage, chasse à courre, pêche, tir à l'arc, gymnastique, escrime. En France, on confond souvent le sport et le turf, mais le turf n'est qu'une espèce de sport.
La notion de record liée à la pratique du sport est promue puis sacralisée par le baron Pierre de Coubertin et ses héritiers. Les compétitions industrielles théâtralisées par les expositions universelles trouvent leur équivalent sportif, torches en tête, avec les premiers Jeux olympiques de 1894. Avec la démocratisation des loisirs [129], le sport se développe dans toutes les couches de la société, même si l'aristocratie s'en réserve encore l'usage dans des clubs fermés.
C'est en Angleterre que les matches de football et leurs spectateurs passionnés apparaissent au milieu du XIXe. Les compétitions, d'abord locales, deviennent vite régionales puis nationales. Le professionnalisme fait ses premiers pas en 1885 et durant la deuxième moitié du siècle le vélo devient un sport populaire : en France, première course Paris-Rouen en 1869, premier vélodrome en 1890 et début de l'immortel Tour de France en 1903. ●

The word comes from the old French' desport' which meant to play - s'ébattre- and therefore to have fun [130]. The English shortened this term and introduced a notion of competition. In the 1870's "Le Littré" defines sport as; "An English word used to designate all outdoor exercises like horse racing, boating, hunting, fishing, archery, gymnastics and sword fighting". In France we often confuse "sport" and "le turf" but "le turf" is only a type of sport.
The notion of records linked to the practicing of sports is something that was largely promoted by the Baron Pierre de Coubertin and his off-spring. Industrial competitions took on an almost theatrical form in World Fairs which found their equivalent in the form of sports, complete with lighting torches on their heads, with the first Olympic Games in 1894. With the democratisation of leisure activities [129], sport developed in every level of society even if the aristocracy still conserved the use of private clubs. In the middle of the 19th century football matches and their very excited and enthusiastic spectators first appeared in England. Competitions were first on a local basis, soon became regional and then even national. Professionalism in sport took its first steps in 1885 and during the second half of the century cycling became a popular sport. In France for example the first race was Paris-Rouen in 1869 and the first velodrome in 1890 and the beginning of the everlasting Tour de France in 1903. ●

500

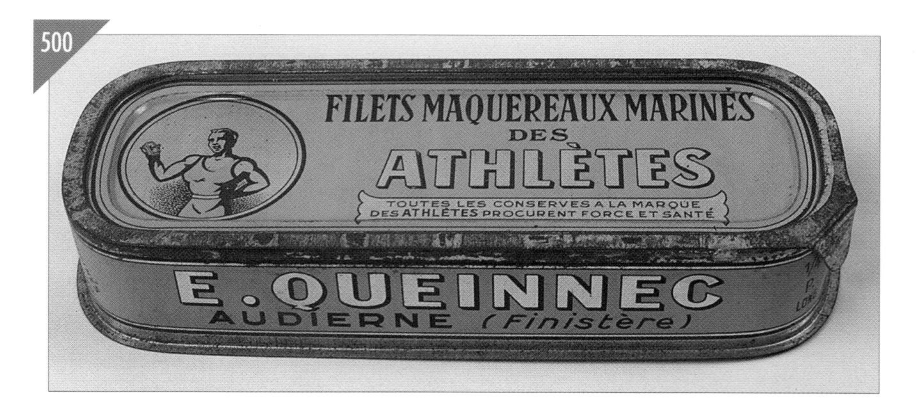

501

502

503

500 • [✪ 1].

501 • [✪ 2].

502 • Vichy-Prunelle [✪ 2].

503 • Boîte à brochets [✪ 2].

504 • [✪ 2 à 4].

505 • Athletic [✪ 5].
Golf [✪ 8].
Autres [✪ 2 à 3].

504

505

LE SPORT
sport

506

507

508

En 1690, le Français Sirvac se promène dans Paris sur un célérifère en bois en forme de lion. En 1818, Drais von Sauerbrown crée un engin à deux roues que l'on propulse à la force des mollets. En 1861, Pierre Michaud ajoute des pédales à son vélocipède. ●

In 1690 the French man Sirvac was travelling down the streets of Paris on a kind of a cut out piece of wood in the a shape of a lion. In 1818 Drais von Sauerbrown created a two-wheeled engine that could be propelled using one's calves. In 1861 Pierre Michaux added pedals to his velocipede. ●

509

506 • Café [✪ 5].
Luigi Vercelli, 1930.

507 • Cycle [✪ 4].
Autres [✪ 2 à 3].

508 • [✪ 3].

509 • [✪ 4].

MILITAIRES
military

510

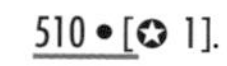

510 • [✪ 1].

511 • [✪ 3].

512 • [✪ 1].

513 • [✪ 1].

511

À gauche : Pendant la Première Guerre mondiale, l'identité du soldat était glissée dans la boîte au cas où il lui arriverait quelque chose.

Left : During world war one, name of the soldier is put in to tin in case he would die.

512

513

514

515

517

518

514 , 517 à 520 •
Sentries [✪ 6].

515 • [✪ 2].

516 • [✪ 3].

516

519

520

USINES
factories

521

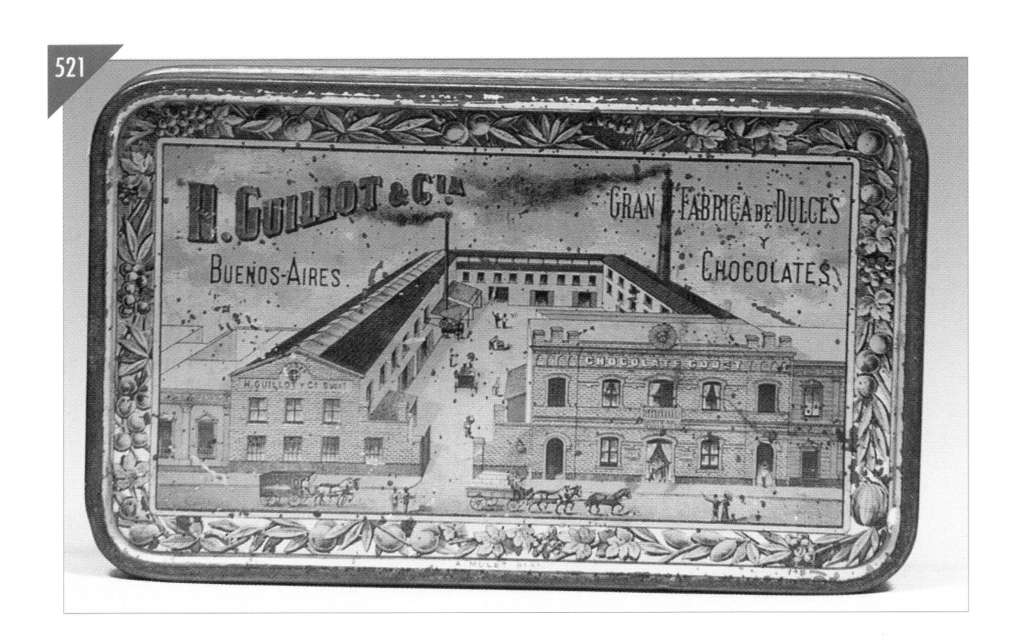

522

523

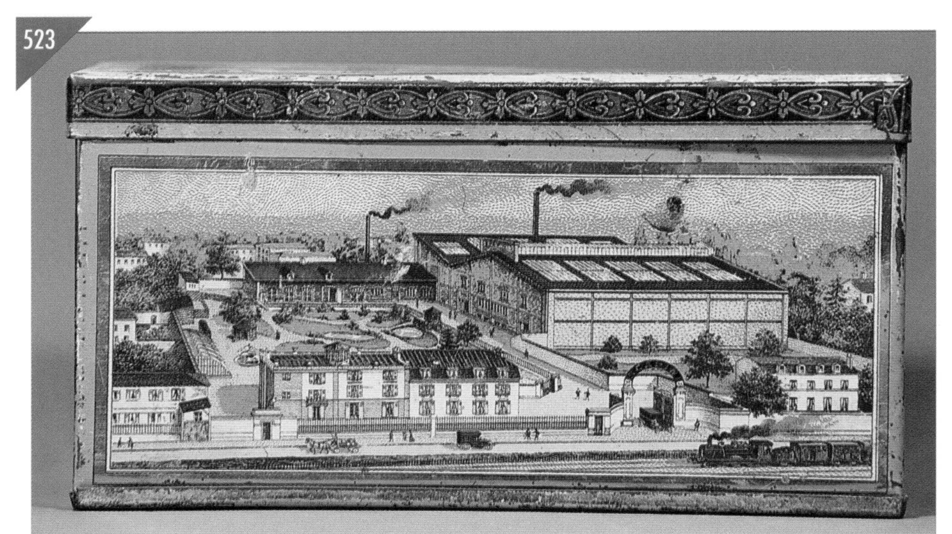

524

525

526

521 • [✪ 3].

522 • [✪ 2].

523 et 525 • Scapani [✪ 3].

524 • [✪ 3].

526 • [✪ 3].

527 • [✪ 2].

528 • [✪ 2].

529 • [✪ 3].

530 • [✪ 3].

527

528

Établissements Debray

Transformés en SA en 1909, les établissements Debray étaient spécialisés dans le négoce de cafés et de produits alimentaires divers. ●

Transformed into an S.A. in 1909 the Etablissements Debray were specialised in the trading of coffee and other food products. ●

529

530

LES MOYENS DE LOCOMOTION
transport

Que de chemin parcouru depuis le chariot aux roues de bois utilisé en Mésopotamie, 3 000 ans avant Jésus Christ, jusqu'au premier Spoutnik lancé en 1954 ! Bien avant la naissance du tourisme, la liberté des échanges a connu une longue histoire semée de revers et de conquêtes. De Léonard de Vinci à Jules Verne, l'imaginaire a souvent précédé le réel et combien d'Icare aura t-il fallu pour arriver aux merveilleuses inventions que transcrivent naïvement ces boîtes.

It's a long way from the wooden wheeled carriages used in Mesopotamia 3000 years BC to the Sputnik launched in 1954! Well before the birth of tourism, means of transport have a long history of backslides and progress. From Laonardo de Vinci to Jules Verne, fiction often preceded what became real. How many Icarus must have been needed to produce the marvellous inventions these tin boxes transcribe with ingenuity.

531

532

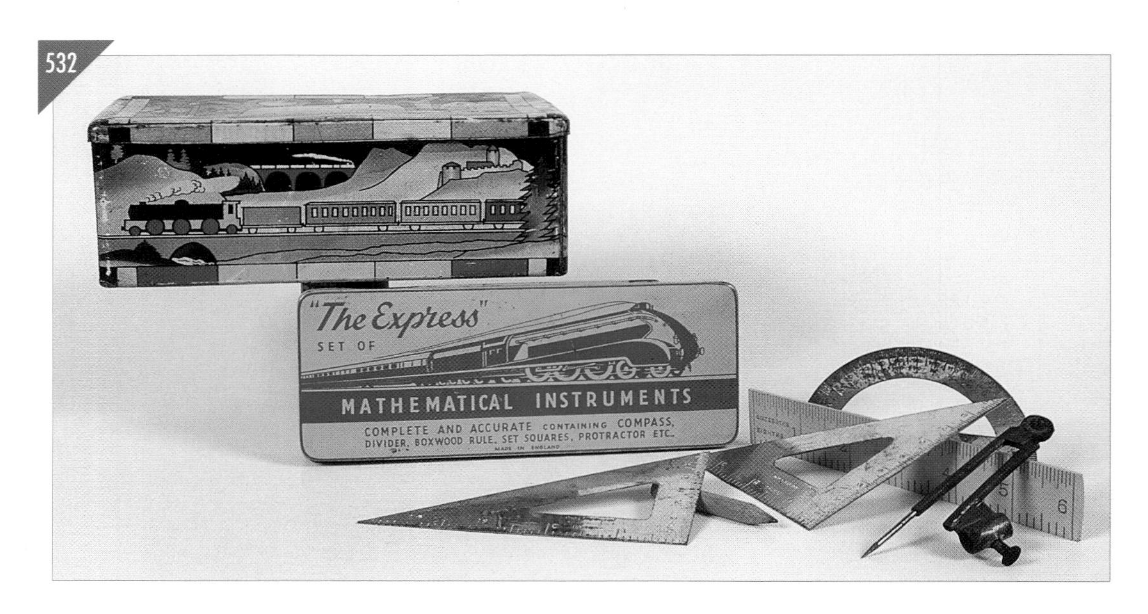

533

531 • [✪ 3].
J. Lyons.

532 • À gauche : sans nom [✪ 4].
Express : [✪ 2].

533 • [✪ 2].

534 • [✪ 3].

535 • [✪ 2].

536 • [✪ 2 à 4].

537

534

538

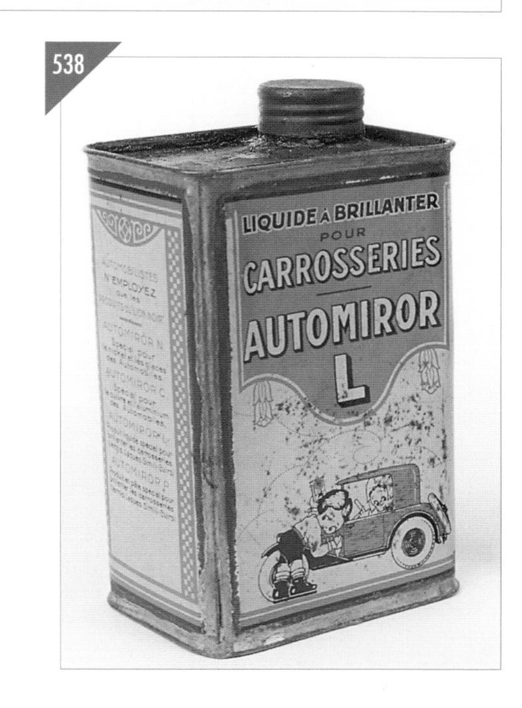

535

537 • [✪ 3].

538 et 539 • [✪ 3].

536

539

540

541

543

540 • [✪ 2].

541 • [✪ 2].

542 • [✪ 2].

543 • [✪ 2 à 4].

544 • [✪ 2].

545 • [✪ 2].

542

544

545

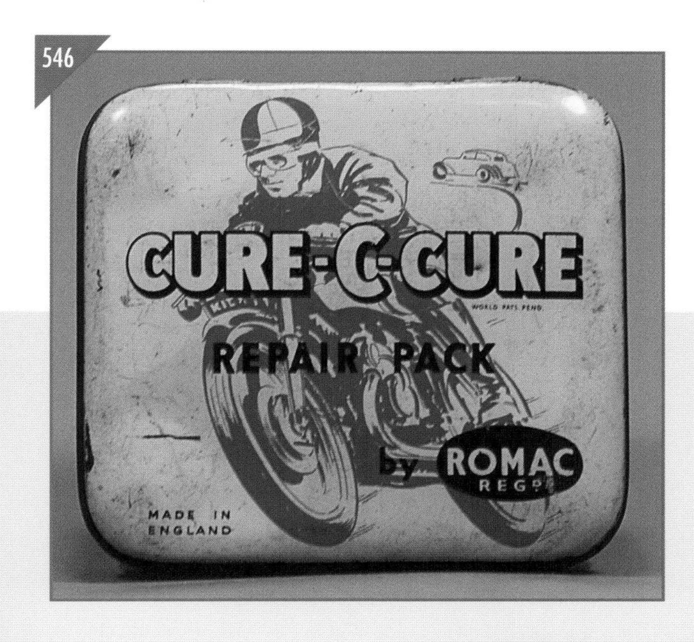

546 • [✪ 2].

547 • [✪ 5].

548 • [✪ 2].

549 • [✪ 3].

550 • [✪ 2].

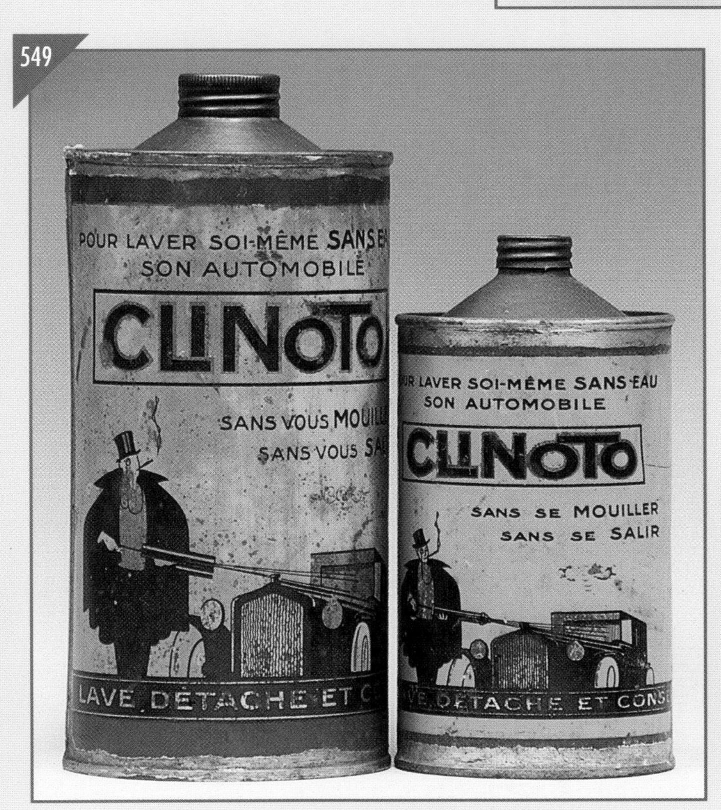

RÉGIONALISME
regionalism

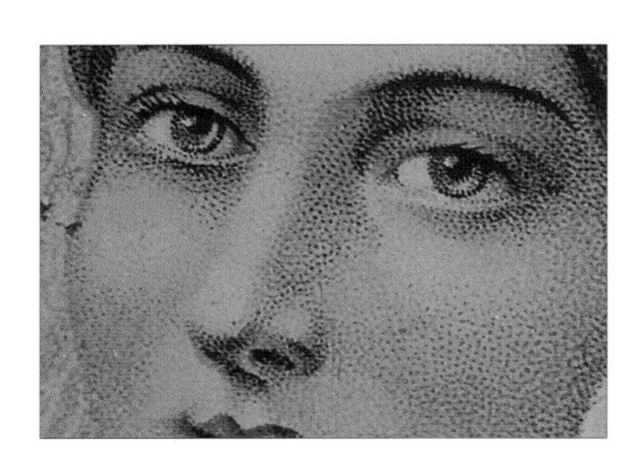

Confiserie La Source, Évian

La confiserie La Source a été ouverte en 1937 par Bertha Besson (1890-1965), au 17 de la rue National, dans un local qui avait été successivement une laiterie, une librairie et un magasin de mode. Sa fille Andréa tiendra le magasin de 1965 à 1971, date à laquelle Anne-Marie Delerce, fille de sa sœur Marguerite, lui succède jusqu'à la cession du fonds à un chocolatier grenoblois, Christian Bochard. La spécialité de La Source est le sucre d'orge, déposé sous la marque La Source, fait à l'eau d'Évian. Sa fabrication a été interrompue en 1969, faute d'investissements importants en matériel moderne et à la suite d'une raréfaction de la clientèle curiste d'Évian qui en était le principal débouché. Pourtant le Sucre d'Orge d'Évian a connu une belle notoriété pour cette petite entreprise qui en a produit jusqu'à une tonne par an, emballés artisanalement à la main. Dans les années cinquante, il était proposé aux curistes dans des bouteilles en aluminium, répliques des bouteilles en verre de la source Cachat. Le bonbon de forme ronde était vendu en vrac ou en présentation cadeau dans des boîtes identiques de trois tailles différentes. L'usage de la couleur rose fut abandonné sous la pression de la société des Eaux d'Évian, propriétaire de ce code de couleur. ●

Bertha Besson (1890-1965) and her sister Marie opened a tea room in Place du Port by the lake Léman, in premises owned by the Sisters of St. Joseph d'Annecy. When the premises were sold in 1913, the tea rooms moved to 33 rue National and traded under the name La Pagoda. Bertha opened her own tea room, Le Regina, at 17 rue National in 1915. She sold this in 1924 but kept the sweetshop La Bonbonnière under the arcades. In 1937, Bertha set up the confectioners La Source at 17, rue National. Bertha's daughter Andrea ran the shop from 1965 until 1971 when her sister Marguerite's daughter Anne-Marie Delerce took over until the business was sold to Christian Bochard, a chocolate maker from Grenoble. The speciality of La Source was barley sugar registered under their name and made with Evian water. Lack of investment in modern machinery and decline in the number of customers, mainly people taking spa cure in Evian, led to production being halted in 1969.

However the Sucre d'Orge d'Evian which enjoyed considerable notoriety for a small business had produced up to a tonne per year of its hand wrapped sweets. In the fifties the sweets could be bought in an aluminium bottle which were a replica of the glass bottle used for the Cachat mineral water. Round sweets were sold loose or in identical tins of three different sizes. The colour pink was abandoned as demanded by la Société des Eaux d'Evian which had the exclusive right. ●

551

552

553

551 • [✪ 2].

552 • [✪ 3].

553 • Biscuits confiserie de Bretagne [✪ 3].

554 et 555 • [✪ 2].

556 • [✪ 2 à 3].

Confiserie A. Vieillard, Clermont-Ferrand

La plus ancienne confiserie du Puy-de-Dôme se trouve à Clermont-Ferrand, au 31 de la rue Pascal, près de la cathédrale gothique. Elle fut fondée en 1781 par un monsieur Vieillard dont les descendants tinrent la maison jusqu'en 1923, année où Auguste Vieillard la cède à Jules Dudot. Grand voyageur, Jules avait représenté auparavant une chocolaterie au Brésil et il possédait deux magasins à Orléans et à Saint-Pétersbourg. Peu avant la Deuxième Guerre mondiale, son beau-frère Daniel Truchi lui rachète l'affaire et la revend un peu plus tard à sa nièce Andrée Truchi. Entre 1945 et1984, cette dernière s'associe avec Marie Jeanne Laquiéze pour y confectionner, entre autres, leur fameuse briquette au café. De 1984 à nos jours, c'est le fils de Marie Jeanne, Jean-Claude Guichard, qui préside à la destinée de la maison. Entre-temps, son épouse Christiane a élaboré un véritable musée du chocolat où l'on peut admirer les anciennes boîtes en carton et en métal de la maison et autres vieux moules à chocolat en étain. Pour l'anecdote c'est plus d'une centaine de colis par jour qui, au moment des fêtes de Noël et de Pâques, sont expédiés aux férus des Délices des Montagnes, des Hérissons et autres Pierrots aux quatre coins du monde. ●

A. Vieillard's Confectionery, Clermont-Ferrand
The oldest confectionery in the Puy de Dome is in Clermont -Ferrand 31 rue Pascal near the gothic cathedral. It was founded in 1781 by Mr Vieillard whose descendents ran the shop until 1923 when August Vieillard left it to Jules Dudot. A great traveller Jules had previously worked in a chocolate shop in Brazil and he owned two shops in Orleans and St Petersburg. Shortly before the second world war his brother in law Daniel Truchi bought the business from him and sold it shortly after to his niece Andre Truchi. Between 1945 and 1984 Andre and her associate Marie Jeanne Laquieze worked together. One of their most well-known specialities was their coffee slab. From 1984 to this day, it is Marie Jeanne's son Jean-Claude Guichard who presides over this house. Meanwhile his wife Christiane has created a real chocolate museum where you can see and admire some very old cardboard and metal boxes as well as some old pewter chocolate moulds. Just for the anecdote, at Christmas and at Easter time, more than one hundred packages a day are sent out to the fans of the Delices des Montagnes, the Herissons (hedgehogs) and Pierrots all over the world. ●

554

555

556

Cantalou

En 1814, Jules Pares crée à Arles-sur-Tech dans les Pyrénées, une chocolaterie dont l'influence reste locale jusqu'en 1940 où de graves inondations détruisent l'usine. Elle sera reconstruite aux portes de Perpignan par un de ses descendants, Léon Cantalou. À partir de 1962, Georges Poirrier reprend l'affaire qui produit, avec entre autres les prestigieuses marques Cémoi, Aiguebelle et Pupier, 250 tonnes de chocolat par jour. ●

In 1814 Jules Pares created a chocolate firm in Arles-sur-Tech which remained very local until 1940 when serious floods destroyed the factory. It was rebuilt near Perpignan by one of his descendants Léon Cantalou and from 1962 on Georges Poirier took the business over and produced amongst other famous brands Cemoi, Aiguebelle and Pupier, 250 tons of chocolate a day. ●

557

558

559

560

557 • [✪ 3].

558 • [✪ 3].

559 • [✪ 3].

560 • [✪ 2].

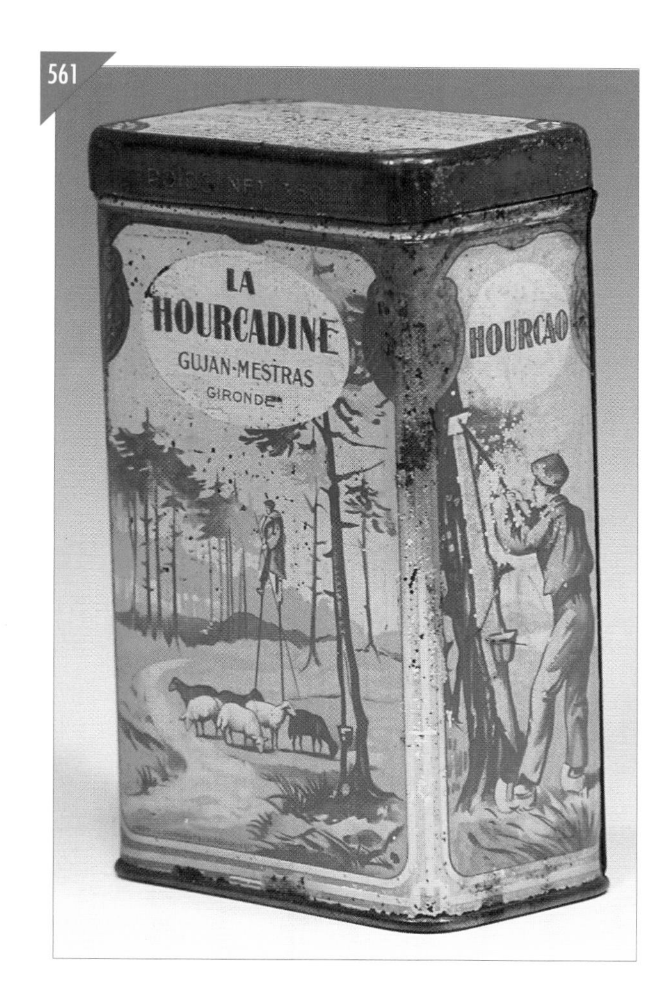

561 • [✪ 3].

562 • [✪ 2].

563 • [✪ 2].

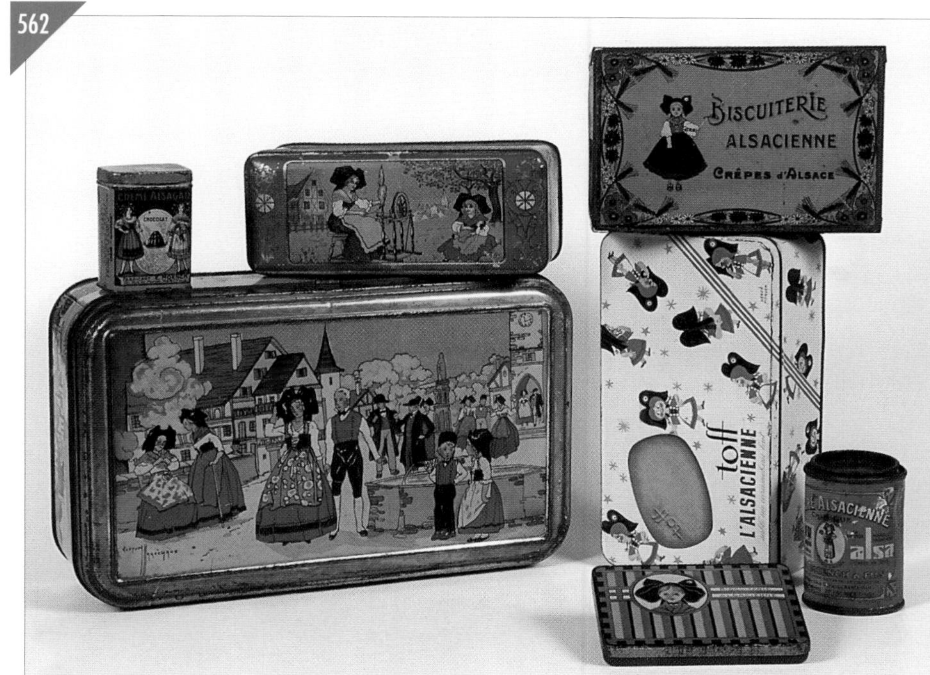

Alsacienne

Un Alsacien réfugié à Paris, crée en 1870 la Biscuiterie Alsacienne et il orne ses emballages du portait d'une jeune fille nommée Sophie. L'illustration est successivement rajeunie par Chemioff en 1935, puis par Hervé Morvan après la guerre. En 1960, Sophie est très recherchée, car on trouve dans chacune de ses boîtes un drapeau miniature en tôle. En 1994, âgée de 124 ans, elle disparaît, victime de la nécessaire simplification du portefeuille des marques d'un grand groupe international, en l'occurrence Danone. ●

An Alsacien who came to Paris started the Biscuiterie Alsacienne in 1870 and he put the picture of a young girl called Sophie on all his packaging. The picture was mademore modern looking by Chemioff in 1935 and then by Hervé Morvin after the war. In 1960 Sophie was very much sought after because on every one of the little boxes there was a miniature flag made of tin. In 1994 at the age 124 she died and the company died of what became the necessary simplification of a portfolio of brands into a big international group, which in this case was Danone. ●

STATIONS THERMALES ET BALNÉA
spas and sea-side resorts

564

565

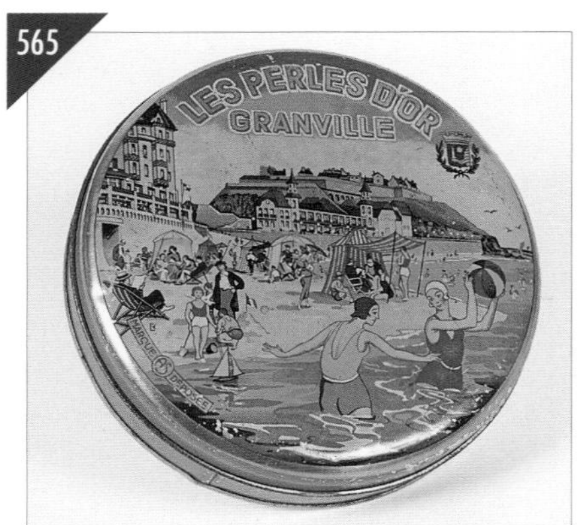

564 • [✪ 1].

565 • [✪ 4].

Au Fidèle Berger

Vous qui passez rue Sornin, à Vichy, vous trouverez face au Parc des Sources, une grande confiserie agrémentée d'un salon de thé. Derrière sa façade se cache une longue tradition : cette confiserie spéciale de Vichy selon des documents publicitaires de l'époque, s'est implantée là, il y a plus de cent ans, au rebond d'une aventure au cours de laquelle elle a proposé avec succès ses pastilles renommées au sucre d'orge, des bonbons de dames à l'ananas, des boules de gommes, chocolats et confitures, sous la marque Au Fidèle Berger. Sous le Second Empire, la famille Michel quitte le Queyras et s'installe à Brouet-Vernet, en pays Bourbonnais. Leur fille, Anne Michel (1850-1931), trouve très tôt un emploi de demoiselle de magasin dans une confiserie de Vichy. Quelques années plus tard, elle s'endette pour acheter ce fonds de commerce, qu'elle conduit à une renommée internationale, aidée par son époux Jean-Baptiste Coutière, puis sa fille Jehanne (1884-1965) et son gendre Léon Périssel (1887-1968). Le Fidèle Berger vit défiler de nombreuses personnalités et vécut quelques moments mémorables, tel que ce jour de 1919 où il fallut accueillir Clémenceau d'un côté, Caillaux de l'autre, sans que l'un et l'autre ne se rencontrent. Des horaires d'ouverture à l'empaquetage, rien n'est laissé au hasard. Deux fois par an, dans un cérémonial réglé comme une horloge, ils choisissent les nouveaux modèles de boîtes de la prochaine saison. À partir de 1968, leur fille, Anne Périssel et son mari Pierre Verret auquel nous devons cet historique, louent leur commerce à madame Chossière (1968-1974), puis aux époux Grémillon (1974-1988). Monsieur Bouvier leur succédera jusqu'en 1989, suivis depuis dix ans par monsieur et madame Innaudi. Ainsi reste fidèle le Berger. ●

When you go down rue Sornain in Vichy you will find yourself facing the Parc des Sources, a very big sweet shop with a Salon de Thé (a tea room). Behind its façade there is a long tradition : this specialised sweetshop in Vichy, according to the advertising documents of the time, was created on this spot over 100 years ago following an adventure during which it successfully proposed its famous sweets made from barley sugar and other sweets made from pineapple and fruit gums and chocolates and jams called "Au Fidèle Berger". Under the Second Empire the Michel family left the Queyras and took up shop in Brouet-Vernet in Bourbannais Country. Their daughter Anne Michel (1850-1931) soon found a job as a shop assistant in a sweet shop in Vichy. Some years later she went into debt in order to buy a shop which she brought to international fame helped by her husband Jean-Baptiste Coutiere and by her daughter Jehanne (1884-1965) and her son in-law Léon Perissel (1887-1968). The Fidèle Berger saw lots of very famous people come by and lived very many memorable moments like that day in 1919 when they had to welcome on the one hand Clémenceau and on the other hand Caillaux without either of these two people actually meeting each other. So from opening times to packaging, nothing was left to chance and twice a year during a ceremony that was as regular as clockwork they chose their new boxes for the following season. From 1968 their daughter Anne Perissel and her husband Pierre Verret to whom we owe this historical information rented their business to Madame Chaussiere (1968-1974) and to the Grémillon (1974-1988). Mr Bouvier took over after them until 1989 and since then Mr and Mme Innaudi have been managing the store. That's how Fidèle le Berger is still with us. ●

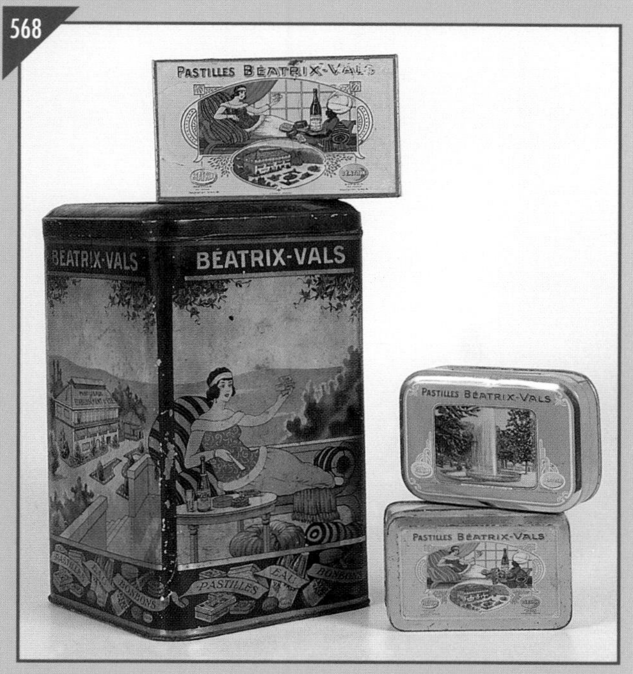

566 • [✪ 3].

567 • [✪ 3].

568 • Grande : [✪ 3].
Autres : [✪ 2].

569 • [✪ 3].

570 • [✪ 2].

571 • [✪ 3].

572

573

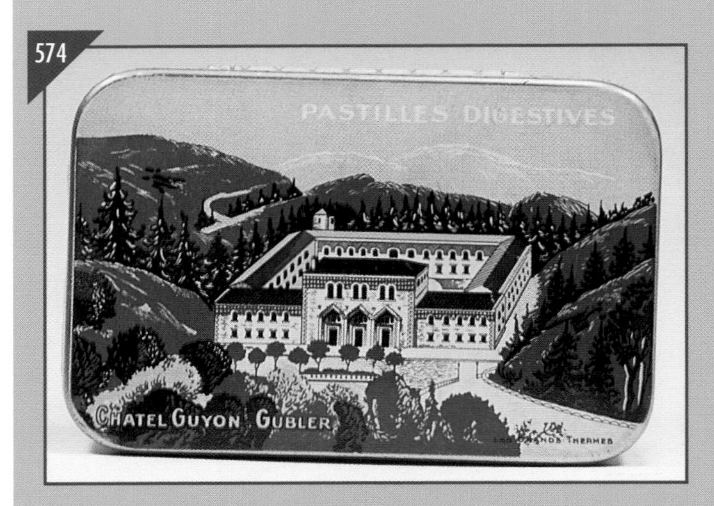

574

575

572 • [✪ 1].

573 • [✪ 4].

574 • [✪ 1].

575 • [✪ 2].

576

577 • [✪ 3].

578 • [✪ 2].

579 • [✪ 2].

580 • [✪ 2].

Confiserie Vichy-Prunelle

Né à Cusset en 1822, Nicolas Larbaud est élève pharmacien chez Pierre Batilliat à Vichy, et interne à Paris en 1847. Pharmacien de première classe en 1850, il fonde une pharmacie dans sa ville natale, ainsi qu'une officine d'été, rue Montaret, à Vichy. Le 21 mai 1873 il achète aux époux Barthez et Moudart, l'immeuble de la rue Montaret où il découvrira la source Prunelle. Il décède en 1889 ayant pour seul enfant l'écrivain Valéry Larbaud, qui gérera l'affaire avec sa mère jusqu'en 1917, date à laquelle elle sera vendue à deux couples qui la cèderont en 1918 à la société anonyme Larbaud St-Yorre. La société anonyme dite Société Prunelle Vichy achète la SA des Établissements Larbaud St-Yorre le 9 mars 1926 dont le principal actionnaire jusqu'en 1970 sera un épicier en gros et propriétaire de plusieurs sources à Cusset, Auguste Chauve. Jean Chauve, son fils, la présidera de 1970 à 1990 et sa fille, épouse Chambon, gère aujourd'hui l'entreprise dont le magasin se trouve toujours rue Montaret. En 1970, la fabrication des pastilles est concédée à la Société nouvelle des pastilles Vichy. ●

Born in Cusset in 1822, Nicolas Larbaud was a student pharmacist with Pierre Batilliat in Vichy and an intern in Paris in 1847. A first class pharmacist in 1850 he founded a pharmacy in his native town as well as a summer pharmacy, rue Montaret in Vichy. On 21 May 1873 he bought the building on rue Montaret from the couple Barthez and Moudart and it was here that he discovered the source Prunelle. He died in 1889 leaving one child ; the writer Valery Larbaud, who ran the business with his mother until 1917, when it was sold. Two couples sold it again in 1918 to the Limited Company Larbaud ST Yorre. The Limited Company called Societé Prunelle Vichy bought Larbaud St-Yorre on 9 March 1926. The principal shareholder was, up to 1970, a wholesale grocer and owner of several sources in Cusset, Auguste Chauve. His son Jean Chauve managed the firm from 1970 to 1990 and his daughter, Mrs Chambon, manages the conpany today and the shop is still on Rue Montaret. In 1970 the pastilles production was granted to Societe Nouvelle des Pastille Vichy. ●

LA ROUTE DE L'ORIENT
the route to the east

581

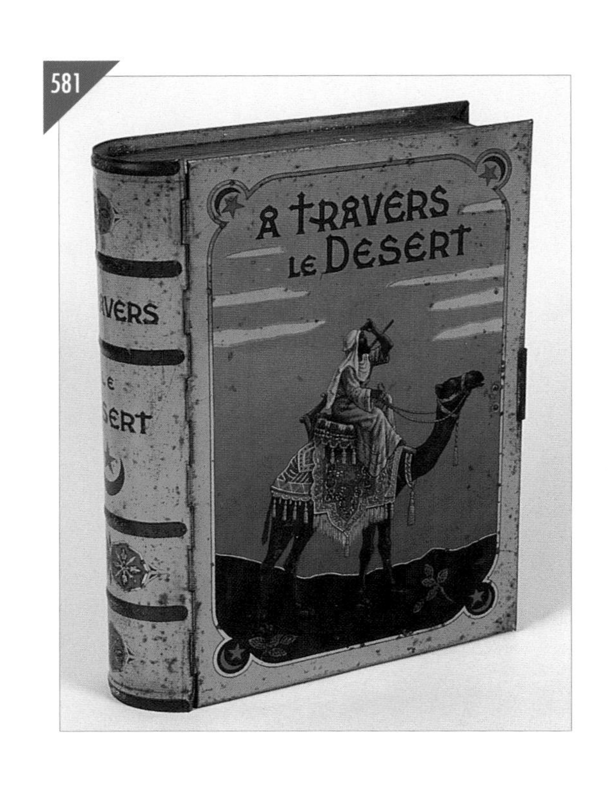

582

583

584

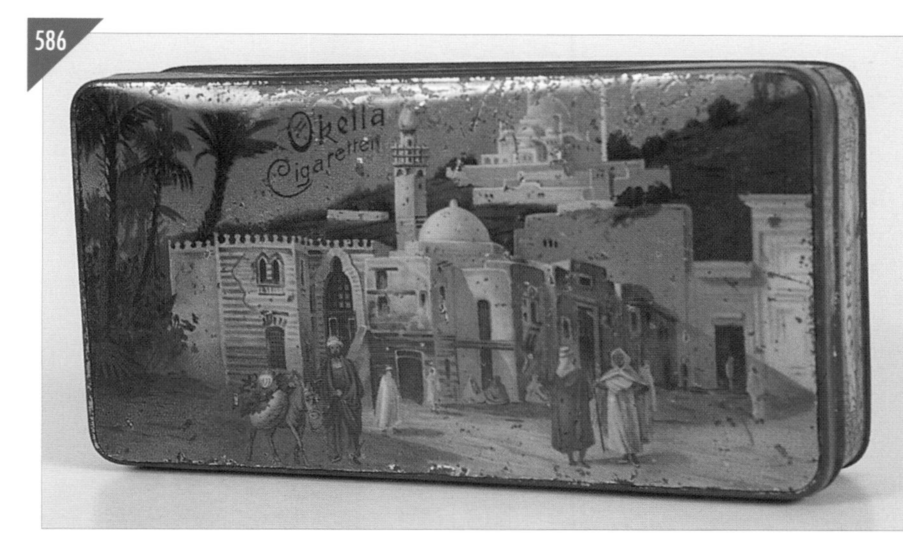

581 • Livre [✪ 4].

582 • [✪ 2].

583 • Boîte à thé anonyme [✪ 6].

584 • [✪ 5].

585 • [✪ 2 à 4].

586 • [✪ 4].

587 • [✪ 4].

588 • Screen [✪ 5].

589 • [✪ 5].

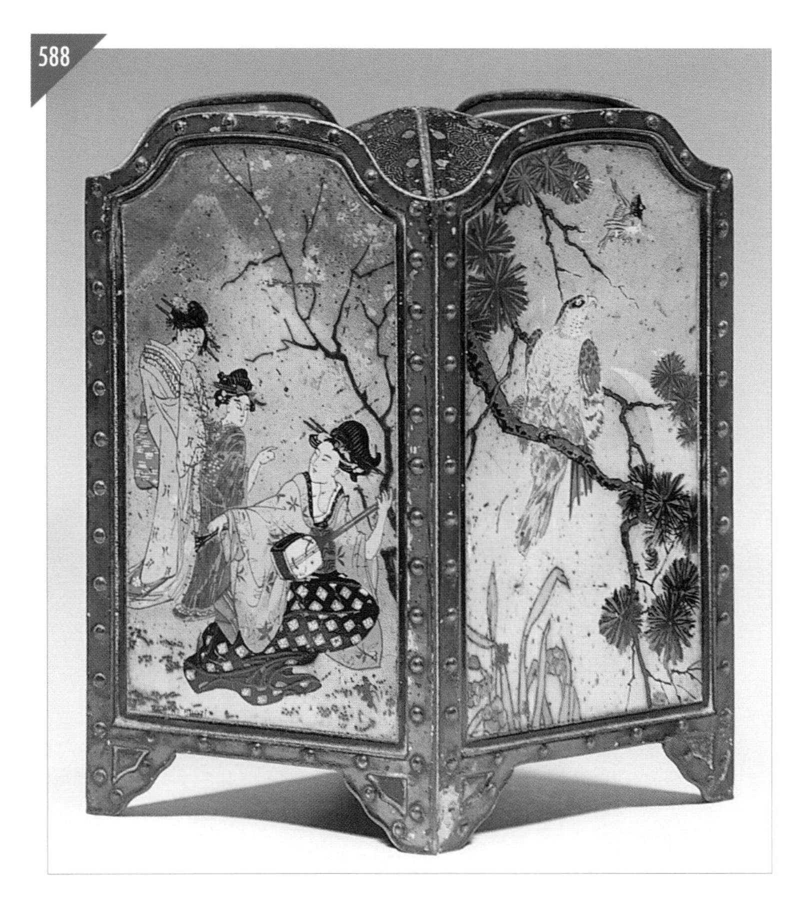

LA ROUTE DE L'ORIENT
the route to the east

590

591

592

593

594

595

596

590 • [✪ 2].

591 • [✪ 2].

592 • [✪ 4].

594 • [✪ 3].

595 • Sans nom [✪ 3].

597

596 et 597 • Sans nom [✪ 3].

598 • [✪ 2].

598

SITES CONNUS
well-known places

« J'ai des souvenirs de villes comme on a des souvenirs d'amour. » (Valéry Larbaud).

"I have got memories of cities like me has love memories." (Valéry Larbaud).

599

600

601

602

599 • [✪ 3].

600 • [✪ 5].

601 • [✪ 3].

602 • [✪ 2].

603 • [✪ 2].

604 • [✪ 2].

605 • [✪ 2 à 3].

606 • [✪ 3].

607 • Biscuits
De Beukelaer [✪ 3].

DÈS À PRÉSENT LE FUTUR ?
what next?

608

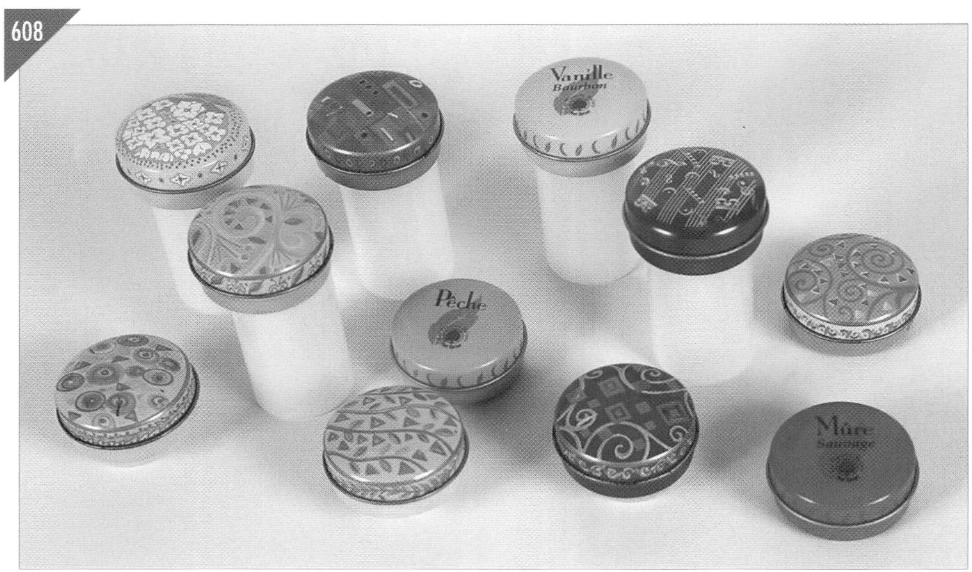

608 • [✪ 1].

609 • [✪ 1].

610 • [✪ 1].

Yves Rocher

En 1959, Yves Rocher crée à La Gacilly, dans le Morbihan, les Laboratoires de biologie végétale, dont il vend les produits par correspondance. Dans les années soixante-dix il développe, en outre, un réseau international de boutiques qu'il appellera Centres de beauté. ●

In 1959 Yves Rocher in la Gacilly in the Morbihan created "Les Laboratoires de Biologie Végétale" and decided to sell its products by mail order. In the 70's he developed an international network of shops which he decided to call beauty centres. ●

609

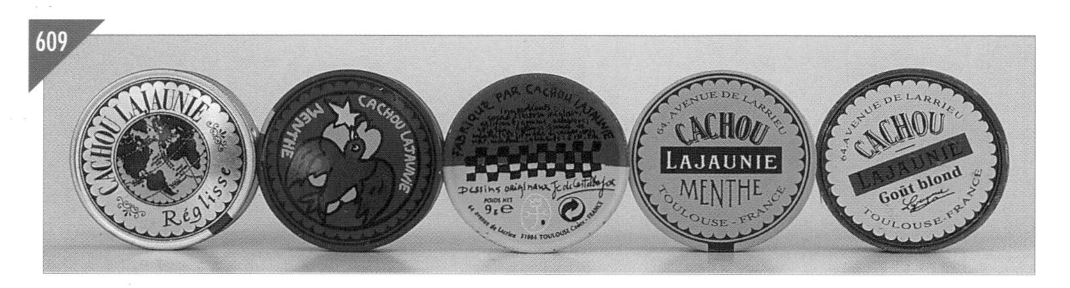

La résine de cachou est extraite du fruit de l'acacia et de l'aréquier depuis le XVIe siècle, en Asie où elle est utilisée pour ses vertus rafraîchissantes, toniques et antiseptiques. En 1880, Léon Lajaunie, pharmacien à Toulouse, prépare des cachous à base de réglisse et sur les conseils d'un ami horloger, les conditionne dans une boîte ronde suffisamment petite pour être glissée, telle une montre, dans une poche de gilet. Les frères Sirven fabriquent la boîte jaune qui connaît un tel succès qu'ils rachètent la marque lorsque Léon prend sa retraite en 1906 : 400 000 boîtes seront vendues en 1910, plus de 2 millions en 1930, et plus de 7 millions en 1987 [15]. ●

The resin of the cachou is extracted from the food of the acacia since the 16th century in Asia where it was used for its refreshing, tonic and antiseptic qualities.

In 1880 Léon Lajaunie a pharmacist from Toulouse started making cachous using liquorice and, on the advice of one of his dear friends, a clock maker, he packaged them in a round box small enough to be fit in a waist coat like a watch. The Siverne brothers made the yellow box and that box became so successful that they bought the brand when Léon retired in 1906: 400,000 boxes were sold in 1910, over 2,000,000 in 1930 and over 7,000,000 in 1987 [15]. ●

610

612

Traou Mad

En 1920, Alexis Le Villain dépose la marque Les Galettes de Pont-Aven, que sa femme vend en costume régional, dans des boîtes illustrées par un architecte, M. Lachaud (fig.). La maison est reprise, en 1982, par la famille Menthéour qui adoptera l'iconographie de l'école de Pont-Aven. À ne pas confondre avec Les Délices de Pont-Aven, fabriqués, à partir de 1952, par Robert Le Villain, son beau-frère. Nous sommes vraiment au pays des galettes ! ●

In 1920 Alexis le Villain registered the trade name "Les Galettes de Pontaven" with his wife posing in a regional costume on the boxes that were illustrated by an architect M Lachaud. This firm was taken over in 1982 by the Mentheour family who adopted the iconography of the École de Pontaven. This firm is not to be confused with "Les Délices de Pontaven" made since 1952 by Robert le Villain, his brother in law. This is really galette (biscuit) country ! ●

611 • [✪ 1].

612 • [✪ 1].

613 • [✪ 1].

614 • [✪ 1].

613

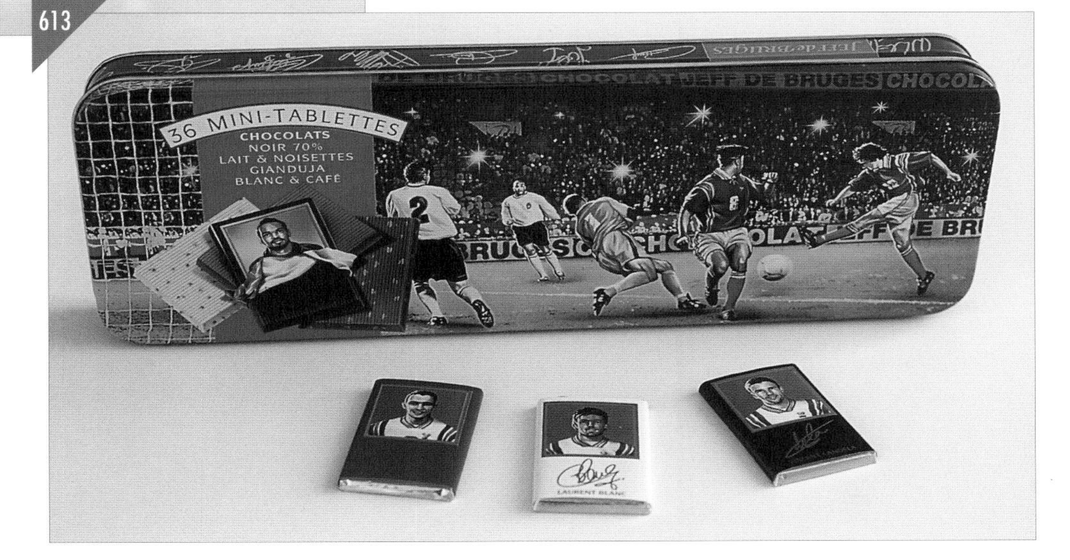

611

614

DÈS À PRÉSENT LE FUTUR ?
what next?

615

616

617

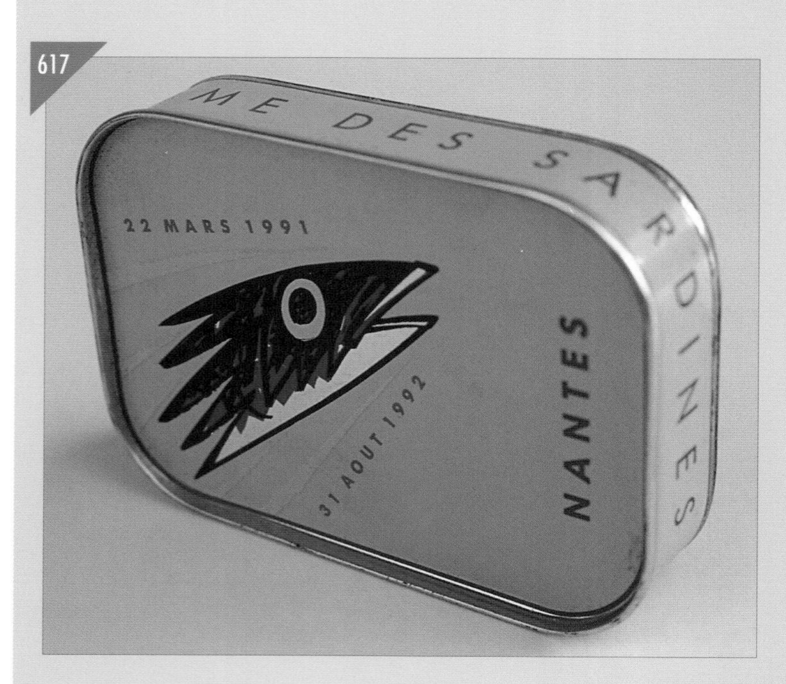

618

615 • [✪ 1].

616 • [✪ 1].

617 • [✪ 1].

618 • [✪ 1].

COUP DE CŒUR À
yvette dardenne

L'univers des collectionneurs est peuplé d'hommes et de femmes dont le comportement échappe souvent à l'entendement commun.
Un jour, on ne sait trop pourquoi, un individu considéré jusqu'alors comme « raisonnable » tombe en arrêt devant un objet anodin à côté duquel plus de cent personnes sont déjà passées, indifférentes : un cendrier, une poupée, un papier, voire une simple boîte en fer-blanc...

Commence alors la recherche éperdue d'autres spécimens. Et cette quête évolue lentement mais sûrement en accumulation systématique. L'individu est passé de l'autre côté du miroir. Il y a quelques années, nous avons eu le plaisir de faire la connaissance d'Yvette Dardenne que je considère et je ne suis pas le seul, comme une collectionneuse hors du commun (Laurent et moi ne sommes pas totalement innocents en la matière).

Yvette Dardenne collectionne, on l'aura deviné, des boîtes en fer-blanc : des grandes, des petites, des carrées, toutes les marques, toutes les tailles, toutes les formes. Mais...

En 1991, la rumeur publique lui en attribue plus de douze mille qu'elle a douillettement installées dans le superbe moulin à eau qui fait partie de son domaine, à une demi-heure de Bruxelles. L'année suivante, le Guinness Book l'accueille avec 16 457 pièces. Et, dans son édition de 97, le compteur ayant tourné à grande vitesse, le Livre des Records enregistrera le chiffre incroyable (mais vrai) de 28 830 boîtes).

Louanges et stupéfaction : les médias sont unanimes. Presse écrite, radio et télévision consacrent à Yvette Dardenne de nombreux sujets. Un magazine chinois lui fait l'honneur d'un papier. Et, chaque année, lors de la journée du Patrimoine, plus de mille visiteurs étonnés parcourent ces lieux magiques. On pourrait croire qu'elle rassemble sans discernement tout ce qui passe à portée de sa main et que sa collection n'est constituée que d'objets ordinaires. Ce serait mal la connaître. Elle possède, et elle en est fière, un grand nombre de pièces exceptionnelles qui donneraient à rêver à plus d'un esthète.

L'importance de cette collection incontournable l'apparente à un musée. À ce titre, aucune boîte n'est négligeable. Chaque pièce participe d'un puzzle, véritable fresque représentant l'histoire des mentalités sur plus d'un siècle. À une époque où l'on recycle beaucoup, le moulin de celle qu'une journaliste inspirée a baptisée la *Dame de fer-blanc* est devenu le conservatoire d'un patrimoine unique auquel entreprises et pouvoirs publiques devraient peut-être s'intéresser afin d'éviter que l'œuvre d'une vie ne soit un jour dispersée.

Est-il bien nécessaire de donner d'autres chiffres ? À l'heure où *Histoire de Boîtes* est mis sous presse, l'inventaire de la fabuleuse Collection Yvette Dardenne s'élève à 31 738 pièces.

Mais notre lecteur aura déjà compris qu'à l'inverse de cette horloge qui comptabilise les jours qui nous séparent du prochain millénaire, ce nombre s'achemine doucement, mais obstinément, vers une sorte d'infini. ●

ACHETER UNE BOÎTE ANCIENNE
to buy a old tins

Il n'existe pas de cote qui fixe de manière définitive la valeur de telle ou telle boîte, vérité qui s'applique d'ailleurs à tout objet de collection. Tout est affaire de circonstance entre un vendeur et un acheteur, de rareté relative de l'objet à un moment donné, de l'état de l'objet lui-même, du marché en général ! Ainsi, la valeur d'une boîte peut-elle varier dans des proportions importantes, qu'elle ait été achetée à un autre collectionneur ou dans une brocante ou qu'elle ait été acquise lors d'une vente aux enchères. Il faut quand même savoir que plus la valeur d'un objet ancien est élevée, moins les fluctuations de sa cote sont importantes
(1 Euro = 6,50 FF, 1 US $ = 6 FF).

There is no fixed rate or no fixed way to define the value of such a box. In fact this is true for nearly all collectors' items. Everything depends on the meeting between the seller and the buyer, the relative rarity of the object at a given time, the actual state of the object and the market itself. Therefore the value of a box can vary in important proportions; whether it was bought by another collector or in an antique shop or whether it was sold during an auction. It should be said however that the higher the value of an old object the less the fluctuation in its value will be (1 Euro = 6.50 francs, 1US$ = 6 Francs).

ESTIMATIONS

Indice	Francs français	Euro	Dollar US
✪ 1	< 100	< 15	< 17
✪ 2	100 à 200	15 à 31	17 à 33
✪ 3	200 à 300	31 à 46	33 à 50
✪ 4	300 à 600	46 à 92	50 à 100
✪ 5	600 à 1 000	92 à 154	100 à 170
✪ 6	1 000 à 3 000	154 à 462	170 à 500
✪ 7	3 000 à 6 000	462 à 923	500 à 1 000
✪ 8	6 000 à 10 000	923 à 1 540	1 000 à 1 700
✪ 9	> 10 000	> 1 540	> 1 700

À LA RECHERCHE DE QUELQUES BOÎTES
searching tins

Outre les greniers accueillants et les caves amicales, les brocantes sont des endroits propices pour dénicher ces petits trésors. Nombre de marchands spécialistes d'objets publicitaires ou de jouets anciens, en proposent quelquefois.
Certains commissaires-priseurs organisent des ventes à l'occasion de dispersions de collections privées. Les boîtes proposées sont vendues à l'unité lorsque leur cote atteint une valeur suffisante. Les passages en vedette américaine de boîtes en lots ne sont intéressants ni pour le vendeur qui les a en général achetées une à une, ni pour l'acheteur qui acquiert souvent quelques "navets" dont il ne saura que faire.
Les salons et manifestations professionnels spécialisés, comme la Journée de la pub ou le Salon des vieux papiers, à Paris, peuvent être l'occasion de découvertes intéressantes pour le collectionneur passionné.
Les revues spécialisées comme *Aladin, La Vie du collectionneur* ou *Trouvailles* représentent également une source de documentation et de trouvailles.
Quelques adresses parmi beaucoup d'autres :

*Friendly old attics, kindly cellars and second hand shops are probably the best places to go looking for these precious little treasures. Sometimes we can find them in shops selling old advertising objects or old toys.
Some auctioneers organise sales when they have a private collection to dispose of. Tins are sold individually if their value is high enough. Selling off tins as a special lot is generally not very advantageous either for the seller who probably bought them individually, or for the buyer who will inevitably get some rubbishy tins in the lot.
Exhibitions and professional fairs, like La Journée de la Pub (Advertising Day) or the Salon des Vieux Papiers (Old Papers Fair), in Paris can be good places for those enthusiastic collectors to find interesting objects.
Specialised magazines like Aladin, La Vie du Collectionneur or Trouvailles are also valuable sources of information and even, findings.
Here are some addresses :*

• *MARCHÉS HEBDOMADAIRES / WEEKLY MARKETS :*
Porte de Vanves à Paris : Serge Hochard.
Marché Vernaison à Saint-Ouen : Antiquité Marie et Pascal Evano.

• *MAGASINS SPÉCIALISÉS / SPECIALLIZED SHOPS :*
Aladine : 12, rue Trousseau, 75011 Paris.
Au Petit Mayet : 10, rue du Mayet, 75006 Paris.
Autre Chose : 17, rue de la Barre, 58000 Nevers.
Bagatelle : 3, rue Michaud, 74100 Thonon-les-Bains.
Broceliande : 20, passage Verdeau, 75009 Paris.
Objets de collection : 13, place Sébastopol, 13000 Marseille.
Phoenix : 88, rue Rochechouart, 75009 Paris.

• *SUR RENDEZ-VOUS / BY APPOINTMENTS :*
Marie-France & Éric Buhr : 01 39 18 34 37.
André Chavanet : 04 78 50 42 16.
Nanouche Follin : 04 67 97 10 73.

• *COMMISSAIRES-PRISEURS / AUCTIONNERS :*
Hubert-Patrick Cheval, 33, rue du Faubourg-Montmartre, 75009 Paris.
Jean-Pierre Lelièvre, 1 bis, place du Général de Gaulle, 28000 Chartres.
Étienne Mercier, 132, bd Raspail, 75006 Paris.
Jean Morelle - Pascale Marchandait, 50, rue Sainte-Anne, 75002 Paris.
Hervé Poulain - Rémy Le Fur, 20, rue de Provence, 75009 Paris.
Christie's, 85 Old Brompton Road, London SW7 3LD.
Sotheby's, 34-35 New Bond Street, London W1A 2AA.

INDEX DES FABRICANTS
manufacturer's index

INDEX DES ILLUSTRATEURS
illustrator's index

Les boîtes ne portent que très rarement le nom de l'illustrateur, et lorsque c'est le cas, il est souvent difficile à identifier. Voici ceux que nous avons trouvés.
It's very rare that we can read the name of the illustrator on a tin and when it is the case, ist's hardly readable. Here's those we could find out:

PARMI LES MEILLEURS SLOGANS
amongst the best slogans

Après le dessin, la plume. Voici quelques slogans choisis pour leur humour, leur efficacité ou tout simplement leur fraîcheur.

BISCUITS

Huntley & Palmer :
« Dieu est mon Droit. »
Chamonix de L'Alsacienne :
« C'est de l'orange aux biscuits. »
Lefèvre-Utile :
« Les plus hautes récompenses. »
Crawford :
« The home of Mr & Mrs Everyman. »

CONFISERIE

Kréma :
« La folie des gourmets. »
Ricqlès :
« La menthe forte qui réconforte. »
Elesca :
« L.S.K.C.S.K.Y. » (de Sacha Guitry).
Chambord :
« Demandez un Chambord. »
Zanzibar :
« Goûtez Zan, Goûtez Zi, Goûtez Zanzibar. »
Afchain :
« Exiger la seule signature de l'inventeur. »
Tavernier :
« Méfiez-vous des contrefaçons. »
Maynard :
« Well worth taking home. »
Rutledge :
« The sweetest sweet. »
Sovereign :
« Queen of assortment. »

SOUPES

Panamine :
« Une pastille d'oignon pour colorer quatre litres de bouillons. »
Kub :
« Exiger le Kub avec un K. »
Chausson :
« Le bienfaiteur du pot-au-feu. »
Oxo :
« Dissolves at once. »
« Oxo make it beefy ! »

PRODUITS ALIMENTAIRES DIVERS

Moutarde Stimula :
« Le meilleur stimulant de l'appétit. »
Riz Oncle Ben :
« Ne colle jamais. »
Farines Diase :
« La meilleure essence pour le moteur humain. »
Amieux :
« Toujours Amieux. »
Huilor :
« Huilor… J'adore. »
Blédine Jacquemaire :
« La seconde maman. »
Cemoi :
« Un régal… Une force. »
Montblanc :
« Le lait des enfants. »
Graminol :
« Fait les bébés forts. »

THÉ

Thé Éléphant :
« Force et Santé. »

CACAO ET CHOCOLAT

Banania :
« Y a bon ! Tout un régime dans une tasse. »
Suchard :
« Inventeur et seul fabricant. »
Menier :
« Éviter les contrefaçons. »
Poulain :
« Gouttez et Comparez. »

CAFÉ

Piroird :
« Café du matin, café du soir, cafés Piroird. »
Café Mondial :
« Un régal sans égal. »

CIGARETTES

Balto :
« Régie Française, Goût Américain. »
1001 Nights :
« There is nothing better or just as good. »

TABAC

Turmac :
« La quintessence de l'Orient. »
Cope Bros :
« The cool smoke. »
Foursome de Sinclair :
« There is a pound of pleasure in every ounce. »
Burley :
« A cargo of contentment in the bowl of every pipe. »

SANTÉ

Confiserie digestive Au Petit Chat :
« Délecter ma clientèle, assurer sa digestion, ménager son escarcelle, c'est toute mon ambition. »
Laboratoire Brunet :
« La poudre qui calme. »

HYGIÈNE

Savon Saint-Bernard :
« L'ami de l'homme. »
Poudre Albert :
« Indispensable aux cyclistes et aux voyageurs. »
Savon Ponce d'Émery :
« Je m'en lave les mains. »
Gibbs :
« Se raser devient un plaisir. »
Bébia :
« Pour la toilette des bébés. »

PRODUITS DOMESTIQUES

O'Cedar :
« Le balai à frange démontable. »
Rustines :
« Plus elles roulent, plus elles chauffent, plus elles tiennent. »
Ruban Kee Lox :
« Your messages are important. »
Satanyl :
« Un brillant de tous les diables. »
Ruban Bayard :
« Sans peur sans reproche. »
Brillant Forézien :
« Qui l'essaie l'adopte. »
Tampon Antoine :
« Inépuisable. »
Pneumatique Romac :
« Cure-C-Cure. »

CIRAGES

Graisse Everest :
« Comme lui je domine. »
Lancelot :
« Le valet de la chaussure. »
O'Cir :
« O'Cir me cire. »
Cirage Unique :
« Pour le monde élégant. »
Melto :
« Brille bien brille vite. »
Blichert :
« Shines like the sun. »

AIGUILLES DE PHONOGRAPHES

O. C :
« Donne du velouté. »

BIBLIOGRAPHIE
bibliography

[1] M.C. Adès, J.P. Piettre, *Années 30-40-50, Graphisme et créations*, Édition Musée de la Seita.

[2] A. Authier, P. Duvernois, *Patrimoine & traditions du thermalisme*, Édition Privat, 1997.

[3] R. Bachollet, J. Debost, A. Lelieur, M. Peyrière, *Négripub : L'image des Noirs dans la publicité*, Somogy, 1994.

[4] C. Baglee, A. Morley, *Street jewellery : A History of enamel advertising signs*, New Cavendish Books, 1988.

[5] A. Bergevin, *Food and drink containers and their prices*, Wallace-Homstead Book Co, 1988.

[6] A. Bergevin, *Tobacco tins and their prices*, Wallace-Homstead Book Co, 1986.

[7] F. Bertin, P. Courault, *Eureka : Le génie au quotidien*, Ouest-France, 1991.

[8] J.P. Bodeux, M. Wlassikoff, *La fabuleuse et exemplaire histoire de Bébé Cadum*, Syros Alternatives, 1990.

[9] M.G. Branchetti, *Boîtes*, Celiv, 1994.

[10] C. Brécourt-Villars, *Mots de table, Mots de bouche*, Stock, 1996.

[11] G. Brougère, *Le Jouet : Valeurs et paradoxes d'un petit objet secret*, Autrement, 1992.

[12] G. Buccelati, *Biscuits : A pictorial story of a sweet tradition*, Franco Maria Ricci, 1982.

[13] L. Burrus, *Le Rôle du tabac en Suisse au XXe siècle*, Sota, 1972.

[14] B. Cacérès, *Si le tabac m'était conté*, Éditions La Découverte, 1988.

[15] D. Cauzard, J. Perret, Y. Ronin, *Le Livre des marques*, Du May, 1993.

[16] L. Chabrol, *Vichy*, Éditions S.A.E.P., 1972.

[17] P. Chapelot, J. Sternberg, *Les Charmes de la publicité*, Denoël, 1971.

[18] J. Chevalier, A. Gheerbrant, *Dictionnaire des symboles*, Robert Laffont/Jupiter, 1996.

[19] Chevrel, Cornet, Devynck, Grichois, Lelieur, Moselle, Pitoiset, *Et aussi des crayons*, Somogy, 1996.

[20] D. Cimorelli, G. Cecere, *Tin dreams. Lithographed tins : 1890-1945*, Électa, 1990.

[21] H.M. Clark, *The tin can book. The can as collectible art, advertising art & high art*, Tree Communications Inc., 1977.

[22] S. & M. Coe, *The true story of chocolate*, Thames and Hudson, 1996.

[23] C. Combet, T. Lefèvre, *Le Tour de France des bonbons*, Robert Laffond, 1995.

[24] A. Corbellari, *Confiseries et confiseurs*, Nouvelle Revue Neuchâteloise, 1991.

[25] J. Corrocher, Dr.P. Reymond, *Vichy historique et médical*, Les Cahiers du Bourbonnais, 1986.

[26] M. Corrodi, *Un art du quotidien : l'objet publicitaire*, Alternatives, 1984.

[27] A. Croutier Lytle, *Trésors de l'eau*, Éditions Abbeville, 1992.

[28] F. Danrigal, C. Huygens, *Le Miel*, Nathan, 1989.

[29] J.P. Debbane, *L'Histoire de France illustrée par la publicité de Vercingétorix au* Normandie, J. P Debanne, 1987.

[30] S. Defradat, *Jouets de la pub : petites autos et autres babioles*, Pef, 1993.

[31] E. Deschodt, P. Morane, *Le Cigare*, Éditions du Regard, 1996.

[32] H. Desmel-Grégoire, *Les Objets du café*, Presses du CNRS, 1989.

[33] R. Fitzerald, *Rowntree & the marketing revolution 1862-1969*, Cambridge University Press, 1995.

[34] J-L Flandrin, M. Montanari, *Histoire de l'alimentation*, Fayard, 1996.

[35] M.J. Franklin, *British Biscuit Tins 1868-1939 : An aspect of decorative packaging*, New Cavendish Books, 1979.

[36] M.J. Franklin, *British biscuit tins*, Victoria and Albert Museum, 1984.

[37] B. Galey, *De Mémoire de marques*, Tallandier, 1997.

[38] J. Garrigues, *Banania : Histoire d'une passion française*, Du May, 1991.

[39] E. Gaspard-David, *L'Homme et le chocolat*, Le Léopard d'Or, 1991.

[40] O. Gérin, C. Espinadel, *La Publicité suggestive*, Dunod H., 1911.

[41] F. Ghozland, *Un Siècle de réclame alimentaire*, Milan, 1987.

[42] F. Ghozland, *Un Siècle de réclame : les boissons*, Milan, 1986.

[43] F. Ghozland, H. Dabernat, *Pub et pilules : Histoire et communication du médicament*, Milan, 1988.

[44] V-A. Giscard d'Estaing, *Le Livre mondial des inventions*, 8e édition, Cie 2 Douze, 1989.

[45] D. Griffith, *Tins Decorative Printed : The golden age of printed tin packaging*, Studio Vista, 1979.

[46] L. Guyot, *Les Épices*, Que Sais-je ? n° 1040, P.U.F., 1972.

[47] A. Hanns, *Decorative biscuit tins : A brief history*, Nabisco, 1988.

[48] B. Heyraud, *5 000 ans de chaussures*, Éditions Parkstone, 1994.

[49] B. Hillier, B. C. Shine, *Mickeymania 1928-1938*, Monelle Hayot Vilo, 1987.

[50] B. Hocheid, *La Métallurgie*, Que Sais-je ? n° 134, P.U.F., 1980.

[51] P. Horay, *Caran d'Ache*, Pierre Horay, 1979.

[52] P.R.G. Hornsby, *Decorative biscuit tins*, Shiffer Publishing Ltd., 1984.

[53] A. Jakovsky, *Tabac-magie*, Le Temps, 1982.

[54] A. Jakovsky, *L'Épopée du tabac*, Éditions Art & Industrie, 1971.

[55] C. Jarrige, *L'Industrie chocolatière française 1810-1939*, Mémoire D.E.A., 1993.

[56] P. Jean-Prost, *L'Apiculture*, Éditions J.B. Baillière, 1972.

[57] M. Jullian, C. Meyer, *Histoire de France des commerçants*, Robert Laffont, 1983.

[58] J.N. Kapferer, *L'Enfant et la publicité*, Le Seuil, 1985.

[59] Karcher Archives, *Mémoire de la rue : Souvenirs d'un imprimeur et d'un afficheur*, Éditions WM, 1986.

[60] G. Lagneau, *La Sociologie de la publicité*, Que Sais-je ? n° 1678, P.U.F., 1983.

[61] R. Lallemand, *Petit guide des douceurs de France*, Édition Desvigne, 1990.

[62] P. Langenieux-Villard, *Les Stations thermales en France*, Que Sais-je ? n° 229, P.U.F., 1990.

[63] V. Lefebvre, *Sucré salé biscuiterie nantaise : 100 ans d'avenir*, Albin Michel, 1997.

[64] P. Lefèvre-Utile, *L'Art du biscuit*, Hazan, 1995.

[65] F. Lery, *Les Conserves*, P.U.F., 1955.

[66] J.M. Lucas, *Les Belles Réclames de grand-père*, J.M.L., 1975.

[67] F. Lupu, *Café, sucre, chocolat des tropiques à notre table*, BT. Publications de L'École Moderne Française.

[68] Y. Maertens, N. Duronsoy, V. Leroy, *Épopée d'une boisson : La chicorée dans le Nord-Pas-de-Calais*, Béthune Musée d'Ethnologie, 1993.

[69] A. Mallat, *Les Sels et les pastilles de Vichy*, Lucien Declume, 1919.

[70] G. Martin, R. Virmont, *Choses & gens du pays de Montmaraud au XVIIIe siècle*, Cahiers bourbonnais, 1987.

[71] M. Martin, *Trois siècles de publicité en France*, Éditions Odile Jacob, 1992.

[72] D. Marty, *Histoire illustrée du phonographe*, Édita Lazarus, 1979.

[73] C. McDowell, *Haute pointure : histoires de chaussures*, Robert Laffont, 1989.

[74] A. Mignon, *Le Livre du café*, Gallimard, 1988.

[75] A. Mulhaupt, *L'Industrie chocolatière suisse avant, pendant et après la guerre*, Imprimerie vaudoise, 1932.

[76] Musée Arts & Traditions Populaires, *L'Abeille, l'homme, le miel et la cire*, Édition Réunion des Musées Nationaux, 1982.

[77] Musée de la publicité, *Les Aventures publicitaires d'un dromadaire*, Musée de la publicité, 1992.

[78] Musée du fer, *Mise en boîte : 200 ans de fer blanc*, Musée du fer, 1979.

[79] Musée national des Arts et Traditions populaires, *Mise en boîte*, La Réunion des Musées Nationaux, 1994.

[80] Musée du Château des Ducs de Bretagne, *Les Biscuiteries de Nantes du XIXe siècle à nos jours*, Musée du Château des Ducs de Bretagne, 1987.

[81] L. Nadeau, *Vichy historique*, Les Éditions du Bastion, 1994.

[82] R. Opie, *Sweet memories*, Pavillon Books Ltd., 1988.

[83] R. Opie, *Packaging source book : A visual guide to a century of packaging design*, Macdonald Orbis, 1989.

[84] R. Opie, *The art of the label*, Simon Schuster, 1987.

[85] E. Orsenna, J.M. Terrasse, *Villes d'eaux*, Ramsay Image, 1981.

[86] P. Ottenheimer, *Jouets automobiles 1890-1939*, Monelle Hayot Vilo, 1984.

[87] Y. Papin, *Le Coq : histoire, symbole, art, littérature*, Éditions Hervas, 1993.

[88] A. Perrier-Robert, *Les Friandises et leurs secrets*, Larousse, 1986.

[89] A. Raveneau, M. Pastoureau, *Le Bœuf : histoire, symbolique et cuisine*, Sang de la Terre, 1992.

[90] J.W. Reader, *A history of metal box*, Heinemann, 1976.

[91] W. Russ, *Carl Russ - Suchard*, Paul Attinger, 1926.

[92] N. & L. Scherr, *Les Boîtes à biscuits*, Syros Alternatives, 1992.

[93] J. Seymour, *Métiers oubliés*, Chêne, 1985.

[94] D. Spiess, *Affiches publicitaires : 100 ans d'histoire à travers l'affiche*, Édita S.A., 1987.

[95] Suchard SA, *Le Chocolat Suchard 1826-1926*, 1926.

[96] R. & H. Swedberg, *Tins 'n' Bins*, Wallace Homestead Book Co, 1985.

[97] M. & W. Tafelmaier, *Reklame auf alten blechdosen. Die dreidimensionale verführung*, Harenberg Kommunikation, 1982.

[98] M. Tambini, *Le Look du siècle*, Éditions Mondo, 1997.

[99] JC. Tarondeau, D. Xardel, *La Distribution*, Que Sais-je ? n° 2215, P.U.F., 1985.

[100] JM. Thévenet, *Rêves de pompes, pompes de rêve*, First, 1988.

[101] M. Thibault, *Débitants de tabac : quatre siècles d'histoire*, Édition Musée de la Seita, 1993.

[102] B. Ulmer, T. Plaischinger, C. Advenier, *À votre santé ! Histoire de la publicité pharmaceutique & médicale*, Syros Alternatives,1989.

[103] J. Verroust, M. Pastoureau, Buren, *Le Cochon : histoire, symbolique et cuisine du porc*, Sang de la Terre, 1987.

[104] G. Villemot, V. Vidal, *La Chevauchée de la Vache qui rit*, Hoëbeke, 1991.

[105] J.B. Vuillème, E. Gentil, *Suchard, la fin des pères*, Éditions Gilles Attinger, 1993.

[106] A. Wallon, *La Vie quotidienne dans les villes d'eaux [1850-1914]*, Hachette, 1981.

[107] J. Watin-Augouard, *Le Dictionnaire des marques*, Éditions JV & DS SEDIAC, 1997.

[108] M. Weisser, *Cigaretten reclame*, Édition Deustche Reklame, 1985.

[109] M. Wlassikoff, *La Plaque émaillée publicitaire*, Éditions Alternatives, 1985.

[110] S. Yi, J. Jumeau, M. Walsh, *Le Livre de l'amateur de thé*, R. Laffont, 1993.

[111] T. Zeldine, *Histoire des passions françaises*, Éditions du Seuil, 1981.

[112] *Inventeurs et scientifiques*, Larousse, 1994.

[113] Syndicat national de la biscuiterie française, *Les Biscuits*, S.N.B.F.,1994.

[114] B. Jeanneau, *Le Fer blanc*, Sollac, 1993.

[115] N. Hartwich, *Histoire du chocolat*, Éditions Desjonquères, 1992.

[116] CGER, *Chocolat : de la boisson élitaire au bâton populaire*, Catalogue C.G.E.R., 1996.

[117] G. Messadié, *Histoire générale du diable*, Robert Laffond, 1993.

[118] J. Runner, *Le Thé*, Que Sais-Je ? n° 1392, P.U.F., 1974.

[119] Syndicat national des fabricants de bouillons et de potages, *Potages d'aujourd'hui*, S.N.F.B.P., 1973.

[120] Hernandez, C. Martinet, 100 ans *d'emballage métallique alimentaire : de J.J. Carnaud à CarnaudMetalBox*, CMB,1974.

[121] Musée d'ethnographie de Genève, *Vache d'utopie*, Éditions Slatkine, 1991.

[122] *150 ans de Société*, S.A. des caves & producteurs réunis de Roquefort, 1992.

[123] A. Bergevin, *Drugstore tins & their prices*, Wallace-Homsestead Book Co, 1990.

[124] B. Bennassar, *1492. Un nouveau monde ?*, Perrin, 1991.

[125] P. Leroy, « Les Boîtes d'aiguilles de phonographe », *V.D.C.*, février 1998.

[126] C. Franck, « L'Univers du thé à Paris », *V.D.C.*, février 1997.

[127] E. Aymone, « Histoire du tabac », *Revue du tabac*, 1949.

[128] P. Prioton, « Le Café en objets et documents publicitaires », *V.D.C.*, mars 1998.

[129] A. Corbin, *L'Avènement des loisirs 1850-1960*, Aubier, 1995.

[130] P. Chambriard, *Notes sur le chapeau à Deux-Bonjours dans la région Vichyssoise*, 1987.

[131] Fédération romande de publicité, *De la réclame à la communication. Le Roman [D] de la Pub*, 1994.

[132] H. Fillipini, *Dictionnaire de la bande dessinée*, Bordas, 1989.

[133] R. Favre, E. Teixidor, *Encyclopédie du cinéma*, Alpha, 1978.

[134] P. Jacob, *Les grandes heures des laitiers en Normandie*, Éditions Bertout, 1991.

[135] R. Thomas, *Histoire du Sport*, Que sais-je ? n° 337, P.U.F.,1991.

TABLE DES MATIÈRES
table of contents

REMERCIEMENTS
ACKNOWLEDGEMENTS

« Lorsque tu veux vraiment quelque chose, tout l'univers conspire à te permettre de réaliser ton désir... Mektoub. » (L'Alchimiste *de Paulo Coelho).*

*Beaucoup de personnes nous ont aidé à réaliser cet ouvrage.
Au nom de tous les amateurs de boîtes et de ces petites histoires qui font l'histoire mille merci. Tout particulièrement à : T. Mustafa., F. Riboud, P. Bindschedler, P. Tchernia, M. Novatin, et Madame Y. Dardenne.*

*Sans oublier :
M. Cabré (Aladin), C. Nuzzo (Massilly), C. Mariuzzo, G. de Guerry (Sollac), J.B. & I. Cheney, N & M. Bellec, G & C. Borca, A.C. Lelieur (Bibliothèque Forney), D. de Montrozier, P.H. Guermonprez (Meert), J.M. Gloux, S. Toutant, M. Menthéour (Traou Mad), J.A. Baudière, Y. Bovay, C. Ronzeau, M. Dufayet (CMB), H. Le Gall, P. Zentz d'Alnois (Nestlé), B. Chevalier (Musée ethnographique Genève), J. Cribier (Galettes Saint-Michel), W. Siegerist, V. Dormart-Leroy (Maison de la Chicorée), M. de Gérus (Kiwi), M. Chambon (Vichy-Prunelle), G. Mercier (Corvisart), P. Verret (Au Fidèle Berger), D. Vrac (Bohin), M. Augustin & Dequerre (Klaus), C. Guichard (Vieillard), J.M. Biron (Multibox), M. Poline (Safet), V. Weber & A. Plessis (Ferembal), A. Petitier & M. Le Goff (Franpac), M.F. Buhr, M. Charrion (Palomas), J.C. Moinet & G. Michaille (Moinet), M. Laval, P. Chambriard, E. Mercier (Commisaire Priseur), Bibliothèque Valery Larbaud à Vichy, Daniel Rosay (Bagatelle à Thonon-les-Bains), M. Baud (Bibliothèque de Thonon-les-Bains), H. Belbéoch (Éditions Pallantines), S. Hochard, F. Dufetelle, M. Verpiot, F. Riolot, A. Botton, N. Follin, T. Fourrier, P. Leray et Martine (Aladine).*

Merci également à Paul Pastor pour la plupart des photos, Anne Motte, Ann O'Mahoney et Susan Baines pour la traduction, Petits Papiers pour la maquette, ainsi que Repro-Leman à Thonon-les-Bains et G. Bartolini, Studio Galaxie à Thonon-les-Bains. ●

CRÉDITS PHOTOGRAPHIQUES

Marie-Françoise Plissart : p. 217.
Marc Helleboid : couverture, p. 90 à 97.
Robert Camault : n° 70, 71, 89, 190, 194, 202, 203, 205, 207, 364, 365, 395, 498, 506, 560, 563, 601.
Studio Galaxie : n° 6, 7, 10, 27, 28, 32.
Paul Pastor : n° 1 à 4, 9, 16 à 19, 29 à 34, 36, 42 à 44, 47 à 52, 55, 58 à 69, 72 à 87, 96, 99 à 101, 103, 105, 107 à 110, 113, 115, 117, 118, 120 à 128, 130, 132 à 136, 139, 140, 143, 148 à 150, 152, 155, 158 à 168, 170 à 181, 183, 184, 187, 188, 191 à 193, 195, 196, 204, 209, 210, 213 à 221, 224 à 232, 235 à 237, 240 à 255, 257 à 259, 261 à 268, 270 à 273, 275 à 278, 280 à 287, 289 à 329, 331, 333 à 349, 351, 357, 363, 369, 371 à 377, 379 à 390, 392, 394, 398, 400, 403, 406 à 410, 413, 414, 417 à 421, p. 161, n° 423, 424, 427 à 429, 434 à 437, 439 à 442, p. 170 à 173, n° 455 à 472, 474 à 480, 485, 501, 503 à 507, 509, 512, 513, 515, 516, 521, 529 à 536, 538 à 540, 542, 543, 545, 548 à 559, 561, 562, 564 à 571, 573, 576 à 578, 580 à 583, 585, 586, 590, 598, 599, 602 à 606, 608, 609, 612 à 614, 615.
Collection Y. Dardenne : n° 4, 74, 116, 141, 144, 145, 147, 151, 169, 186, 191, 217, 250, 294, 308, 309, 312-345, 352, 354, 387, 403, 416, 430, 431 à 433, 438, 465, 508, 524, 526, 541, 546, 575, 579, 587, 594, 607.
Les photos non citées ci-dessus ont été réalisées par les auteurs.

CHOCOLAT MENIER
EVITER LES CONTREFAÇONS
BOITES PETITES TABLETTES
5c. 10c.
issez une pièce de 5c.
dans l'ouverture du Dôme
et tirez la boucle du tiroir
pour obtenir la tablette de
CHOCOLAT MENIER
PARIS
L'AIGUILLE GAGN
POINTE
VOLTAIRE
ARIS
Eclair
nterne
IL BLAS
IMPRESSIONS SUR MÉTAUX